教育部哲学社会科学研究重大课题攻关项目“我国学校教育创新研究”成果
“守望者的凝思：读懂学校、读懂校长”系列论丛

主编 裴娣娜

守望与凝思之间

SHOUWANG YU NINGSI ZHIJIAN

——北京师大附中教育创新研究

刘沪 等 著

教育科学出版社
·北京·

守望与凝思之间

——北京师大附中教育创新研究

本 册 主 编：刘　沪

本 册 编 委：王莉萍　梁原草　顾咏梅
许建勇　李　敏

基于学校教育变革性实践的反思与建构
——中国基础教育改革创新之路

裴娣娜

学校教育创新是目前世界各国基础教育改革中一个具有战略意义的重要问题。如何变革学校教育观念，培养具有创新精神和实践能力的高素质人才，是世界各国共同关注的问题。事实证明，以创新挑战危机，谁最先把握了时代发展变化的需求，谁就掌握了发展的主动权。

“守望者的凝思：读懂学校、读懂校长”系列论丛，是“十一五”期间教育部哲学社会科学研究重大课题攻关项目“我国学校教育创新研究”的研究成果，是对改革开放三十多年来中国基础教育阶段学校教育创新发展的思路、策略及方法基本脉络的全面系统的反思梳理。这套论丛有着独特的时空定位，限定在我国改革开放以来学校办学层面的改革与创新，采取自下而上的分析思路，是对学校已有的基于变革性实践的学校现代发展经验的总结提升。系列论丛中一本本研究性的专著翔实地记录了这些学校的校长基于不同的办学实际带领各自团队所走过的学校发展之路，这些学校的办学理念及经验经过了时间积淀和实践的检验，是富有鲜明特色、带有中国本土气息的原创性实践。

反思总结来自实践的学校创新经验，从中解读并汇集学校教育创新力指标，从而为进一步探讨学校教育创新发展理论模型与实践模式的建构、形成有较强的实践操作策略奠定坚实的基础。因此，我们的研究，以反思与建构为主线，聚焦“两个读懂”：读懂学校、读懂校长。这套系列论丛所呈现的不仅是每个学校独特的“我”，更重要的是通过一个个独特的“我”集合形成的具有一定典范意义的学校变革性实践的基本认识。

一、学校教育创新理论反思与现实建构的战略性意义

进入21世纪，面对世界各国对于经济社会可持续发展目标的诉求以及日益激烈的国际竞争对高素质人才提出的更高要求，面对工业社会和信息社会发展的要求，面对极不平衡的区域性社会经济发展以及多元文化价值取向、伦理道德问题、文化生态危机等一系列严峻挑战，中国基础教育的改革与发展进入一个十分关键的时期，正是社会转型凸显了中国学校教育创新发展的主题。

教育创新是学校教育发展的根本动力。学校需要变革，学校必须变革，变革的目的在于坚持“以人为本”的科学发展观，办好让人民满意的学校。学校教育创新研究的重要意义在于以下三个方面。

（一）为构建优质高效的学校办学模式提供一种理论分析框架

学校教育创新研究旨在对中国学校教育创新发展进程中的若干重要问题作出理性的思考和科学的回答，探索适应社会发展和人的自身发展需要的、优质高效的学校教育发展模式与育人模式。通过教育学、心理学工作者的跨学科研究，跨校际的教育工作者协同研究，以及理论与实践工作者的合作研究，为有中国特色的基础教育改革和发展提供思路，为构建优质高效的学校教育提供一种理论准备和分析框架，为促进青少年儿童全面发展提供一种新的教育方式，为教育行政部门和教育机构的相关决策与措施的制定提供科学依据。因此，这一研究成果是中华民族的，也是世界的；既有本土性，又有国际的普遍意义。

（二）通过典型个案研究，呈现我国当前具有特色的和有代表性的学校教育创新发展实践模式、评价指标、推进机制及成功经验

系列论丛的内容强调以下三点。

一是以学校教育改革与发展为中心线索，阐明项目学校从学校教育价值观念的重新定位到学校教育体系的全面更新，从改造教育过程到改

变教育教学各个环节中的方法与手段，从全方位地营造育人环境到创造性地开拓各种教育教学模式，从而提升学校整体的综合实力，形成学校教育创新的思路和特色的历程。

二是尝试揭示学校教育创新主体的培育与生成过程。论丛力图在深层次上揭示创新主体如何建构一种创新的观念、思想与目标，从而进一步生成为具体的办学行为的复杂过程。

三是表明学校创新发展是基于学校自身条件的特殊性，展现我国中小学校现代发展的多样化发展形态，同时也展现我国中小学校长追求持续发展和创建一流教育的特色与智慧。

（三）通过解读，将学校办学理念与行为提升到自觉和自为层面，进一步促进学校教育创新的实践探索

通过对不同学校教育创新力形成与发展过程的审视，有效促进科学的质量意识、特色意识的确立，提升对学校办学特色和学校潜在的创新能力的认识。

当然还应看到，项目研究成为高师院校集教育科研、人才培养、为基础教育改革提供咨询服务三种职能于一体的重要平台，从而对参与研究的高等院校在凝练学术方向、汇聚学术队伍、开展高水平学术交流等方面同样发挥重要作用。

通过研究，我们认识到，尽管学校发展存在差异，但有一点是共同的。那就是随着国家教育体制改革的推进，学校作为办学主体，面临前所未有的生存和发展的压力。实质是，变革的时代要求学校通过变革进行根本性的转型。我国的中小学校，正是顺应时代发展的潮流，不失时机地抓住发展机遇，凭借校长的胆识和战略思想，挖掘学校的优势和潜力，形成应对变革的自我更新机制，提升学校整体的综合实力，从而走出竞争中的劣势处境，构筑起了学校新的竞争优势。创新已成为学校发展的内在生命力。

论丛的撰写是一个大工程，不仅推动了学校对自我办学理念、举措的反思，而且为项目研究在理论的概括提升上提供了丰富厚实的思想资源。研究具有开拓意义，而且是原创性的，是项目研究重要的标志性

成果。

二、项目研究的共识与思考

作为一项国家级的高端科研项目，论丛从实践研究层面反映了研究成果的创新性及实践效益，我们概括为以下几个主要方面。

（一）回应了我国社会转型时期政治、经济、文化变革关于教育的现实诉求

一个具有强大生命力的思想和理论的孕育形成与发展，关键在于它对所处时代改革中重大的理论和实践问题的回答。始于20世纪末的中国社会转型，将现代化、市场化、社会主义改革三重重大的社会变革浓缩在同一时空，构成了一场极特殊复杂又波澜壮阔的社会变迁。正如有的学者所指出的，社会变迁的核心在于人的生存方式的变化。

正是当前中国社会的现代转型，从根本上决定了中国基础教育学校创新发展的主题，而回应中国社会的现代化发展与基础教育改革提出的新矛盾、新问题，在很大程度上又进一步决定了中国学校教育创新发展过程中关注和研究的问题。

现代教育的本质在于解决人自身的发展与价值问题，是人的发展的潜在可能的现实实现，而不是把人作为社会的被动客体来塑造。人的个体与群体的发展是现代教育的出发点和归宿，是使学校实现跨越式超常发展的生命力，是激发教育工作者潜在创造力的原动力。将这一主题置于中国社会的特殊语境中，置于中国基础教育现代化发展的历史进程中，置于多元文化的多种价值选择并存的环境中，从而形成了目前研究的论域（范畴）和主线。这就是在学校教育中，关注学生的文化生存环境和活动方式，关注学生的生存状况和生命价值，尊重学生的主体地位和主体人格，培养学生自主性、主动性和创造性，使他们在掌握人类优秀文化基础上学会学习、学会创造。这一价值目标定位，从根本上反映了学校教育创新发展研究主题从工具理性到价值理性的转化。

学校教育的创新发展，不仅是对工具化的教育追求、人的发展目标偏离、主体缺位的反动，而且是对迷茫的教育理论、观念的价值澄清。正是敏锐地抓住了时代的挑战，回应了时代发展的需求，才形成了学校

现代发展的视阈，导致学校教育进行结构性调整而实现了功能、形态上的根本性转变。

（二）形成我国学校教育创新的基本理论分析框架

1. 学校教育创新是学校教育主体，通过新的创意、新的构想、新的思维和行为方式、新的教育技术和手段，对原有不合理的理论观点、思想方法、技术手段进行突破和超越，在学校变革与发展中更有效地实现教育目的的一种创造性活动。这一定义强调通过创新性活动，构建有变革创新能力的学校教育，从而突破种种阻碍学校改革与发展的限制，使学校实现根本性的变革。

2. 学校教育创新的基本内涵是以科学发展观为核心的现代教育理念，是一种勇于变革的实践活动，是一种先进的学校文化，是一种在不断回答每一时代提出的重大问题的过程中获得发展的内在生命力。创新是一个过程，创新的实质在于变革、超越和发展。

3. 学校教育创新的目标是促进高素质人才的培育成长和学校的现代发展。(1) 培养学生的自主性、主动性和创造性，使他们具有正确人生观、价值观，基础扎实，有创新精神、独立思考和实践能力，从而最大限度地实现每个人的个性与才能的发展。(2) 形成锐意改革、张扬个性、鼓励探索、宽容失误的有特色的学校教育创新文化。(3) 创建具有生成性的学校生态制度与管理系统。(4) 营造内外部良好育人环境。(5) 塑造具有"生成"意识、"理论"气质、"变革"能力的校长。

（三）初步构建学校教育创新力评价指标

学校教育创新力评价指标，旨在用统计体系构建学校教育创新的内涵与本质。通过研究，我们初步构建了由四个要素组成的学校教育创新力评价指标体系：办学理念、办学目标组成的价值目标系统；课程开发、课堂教学、班级建设组成的育人模式系统；人事制度、组织管理制度组成的制度与管理系统；战略性谋划能力、领导者品格组成的校长领导力。通过四个子系统以及系统的优化组合，学校不断调整内部结构，扩大自组织的功能，成为一个自我更新、自我发展的有机体，成为一个具有强适应能力的教育生态系统，以期达到提高质量、增长效益、有序运行的效果。

（四）形成学校育人模式创新的基本思路和举措

立足于读懂变革性实践，我们将“优质高效的学校教育发展模式及育人模式”作为探讨的重要内容。汇集众多学校的实践探索，形成的基本思路是：依据学校的培养目标及办学方略，重点在育人模式的创新。

1. 学校课程系统的创新

取得的主要突破如下。

第一，以人为本的课程目标的创新以及课程功能的创新。

基础教育的课程功能，由普及功能与选拔（筛选）功能、个体功能与社会功能、适应功能与超越功能之间的矛盾关系所构成。然而应试教育在将“课程考试化”的同时，也造成基础教育课程功能关系的错位、扭曲和失谐。学校课程开发首先要正确处理不同功能之间的矛盾，课程的设置应关注学生学习能力、实践能力和创新能力的培养，并坚持能力培养的层次性。

第二，课程领导力的提升以及基础教育课程结构与形式的变革。

课程领导力指学校按照一定的办学定位、培养目标进行课程开发建设，全面提升学校教育质量的能力。课程领导力的内涵，指校长领导教师团队创造性地实施国家课程计划的能力，合理开发和整合教育资源建设校本课程的能力，组织学校课程实践的决策、引领和调控能力。

针对以学科课程为主课程形态的弊端，我们探索新的课程结构体系的构建，使分科课程与综合课程、必修课程与选修课程、普通教育课程与职业技术教育课程相结合，并设置旨在指导学生进行专题研究性学习的综合实践课程、地方自主选择的课程，体现灵活性、多样性和选择性，从而为不同地区、不同学校以及学生发展提供更大的选择余地。

学校课程结构与形式的变革，大致呈现为以学生素养发展目标为依据，按照课程功能和学习领域知识的重新整合来构建学校课程结构，以及基于学校办学特色的体现对国家规定的课程进行重组和改造几种不同的思路，展现了中国课程存在形态的丰富多样性。

课程建设的创新，还表现在面向社会、生活实践的课程内容的创新以及校本课程开发中的创新。

2. 学校教学系统的创新

学校教学创新发展研究聚焦于从多视角讨论学科教学本质，学生的学习与创造性思维的培养，发展性教学策略，教学内容改革，课堂教学质量观与有效教学的水平评估，教师专业化发展等问题，并形成了若干有创意的认识。

第一，确立现代教学观，关注学生的文化生存环境和活动方式，实现学生的发展。

第二，学生的学习具有选择性、研究性、体验性和反思性，教学设计应体现学生学习的内在机制及学习特点。

第三，教学内容的选择与设计，重在理解和掌握知识，加强学科知识的整合，面向生活实际，体现教学的实践性以及文化性。

第四，通过教与学的行为分析，实施以主体参与、合作学习、差异发展、体验成功为内涵的发展性教学策略。

第五，确立体现学生发展的课堂教学质量观，进行有效教学的水平评估，促进教与学方式变革，使学生会学习、会创造。

第六，揭示现代课堂教学的基本特色，形成教学的不同流派与风格。教师应有发展意识、反思意识、效率意识、特色意识。教学系统要创新就要读懂教师，要培养一批学科带头人并形成教学风格与特色。

3. 学校德育系统的创新

主要包括以下几点。

第一，对德育功能的重新理解。

以“人在社会中生活”为主线，揭示德育的正义功能、意义功能与幸福功能。旨在培养具有独立人格、民主意识、人权理念和公共责任的公民基本特质。对意义的追寻，构成了人之独特的存在方式。通过人性化、个性化和创造性，使人的自由本性得以充分展呈。

第二，构建了“经验—体悟”定向的德育创新体系。

强调通过经验和体悟过程来培养受教育者的价值取向体系，并通过行为实践经验及内在的自我调整和重构的体悟过程，形成稳定的行为驱动体系，并在此基础上逐步养成稳定的行为习惯，形成固化为内在的自觉价值取向体系和外在的习惯化行为方式的稳定品德特点。

第三，在分析当今中国德育实践及其根本性挑战基础上，形成学校德育创新的几个基本命题：

（1）批判德育中的工具论立场，确立“人是目的”的核心理念；

（2）道德教育的逻辑起点、核心是价值取向与行为习惯；

（3）通过对道德教育内容与形式加以审美化改造，实现“价值引导”与“道德主体的自主建构”的统一；

（4）德育实践需要创造性地拓展有促进意义的资源，引导学生积累经验与重构性体悟（体验）。

项目研究实现了15所高校的跨校际、10个专业方向的跨学科整合，以及高校理论工作者、地方教育行政领导干部、中小学实践工作者多方研究力量的整合，组成优势互补的科研群体协作攻关[①]，从而使研究体现原创性、过程性和整合性。

三、论丛撰写的特色

论丛从历史、现实和未来三个视角把握总体，每一部专著内容框架由三部分组成。第一部分是学校发展历史及传承文化传统的审视，第二部分是全书主体，以学校教育创新力指标为依据，对学校办学的目标与价值系统、育人模式系统、制度与管理系统以及校长领导力几个方面的改革创新进行全面系统总结，第三部分是学校未来发展的设想。

每部专著的撰写前后历时2—3年，是一个再研究再思考的过程。我们深感每所学校、每位校长本身就是一个故事，而每部专著的问世也

---

① 15所高等师范院校分别为北京师范大学、西北师范大学、哈尔滨师范大学、南京师范大学、华中师范大学、河南大学、东北师范大学、天津师范大学、广西师范大学、首都师范大学、山东师范大学、四川师范大学、上海师范大学、浙江师范大学、江西师范大学鹰潭分院；3所科研机构分别为中央教育科学研究所、天津教育科学研究院、四川省教育科学研究所；7个区域性教育行政部门分别为北京市海淀区、湖北武汉市武昌区、四川成都市、河北石家庄市桥东区、深圳市南山区、甘肃省兰州市、四川阿坝藏族羌族自治州理县的教育行政部门；参加项目研究的中小学共有95所。

是一个故事。要保证著述的质量，关键在于如何对每所学校多年积淀的丰富鲜活的实践研究成果进行筛选、整理与提升，而不仅是对事实材料的罗列。

反思论丛撰写的全过程，在以下几方面呈现出其独特性。

1. 起点高位。立论于“中国具有进行原创性研究的优势，这种优势潜力的挖掘，主要在于充分调动深厚的本土资源、经验和智慧”这一论断，立论于学校的现代发展实质是变革性实践的判断，所以采用从变革实践的经验中提升的研究范式，定位于读懂学校、读懂校长、读懂变革性实践。

2. 立足研究。每本书的问世，是一系列的选择、提炼、重组、建构的过程。经过多次研讨碰撞，几上几下的反复修改，凝结的是每所学校对变革性实践的基本认识，同时也渗透了热情参与和关注基础教育改革发展的有识之士的心血，它是用“心”写出来的。

3. 理性思考。遵循“问题—思路—举措”这一叙事逻辑，尽可能处理好反思与建构、理论的概括提炼与实际问题的阐述解释、继承与超越、共性与个性的关系，认真搜索和挖掘创新点，在这个过程中不断提升研究意识和研究能力。

4. 个性特色。教育研究需要宽容、尊重和理解。二十余所学校有不同的身份和角色，每位校长也有不同的成长背景和工作风格，正是每个独特的“我”带来了丰富和生动，而在每个个别中展现的是学校锐意改革、开拓创新的可贵精神，因为高尚的心灵都是相通的。

本论丛是教育部哲学社会科学重大攻关项目的研究成果，我们在此谨对教育部社科司批准立项，对社科司杨光司长、张东刚副司长，基础教育司王定华副司长，以及社科司的同志们给予本项目研究的关怀和指导表示衷心感谢。以德高望重的顾明远教授为首的项目指导专家组——谈松华、郭振有、卓晴君、张民生、文喆、谢维和、朱小蔓、周满生、吕达、曹志祥、杨银付等专家，他们四年来对项目研究发表了富有启发性的重要见解并对项目研究寄予了殷切的期盼，他们的很多重要思想和观点对项目研究产生深远影响，我们将铭记在心。

论丛出版之际，我们还要特别感谢教育科学出版社，感谢李东总编辑以及教育科学出版社的所有编辑出版人员。教育科学出版社热心奖掖学术与创新，他们不仅为论丛的出版付出了辛劳，更难能可贵的是对论丛出版予以无偿支持，从而使我们的成果远离了“文化包装”之嫌而保持了学术研究的纯洁，他们的支持和鼓励是我们做好这一论丛的重要动力。

对中国基础教育学校创新发展这一具有战略性、全局性问题的探讨和研究还刚刚起步。《国家中长期教育改革和发展规划纲要（2010—2020年）》（以下简称《教育规划纲要》）描绘了未来10年我国教育改革发展的宏伟蓝图，特别强调“改革创新是教育事业发展的强大动力”。我们将遵循《教育规划纲要》的指示精神，继续不懈地探索，以求在学校教育创新问题上不断取得新的认识。我们深知，在中国基础教育改革的大潮中我们是“之一”而不是唯一，若干重要的理论与实践问题还需要进一步的展开、充实、挖掘和进行深层次的理性思考。我们坚信，在这条教育改革创新之路上，我们会越走越踏实。

目　录

CONTENTS

前　言

30 年前我在北京师范大学数学系读本科的时候，裴娣娜老师给我们讲授教育学。一晃这么多年过去了，我从一个中学教师成长为大学的研究员，从在师范大学工作又来到附中当校长，一直与裴老师保持着密切的联系。自“九五”以来，我校就有幸跟着裴老师的课题走，无论是“主体教育”还是“学校教育创新”，都使我们受益匪浅。进入 21 世纪以来，科学技术突飞猛进地发展，人类社会在不断变化、进步，我们的学校思考着如何实现教育的现代化。恰在此时，裴娣娜老师主持的教育部哲学社会科学研究重大课题“我国学校教育创新研究”开题了，这正是我国中小学前进发展中迫切需要解决的问题。于是，在裴老师的信任与支持下，从一开始北京师大附中就成为“我国学校教育创新研究”课题的实验校。通过参加课题的研究与实践，促使我们对教育创新不断思考，促使我们不断进行改革实践，并且全方位地推动了学校的工作，使我们能够紧跟时代的步伐前进。

说到我国学校教育创新，如果对时代不加限定，就应当包括过去、现在与未来，在人类历史长河的各个阶段都有教育的创新。如果追溯我国中学教育创新的过去，就一定要研究北京师大附中的历史。因为北京师大附中的前身五城中学堂，是我国成立最早的现代中学。她办学的很多方面在我国中学教育历史上是首创，北京师大附中的发展史是中国现代中学教育发展的一个缩影。最为宝贵的是，她教育的成功之处已被历史所证明。100 多年来，北京师大附中培养了 100 多届几万名毕业生，这些校友走上社会后绝大多数都成为各行各业的优秀人才，他们高度评价自己在母校学习期间受到的良好教育。特别是校友中涌现出一大批我国各个领域的杰出人才和领军人物，人数之多、影响之大，创造了我国中学教育史上的奇迹。因此，在研究当今我国学校教育创新时，认真回顾北京师大附中的诞生与发展，研究她的宝贵历史经验和优良传统，能够起到温故知新的作用，使我们能够站在巨人的肩膀上继续攀登。

近年来，北京师大附中在各级领导和社会各方面的支持下，在全校干部教师的共同努力下，取得了快速的发展。这不仅体现在学校规模的扩大和学校设施的改善，更重要的体现在坚定地按照“全人格、高素质”的目标培养人，按照“继续保持国内一流，争创世界先进”的目标办学。学校始终保持着一支高水平的干部教师队伍，这支队伍中的人有着共同的教育理念。我们就像北京师大附中教育理想的守望者，忠诚于自己学校的优良传统；同时，我们又是一群勤于思考，不墨守成规的人，我们在汲取国内外最先进的教育经验，创造最适合我们学生发展的教育。自1998年我来北京师大附中工作后，亲历或亲眼看到不少学校教育创新的事例，这一桩桩、一件件，展示了跨世纪北京师大附中的前进步伐。

在裴娣娜老师的督促下，我们像当年完成教育学作业那样，把北京师大附中历史和今天的所思所为汇总在一起，奉献出来。参加本书编写的干部教师很多，主要有王莉萍、梁原草、顾咏梅、许建勇、李敏、冯健、况莉、卫刚、龙军、郑一丹等，电教中心冯希奇负责图片工作。由于北京师大附中宝贵的历史经验博大精深，而我和同事们的水平又有限，总结出的东西难以令人满意，特别是近年的工作存在着很多不足，写出的东西很可能存在着问题和错误，敬请各方专家、同行和全校师生、校友批评指正。北京师大附中已经经历了辉煌的100年，我们有信心，通过辛勤的努力，再创第二个辉煌的100年！

刘　沪

于北京师范大学附属中学

2010年10月15日

第一章 学校发展的历史审视

一、中国现代中学教育发展的原点

(一)“壬寅—癸卯”学制与五城学堂的转型

北京师大附中成立于1901年11月2日，初名五城学堂。五城学堂是在戊戌变法提出废除八股取士、国家急需新型“洋务”人才的形势下建立的。在此之前，我国没有学制系统，也没有普通教育制度。一些洋学堂如上海南洋公学（交通大学前身)、天津中西学堂（北洋大学前身）发现学生们没有普通知识作基础，难以接受专业教育，于是只好在校内自行开设一种补习普通知识的预备班，当时起名为二等学堂（直译英文的 secondary school)。一些有识之士纷纷建议允许各省单独建立中等学堂，为大学堂提供合格的人才。清政府在答复各地奏议时提出，“方今时势多艰，需才孔亟，矧京师为首善之区，尤当先行举办，为各省倡前。”① 于是五城学堂成为我国第一个由政府独立设置的二等学堂。

五城学堂的设立与北京电话局开办有很大的关系，二者的创办者皆为福建举人陈璧，且都设在北京南城琉璃厂地区厂甸一带。北京师大附中老校长林砺儒先生认为，五城学堂的设立最初可能是为北京电话局服务的，是一所类似今日中专性质的学校。“假如没有1902年壬寅学制的颁布，五城学堂就很可能在二等学堂基础之上设立头等学堂，而成为一所电信专业学校。它的兴办目的与上海南洋公学、天津中西学堂一样，都是为培养洋务人才服务。所不同的只是那两所学校是由专业班办到普通班，而五城学堂则接受了上海、天津的经验教训，要先由普通班着手罢了。”② 但1902年壬寅学制颁布之后，五城学堂被明确界定为中等学堂，并没有朝专业大学堂的方向发展。壬寅学制的颁布是我国学校教育现代发展史上的一个分水岭，

① 选自北京师大附中档案第一卷，转引自：刘沪．北京师大附中［M］．北京：人民教育出版社，2000：2.

② 林砺儒．在北京师大附中60周年校庆时的讲话［G］//刘沪．北京师大附中［M］．北京：人民教育出版社，2000：5.

五城学堂恰赶上前后两阶段的转折，起到了承上启下的作用。

1902 年（农历壬寅年），清政府管学大臣张百熙上呈学堂章程，即《钦定学堂章程》，史称“壬寅学制”。第二年，张百熙、张之洞、荣庆合作对这一学制进行了修改，于 1904 年 1 月（农历癸卯年底）由清政府正式颁布，即《奏定学堂章程》，史称“癸卯学制”。“壬寅—癸卯学制”是中国开始实施的第一个近代学制。整个学制分为初等教育、中等教育和高等教育三段，其中中等教育定为五年；此学制还包括各级各类学堂章程，附有学校管理法、教授法等。遵照这个学制，五城学堂于 1902 年更名为“五城中学堂”。而我国使用“中学”这个概念，也正是始于这里。

（二）五城中学堂——中国近代第一所公立中学

梅汝莉主编的《中国教育管理史》一书指出：“五城中学堂是中国政府首创的正式近代中等学校。”“五城中学堂就是京师中学堂，后为北京师大附中。这是一所招收平民子弟以及外省在京举贡生监和京官子弟的普通中学；是我国近代第一所非贵胄性的、国立普通学校。”五城中学堂创设之初，在招生告示中明确规定，“准 14 岁以上，20 岁以下，满汉子弟有志向学者，取其图片印结，开明籍贯年貌三代，于本月廿六日起至卅日止，赴本堂报名”，“仰五城（指北京的东西南北中五城，即京师——笔者注）地面人等知悉。尔澄情愿来学者，先行报名”。这的确表明五城中学堂是一所以招收普通平民子弟为主的官办普通中学。

五城中学堂告示底簿

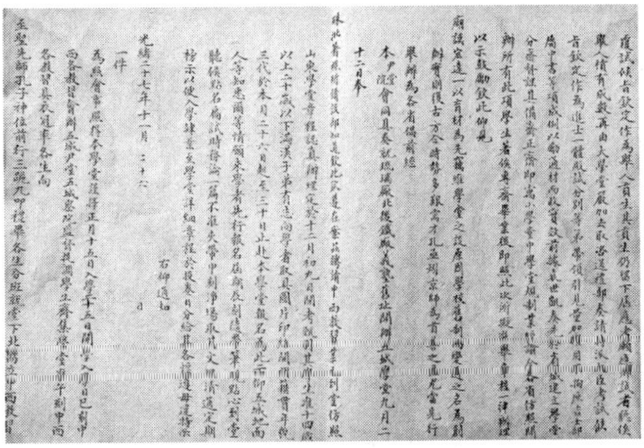

清政府批准成立五城学堂的文告

招生告示还规定，经过初试之后，学堂“取其文理清通，定期榜示，以便入学肄业”，又规定在随后的复试中学生须“听候西学教习试验口音，堪以造就者，再行榜示，即便具结入堂”。学堂当时开设的科目有“读经讲经、国文、算学、历史、地理、本朝掌故、理科、英文、图画、体操”，并聘请桐城派著名古文家林纾（琴南）为国文总教习，聘请王少泉为西学总教习。从课程设置看，中学堂的读经讲经和修身课占总课时的三分之一，这说明传统的经学教育仍占一定比重；但近代自然、社会和人文学科都有所涉及，且编制了专门的教科书，这些都与传统的封建教育有本质的区别。五城中学堂还特别重视体育，学堂告示中明确指出“本学堂为学生身体起见，于4月1日特聘日本武官认真教练体操”。这些都说明五城中学堂是一所中学、西学兼顾，侧重现代学科教育的新式学堂。

五城中学堂管理极为严格规范。学堂制定了十七项讲堂规约、十一项饭厅规约和七项学舍规约，并制定了二十项“学生违约规条”，厘定了从面斥、掌责、记过、记大过、剔退等一系列不同程度的处罚规定。学堂的升降级办法执行极为严格，对于年考不能及格者，往往作降班（降级）乃至退学（无班可降）处理。学堂还有详细的奖惩办法，成绩优异、表现突出者一般可奖励银元并出榜公示，特别优异者还可以免交饭费或是被赐以红缨顶梁，毕业后可授予顶戴。学堂的更夫、门丁等杂役人员，只要工作勤奋同样也可受到不同程度的奖励。学堂的假期假日规定严格按照《钦定学堂章程》执行，例如，每年放年假（寒假）35日，暑假40日。学堂还要求统一制作体操靴帽衣裤，凡是体操课，“所有在堂新旧学生号帽衣裤靴等件，务须赶紧一律备齐，勿得参差”。

五城中学堂非常重视基础设施的建设和教学设备的添置。学堂开设伊始，顺天府尹堂和五城察院便筹款白银2800两购买各项书籍。到清朝末年，本学堂已有建筑149间，约合10400银元；图书2200元，器械标本500元，器具1500元；音乐、手工各有专门教室一间，理化、博物公用教室一间，礼堂一间。以上设施的营建，为五城中学堂的发展提供了重要的物质保障。

开办之初，五城中学堂仅有职员6人，教员15人，但依然在风雨飘摇的清朝末年培养出了一批杰出的人才，例如，中国考古学的奠基人、主持发掘殷墟的历史学家李济，南京中山陵、广东中山纪念堂的设计者吕彦直等。1912年，清政府灭亡，中华民国建立，并于同年颁布了新学制，京师优级师范学堂更名为北京高等师范学校，五城中学堂也奉命变更为北京高等师范学校附属中学，从此成为中国著名的北京师范大学的教育教学实验基地。作为中国近代第一所公立中学，五城中学堂的开创无疑具有特殊的意义，她的很多规章制度和做法都对后来的中学堂具有典范的作用。毫不夸张地说，五城中学堂是中国现代中学教育发展的“原点”。1912年之后，北京高师附中又继续在中学教育领域开创了多个“第一”，引领着中国的中学教育迈向一个个新的起点。

北京师大附中老校门

二、我国学校教育改革与创新的先锋

北京师大附中（当时称北京高师附中，以下同）作为我国最早的国立中学，从五城中学堂开始就担负起中学教育开路先锋的重任。百年来，北京师大附中享受到师范大学得天独厚的教育资源，在自主办学和教育教学改革方面，始终走在中学的前列。1917年，北京师大附中领导借鉴国外经验创立课间操制度。1921年成为全国率先招收女生、实行男女同校的学校之一。1922年在著名教育家林砺儒的主持下，北京师大附中在国内率先实行中学“三三”新学制，自定新的课程标准，自编教材，实验文理分科，这些在中国教育史上都是重要创举。新中国成立后，北京师大附中作为北师大的“实验园地”进行了一系列学制改革实验，如文道统一的语文教学改革实验、阅读教学实验等。“文革”后，北京师大附中在北京市率先恢复选修课，增设劳技课。1985 年在北京市首批成立了中学生业余党校，在北京市首批开展军训。1999 年率先试用美国生物教材等，走在了国内中学教育改革的前列。2003 年在我国大陆首开生命伦理学选修课。2007 年成为北京市新课改自主排课实验学校。

林砺儒　1922—1930 年任北京高师附中主任（即北京师大附中校长）

（一）课间操制度

“五四”运动前夜，在新文化运动的推动下，一些民主主义者和进步知识分子把体育作为向封建文化开战的重要战线，开始用近代科学的观点研究和提倡体育。如 1915 年 10 月，陈独秀在自己主办的《青年杂志》（后改名为《新青年》）上撰文，认为身心强健是作为政治家、军人、实业家……的先决条件之一。1917 年 4 月，毛泽东针对当时中华民族体质孱弱，而多数提倡体育者又不知“体育之真义”的现状，在《新青年》上发表《体育之研究》一文，就体育的意义、作用、体育与教育的关系等问题发表见解，提出“体育于吾人实占第一之位置，体强壮而后道德之进修勇而收效远”。鲁迅也在《新青年》上发表《随感录》，主张儿童体育要“动”。这一时期的进步思想力主运动的主张，为中国近代体育的发展奠定了思想基础。而在实践上，北京师大附中学习国外的经验，于 1917 年 3 月在国内首创课间操制度，具体规定如下文所示：

本校每日在第二节后，第三节前，举行 15 分钟间体操一次。操练时，由主任偕教务主任、学级主任、体育教员等率领全校学生齐集操场，依次站立。再由学级主任点名调查有无缺席者。然后由体育教员登台教授，教毕，散队休息 5 分钟，再依次回教室授课。兹将会操之目的及运动选择之条件略举如下。

1. 会操之目的

（1）使学生活动身体，吸收新鲜空气，补助正课体育之不足。

（2）矫正身体不正之姿势，恢复身心之疲劳，使其身体舒畅，精神活泼，以增进其学力。

（3）统一全校之精神，养成协同一致动作之习惯。

2. 运动选择之条件

（1）无分年级、男女俱可以同时操者。

（2）可以矫正身体姿势者。

（3）可以使身体各部位俱得活动者。

（4）适于多数人，短时间教授者。

（5）适于教授时之气候、季节者。

本校依上述条件，规定 15 分钟间体操运动之次序如下：

（1）部分练习——四肢运动，首及胸的运动，肩背的运动，腹部及躯侧的运动。

（2）全身练习——跳跃运动。

（3）部分练习——下肢运动。

（4）特殊练习——平均运动，呼吸运动。

（选自《北京师范大学附属中学一览》）

直到 1929 年 8 月，教育部颁布的《高级中学普通科体育暂行课程标准》才首次规定了课间操的内容，到 1936 年“课间操”一词首次出现在我国正式颁布的官方文件中。此后陆续颁布的课程标准都对课间操作了详细的规定和说明。北京师大附中首创近代中学课间操制度，可以说是为我国的学校体育作出了重要贡献。

（二）男女同校

1921 年暑假以后，北京师大附中添设了女子部，开始招收女生，成为中国中学教育男女合校最早的学校之一。

中国男女同校的呼声最早出现在清朝末年，而实现则是在民国初期。其实现的依次顺序为小学的初级阶段——小学的高级阶段——大学及高等专门学校——中学。在实现的阶段上我们可以看出，并非是按照小学、中学而后大学的常规思维模式进行的，而独独把中学男女同学撇在最后。在小学和大学相继于1919年实现男女同校之后，“中学男女同校仍像社会吞不下的一根鱼刺”，依然保持男女分校。

随着五四运动的开展，特别是大学开放女禁，女子求知欲比先前增高。而且，大学开放女禁后，要求只有具备了能够读大学的程度方可录取，这就要求女生应与男生有同等的知识。这就又对女子中等教育提出了新的任务和要求。所以，伴随着大学开放女禁的声浪，要求中等学校男女同校的呼声也应时而生。但鉴于中学时期在人的一生中所处年龄的特殊性，这一呼声的出现如同春雷乍响，引起社会强烈的反响。反对者仍旧站在维护封建道德的立场上，认为“中学生的血气未定，情欲冲动厉害，若不加以防止，难免不发生危机”。

1920年11月，在人们的强烈要求下，上海召开了第六次全国教育联合会议，来自全国16省区的28名代表呈请教育部要求实行中学男女同校，推广女子教育。呈文说：“前届本会议改革女学制度案。一年以来，各地高等专门以上学校男女同学，颇有遵照试办者。惟女子中等教育，尚未普及，专门大学招考女生，及格者自居少数。兹为增多女子求学机会，促进男女同学起见，拟请大部通令各省区各级学校招收学生：或绝对的男女同学，或部分同学，或添设女子班，或附设女校，各就地方情形，酌择办理，庶人才经济两问题，较易解决；习惯不同之障碍，可以减少；男女共学之目的，亦易达到矣。”当时教育当局对此不置可否，但由于“五四”思想解放运动的影响及女子要求男女同校的需要，加之大学小学均已实现男女同校，特别是中等学校男女分校生源不足的催化，中等学校的男女同校的讨论进入了试验阶段。在此种情况之下，1921年暑假以后，北京师大附中添设了女子部，开始招收女生，成为当时北京唯一一所男女合校的中学。

北京师大附中自男女合校以来，培养了一大批杰出的女性，如著名儿童文学家颜一烟，著名物理学家陆士嘉，政治家王光美、张洁珣等。

（三）三三学制

从1922年始，北京高等师范学校（即北京师范大学前身）教授林砺儒兼任北京高师附中主任（即校长）长达8年。在他的带领之下，学校率先推行六三三学制（初中、高中各三年），成为中国教育史上具有划时代意义的学制改革的开路先锋。

1922年制定的新学制，主要是采取当时美国一些州已经实行了十多年的“六三三制”，表明中国现代教育制度从效法日本转向了效法美国，但它却并非盲从美制，而是中国教育界经过长期酝酿、集思广益的结晶。新学制的颁布和实施，标志着中国资产阶级新教育制度的确立，标志着中国近代以来学制体系建设的基本完成。

“六三三制”传入我国是在20世纪20年代。1918—1919年，有一批留美学生回国，其中不少人在美国是学教育的，他们对美国新学制的介绍和宣传，对我国教育界发生了相当影响。1919年美国学者杜威来中国讲学，他的实用主义思想和对美国新教育制度的渲染，客观上也使我国出现了一种新的热潮，即追随美国改革学制。1921年，一些社会知名人士组织“实际教育调查社”，把哥伦比亚大学教育学院主任孟禄请来中国进行指导；同年10月27日，全国教育联合会在广州召开第七届会议，讨论学校系统问题，并初步提出效仿美国“六三三”学制。1922年9月，政府教育部也召集“学制会议”，到会的有各省区教育会、教育厅的人士及国立大学、国立专门学校校长；12月，全国教育联合会又在济南召开第八届大会，对学制系统进行复议，最后，以政府名义颁布《新学制系统案》。

“六三三”学制变动最大的是在中等教育阶段，这也是其精髓所在：修业年限从四年改成六年，提高中学程度；中学分成初、高二级，增加了灵活性；增强职业教育，兼顾升学与就业。

但当时在中学实行“三三”学制的过程中也碰到许多实际困难，如规定采用选科制，其用意是为了学生个性易于发展，但学校“因经济拮据”，“不能彻底实施，而且发生种种流弊”，等等，从下文林砺儒所作《本校编制三三制学则课程之经过大略》中可见一斑：

本校于去年二月中，议决实行试办三三制。即由全体教员推定委员，组织新学制课程讨论会，并敦请本高师教育科诸教授随时加入讨论；一面由各学科教员组织学科会议，编制各科课程大纲。至去年六月中，初级中学课程已蒇事，各科学程亦大半拟就；至高级中学课程，虽仅具眉目，而以尚非急需，故去年秋季招生，即照新制初中办理。所议定各项课程学程，曾于本高师教育丛刊发表，此为第一次结束。

暑假中，京师教育经费又无着，本校坐是延至九月始开学。开学后，一切校务，屏挡就绪，时已十一月。我们继续重开课程讨论会。自十一月十六日起，每周会议一次。先就前期编就之初级中学课程重加审定，结果更改几处：(1) 将原订选修课最小限度扩充为12学分。(2) 选修课添设工业常识、化学工艺、商业常识、珠算、打字、簿记等科。(3) 原订必修科之科学概论改为选修课。(4) 原订选修课之论理、心理删去。于是初级一段，算完全结束。至于高级中学课程，因前期实未及详细研究，乃从新讨论，决定办法如下：(1) 高级中学分为普通科及职业科。(2) 普通科分第一及第二两部，职业科先设商科。(3) 高级中学以修满150学分为毕业。(4) 各科之必修科目，占学分总量三分之二；选修科目占三分之一。按此数条办法，我们随继续会议各学科之分配及学分之分量。至本年正月，高级中学普通科及商科之课程议就，亦曾于本高师周刊陆续发表。于是初高两级课程，均算蒇事，乃将原订之学则重加厘定：此为第二次结束。

是时，适值中华教育改进社中等教育委员分会拟借本校为寒假集会地点。我们遂决将本案提出讨论，以期集思广益。及开会结果，议决变更者为七八点。本学期开学，我们再会议，对于中华教育改进社中等教育委员会议决诸点，再酌量容纳。计自本案自发起讨论而迄今日，前后足阅一年，中间虽有间断，而委员会议几30次。我们以为与其再谈诸纸上，毋宁验诸实行；且近日参观来宾，及各地中学，屡索新制课程，苦无以应，乃决意作一大结束。托教务主任王仲超先生校正付印，以供国内同志先生批评。至详细办法，已见于学则各条。用意所在，一阅便悉，无庸赘述。惟将我们的分科意见略述如下。

我们认定人类在天赋的较长儿童期内，应尽量受完全教育，这是人格的根本特权。此种特权，除先天的身心缺陷外，决不许受其他人为的境遇所限制，亦不许为社会的方便而牺牲，方合人道。就教育全历程看来，当先谋全人的陶冶，后顺个性的分化，方算是正轨。故为发挥人格特权计，为增进社会文化计，皆应先普通而后职业。中等教育，恰位于全教育历程之中段，其职分应在完成全人的陶冶，以厚其个性发挥之根基。曩日旧见解，以为中等教育是中流阶级的教育，故其结果为有限的士大夫式的教育。近日新见解，当认定中等教育是全教育历程中之中段教育，故应注重普及的全人陶冶。此后中等教育之问题，是如何方可使人人多享几分受全人陶冶的权利，这是得自近日人权之自觉。至于职业陶冶，应于一个人受教育之最末期行之。就全学制系统来说，职业陶冶应在高等教育段，而中等教育以下皆应属普通陶冶。然现今社会实情，在各段教育，都有不得不勉强终了其受教育生活之人。所以学制不得已于中段设许多阶梯式的旁枝职业教育，而显然可见得不是正轨。新学制的最好处，是把中等教育分为两小段，最少亦可使前一小段的全人陶冶多普及几分。如旧制中小学合计十一年，若要到高等专门，则非经过十一年普通教育不可，就很容易为环境所限。新制若在初级中学受职业陶冶，则受九年普通教育便行了。这九年虽比十一年少，而较七年小学毕业即入甲种实业者却多了两年，且较十一年又易办得到。

我们根据上边说的理由，初级中学就不采取分科制。近日言论界有主张分的，亦有反对的，我们以为，若把“中学校”和“初级中等教育”这两个概念弄清楚，这个问题就易解决。中学校是要来给小学毕业的儿童进行的。而初级中等教育，是全教育历程中之最中段，其目的应在提高普通教育，完成全人陶冶。论起初级中学儿童之幼稚，再顾到小学毕业普通陶冶之未充足，我决不忍在这时期把儿童铸入一个职业形式；然而现在社会实情，就有许多孩子们在中学时期就不得不终了其受教育生活的，所以免不掉有受职业教育的要求。这个时期的职业教育，毕竟是一种迁就的事业。这种迁就的职业教育，在给小学毕业儿童升学之中学校，也许势不得不兼办；而初级中学教育课程之本身，就不该再分了。新学制系统图，列职业教育于中学栏外，洵为合理。至于初级中学学生，若中途为环境所迫，到毕业时势将不能升学，这也许有的。所以我们也顾到这层，在初级中学选修科栏内，多设几种技能科，给他们选修。

我们的高级中学普通科，只分为第一及第二两部。此所谓第一第二部，即含有一般所谓文科理科的意思。所以不用文科理科两个名称者，因为近日一般的见解，把文理两个界限分得太清了。学文科的人，对于理科的知识太外行，学理科的人，对于文学又太随便：这是近日的通病。我们要矫正这点毛病，所以第一第二两部，虽各有所注重，而第一部有必修的数理等科，与第二部有必修的文学科，都是要把普通的基础打广些。我们认定高级中学普通科的效用，是完成最高的普通教育，同时作升学的基础。所准备的就是最高的普通基础。至于某种专门学问的准备学科，我们以为应属于大学分内事。所以只分第一第二两部，而放大选修科的活动范围听其发展个性。各种选修科目里面，隐然寓有分门之意。惟不明立分门名称，而听自由选择。自然的依其个性而分道扬镳，当较诸多之门系者更为有效。以上所说，是本课程精神之大略，还望高明指教。

民国 12 年 3 月 10 日林砺儒志于北京师大附中

（选自《国立北平师大附中一览》）

北京师大附中于 1922 年 7 月便制订了“三三制”新学制方案，到当年 11 月教育部才公布学校系统改革案，由此可见，北京师大附中采用“三三制”走在了国内学制改革的前面。北京师大附中实施新学制完全是在摸索中前进的，一切规章制度、课程、教材都是自己草拟，自己试行，自己修订。1909—1930 年北京师大附中还曾三次进行文理分科实验，都是自己认真进行课程设置，制定学科标准，教材内容都是由本校教师自定、自编、自选。

（四）课程改革

“三三制”建立后，与之相适应的课程体系已经形成。这一课程体系的结构完整、科学、规范，体现了“全人格”的育人宗旨，而且有相应的规章制度如《学分表》《各科课程标准》《学科成绩考查办法》《学生成绩通知书》和《学生修业证书》等做保障，使课程实施有章可循，课程管理有法可依。该课程体系为我校的课程改革奠定了坚实的基础，并产生了深远影响。

近百年来，随着时代的变迁、教育的发展，我校的课程设置、内容、教学方式等也在不断变革中。表 1－1 是北京师大附中近百年来发生的与课程改革相关的大事。

表 1－1　北京师大附中课程改革大事表

年　代	事　件	主要内容
1922 年	试办“三三学制”，设置比较完备的课程体系	制定学分表、课程标准、学生课程修习评价办法等
1941 年	提出《北平①师大附中文实分科意见书》	分析分科利弊，提出应对措施
1951 年	提出《教育教学改革实施方案》	指出课程内容、设置所存在的弊病，提出改革的原则与措施
1953 年	形成《师大附中课外活动及校外活动报告》	对当时两类课外活动的任务、内容、组织管理进行了梳理
1954 年	拟订《实施基本生产技术教育计划》	改造、增添课程，贯彻“理论联系生产实际”的原则
1959 年	上交“我校学制改革试验的请示报告”	高一不再实行文理分科，初二、初三恢复三三制，初一实行五年一贯制

① 北京在 1928—1949 年称北平。下同。

续表

年 代	事 件	主要内容
1965 年	制订《师大附中教改实施方案》	适当增加劳动，增设实践课，改变作息时间表，适应“健康第一”的需要，改变课程排列方法，适应“精简、连贯、集中”的要求
1984 年	制订《师大附中教学改革方案》	重点加强“体、美、劳”三育发展、增加选修课、加强课外活动
1985 年以后	开展一系列的教育教学改革实验	语文教学改革实验、阅读教学实验、英语循序直接法教学实验、理科实验班，在北京市首批成立了中学生业余党校，在北京市首批开展军训
1999 年	开展部分学科的教材和教学改革实验	率先使用美国高中生物学教材，地理教材改革实验，体育选项教学
2001 年	总结若干年来开设的选修课程	初步形成选修课的基本框架体系
2003 年	引进国外课程《生命伦理学》	开展本土化试教实验，改编教材
2004 年	初中新课改	围绕如何发挥学生主体性，改革教与学方式，开发学科活动课程
2007 年	高中新课改	成为首批自主排课实验校，确立“全人格、高素质”的育人目标，构建德育课程体系
2009 年	成立“钱学森”班	探索拔尖人才培养模式，开发特色课程

通过对上述事件记载的研读，努力寻找我校近百年来课程发展的特点，尝试概括如下。

1. 课程改革的“动力”源于学生的需求与社会的发展

1941 年形成《北平师大附中文实分科意见书》着手进行“文实分科”的改革，并指出“文实分科”之弊：“实科学生终日埋首于自然科学之研究与实验，必致对文学及社会科学一概漠视，其结果对于人文社会之常识必欠充足，文科之算数物理及化学因教学时间过少……今哲学逻辑以及政治经济教育统计等科中高深著作，无不需要相当高深之算数或物理基础……文科学生升入大学文法教育等学院时，必不能自力阅读较高甚至书籍”。“一般学生之勤奋者自矜多能，自必愿入实科……校方不得已乃责其中算数成绩较劣者强使入文科。”“如上所述，其影响大学及国家社会前途尤深且钜……天才集中于理工科，低能之人始学文法教育等科，此种弊害必实现于数年或十数年之后。”

1951 年提出《教育教学改革实施方案》，指出“旧教材、课程设置的缺点：①和学生生活分离；②和时代脱节，课程内容落后；③课程本身分散，分量重，却缺少一个中心；④轻重颠倒、缓急不分”。进而提出改革原则和措施，以符合“新中国的现实要求”。

作为中国中学的“改革先锋”，我校在新中国成立初期积极响应国家的改革精神，做了大量的尝试。1958 年制订“教育大革命”初步方案是为了响应：中小学教学改革“适应缩短年限，适当提高程度、适当控制学时，适当增加劳动”的号召，此后，全国各地开始较大规模的学制改革试验。我校在 1958 年、1960 年、1962 年三次试验“五年一贯制”。“文革”结束后，国家逐渐恢复正常，教育也越来越受到重视。1983 年，邓小平同志提出：“教育要面向现代化，面向世界，面向未来。”1984 年，我校制订了“师大附中教学改革方案”，以应对新时代的挑战。开展了语文教学改革实验、阅读教学实验、英语循序直接法教学实验、理科实验班等。在北京市首批成立了中学生业余党校，首批开展军训。1999 年，开展部分学科教材改革实验如率先试用美国生物教材。2008 年积极投入高中新课程改革，成为北京市首批自主排课实验学校。

2. 课程设置力求学生“全面”“均衡”发展

林砺儒先生主张“初级中学就不采取分科制”，“全人陶冶多普及几分”；高中文、理界限不宜过清，以保证基础宽厚、结构均衡。在 1923 年制定的“各类学分表中”，初中必修课包括国文、英文、算学、历史、地理、理科（植物、生理、卫生、理化、动物），与今天的义务教育初中课程设置几乎完全一致；高中第一部（文科）的必修科目除了有与今天类似的高考科目外，还将生物、物理、化学作为必修科目，分别在高一、高二、高三开设；除此之外，初中必修“公民科”，高中必修“伦理学”，以促“全人格”发展。

但是，此种高中文理分科学习经过一段实践暴露出了它的弊病：学生因不擅长或懒于修习某科，便通过选择文、理科来逃避。虽然学校提供了补偿性质的选修课程，但有些科目过于艰深，产生狭隘的专门化；有些科目无人或极少有人选择，无法开课，形同虚设；学生未习学科之前无选择能力，不过选择易得分数的科目。于是出现了《北平师大附中文实分科意见书》，通过课程设置加以矫正。文、实两科开设科目基本一致，只是内容和授课时间略有不同，而且很多科目的差异在高二才开始实行。

我校的“课外活动”是为发展学生特长而开展的。在“1952 年度计划”中关于“课外活动”是这样表述的：“课外活动应在全面发展的基础上发挥学生特长……课外活动绝对不能妨害正课学习和健康，限制时间。文化娱乐及课外研究组织由学生自愿参加，以只参加各一种组织为限，学习成绩有不及格者不得参加课外研究组织……一切课外活动，特别是非日常性活动，要更加有计划地统一掌握。”在 1953 年的《师大附中课外活动及校外活动报告》中，更是明确提出“参加课外研究小组的批准条件”：“学习成绩平均在 80 分以上，本（学）课在 90 分以上，操行乙等以上，遵守纪律及制度，身体健康”。

3. 课程实施体现因“人”施教，尤其重视优秀生的培养

在必修科目中，根据学生的实际水平分班，在不同的班中采取不同的要求，如试行过同一教学班同一学科的 AB 制，同一年级的 ABC 制，而且定期测试允许升降；在不可能分班的情况下，课堂教学也必须从学生实际出发，在同一个班给出不同的要求，如深奥的问题可以讨论，帮助学生开阔视野，却不要求全体学生掌握。另如，曾尝试过对中等以上

学生放手让其独立学习，教师给以适当指导，而课堂授课面向中、下水平的学生。再比如，作业分必做题与选做题，考试有附加题；平时差生辅导和优秀生提高两头抓等。

对于优秀生不仅在课堂上启发他们的思路，而且为他们开展课外活动，介绍课外知识、讨论一些较深的问题等，使他们对知识的理解更透彻，思路更开阔。千方百计帮助有潜力的同学超前学习，注意培养尖子学生，允许学习好的同学超前学习各门功课，其主要学科达到高一级水平时，实行免修和跳级制度等。附中设立过以专门培养学科特长生为目标的理科实验班、外语实验班、文科实验班等。如1991年开始在初中设立理科教学实验班。该班目标定位：培养造就一批理科特长生，不断开发智力，培养能力。通过加深拓宽教材内容、以体现学生主体性为原则，优化教法和学法等，设法提高他们认知结构的层次和发展能力。在教学活动中注意十个方面的工作：（1）启发诱导，设问质疑；（2）举一反三，触类旁通；（3）观察实验，分析总结；（4）分析对比，解题优化；（5）归纳小结，条理清晰；（6）多种媒体，各显其能；（7）鼓励创新，树立典型；（8）因材施教，全面提高；（9）学懂记住，能讲会用；（10）课内课外，相互配合。几年的教学实践取得了很好的效果，学生不仅在德智体几方面全面丰收，而且在学业上，中考成绩好、竞赛成绩较突出、上高中有后劲儿。

在选修科目中，“大师级人物”为“杰出人才”提供大学深度的课程，如文史类有“修辞学”“文字学”“国语发音学”“中国哲学史”，等等，而理工类开设了许多涉及“高等数学”“普通物理”和“普通化学”的科目。这种传统一直延续至今，许多数理化教师，不仅在选修课中讲解部分大学内容，甚至在必修课中渗透大学内容的思想方法，很多进入理工大学的学生，几乎不费多少精力就可轻松完成大学一年级的相关课程。

4. 课程学习注重“实践”，倡导“自主”和“体验”

在《北京高等师范附属中学校概况》中，关于“教授”部分，首先提到“本校重实际的教授，复提掖课内外之自动力，俾自发其固有之智能”。举例时讲到：“于校门外花园隙地辟为农场十二畦，由博物教员监视种植刈获”“暑假长期内，利用学生散归四方之便，令其采集各博物品，藉资多识。并做各种札记，导其自动，俾无旷时。即以该项作为暑假修学成绩……”

早在1965年制订的《师大附中教改实施方案》中就提出改革教学方法，适应学生生动活泼主动学习的要求，贯彻“有领导的放”的精神，培养学生学习的自主性。提出过如下具体要求：（1）凡是学生自己能够学懂的，尽量让学生自己学，学不懂的教师可以给适当的指导。反对灌输式，反对烦琐讲解。教师只讲最基本的，起引路作用。可适当讲解的内容包括新课程和新课题、必要的材料介绍、可开拓学生思路的疑难问题、问题的答疑及总结。贯彻理论与实际结合精神，反对抽象空洞讲解与概念游戏。（2）教师在“放”的过程中，训练学生进行调查研究、分析情况，提高学生发现问题、概括问题、解决问题的能力。教师应在启迪、诱导上狠下功夫，其主导作用应体现在启发和引导学生做到“四个善于”，即“善于提出问题，善于把握关键，善于选择途径，善于总结创新”。（3）培养学生自觉做到适当预习再集中听课，认真复习再独立完成作业，坚持单元章节后的自我小结。在一定时期选择一个年级试行大单元教学法，定时间、定进度、定要求、定质量后让学生独立去学习，教师巡回指导。（4）学生课余时间多了，为丰富课余生活，开放实验室、图书馆，开辟新的活动场地，如历史馆、地理馆、生物园、音美馆、科学馆等。

百年来，北京师大附中课程改革始终走在国内中学教育改革的前列，积累了宝贵而丰富的经验，对于指导今天的课程改革具有重要价值。我们需要加强研究、学习，以便更好地传承百年附中的课程文化。

三、名师荟萃，流派纷呈

北京师大附中自创校至今100多年来，历任校长都特别重视教师队伍的建设，一方面千方百计延聘名师来校任教，一方面利用附中的教育教学沃土培养青年教师成为优秀教师，确保师大附中始终保持着一支高水平的教师队伍。

作为第一所国立中学，最初的五城学堂就聘请我国近代著名学者林纾（琴南）和王少泉分别担任汉语和西学总教习。

1911—1923 年的 49 名专任教师中，留学日本和美国的 13 人，占 26.6%；京师大学堂（北大）和北京高师毕业的 21 名，占 42.8%。这其中就有 1913 年来校任教的钱玄同，1914 年来校任教的张鸿来。

1923—1937 年的师大附中师资更为兴盛，有专任教师 62 名，其中有 8 人于国外留学，占 12.7%；北京大学、北京师大和燕京大学毕业的 47 人，占 75.8%。

这批教师针对 1922 年师大附中率先开始的三三学制，针对附中招收的高水平学生，自己草拟、试行、修订规章制度、课程、教材，特别是自编教材蔚然成风。那些引起国内教育界瞩目的教学教研行为，就蕴涵着今日的所谓校本教育理念。附中教师们所编教材蔚为大观，此处仅列部分书目，详见表 1－2。

表 1－2　附中教师部分自编教材

书　名	著　者	出版年月
初中英文法（八版）	邵松如 戴骅文	1914 年 7 月
实用英语作文法（初版）	戴骅文	1917 年 9 月
初中混合数学	程廷熙 傅种孙	1922 年 8 月
中学适用最新体裁本国史	陆光宇编辑	1923 年 11 月
伦理学要领（再版）	林砺儒	1924 年 1 月
西史纲要（三版）	张仲和	1924 年 7 月
初中动物学（四版）		1924 年 7 月
初中植物学（六版）	李约	1924 年 7 月
初中混合理化（四版）上下册	徐镜江	1925 年 2 月
初级国文读本	本校国文研究所	1925 年 8 月

续表

书名	著者	出版年月
高级中学化学实验	王鹤清	1925年9月初版，至1931年共修订7版
世界地理（五版）	殷祖英	1925年12月
初中生理卫生学（三版）		1926年1月
修辞学（三版）	董璠	1926年3月
海滨故人	黄庐隐	1926年3月
高级中学化学（再版）	王鹤清 阎玉振	1926年8月
中国近世史（四版）	陆光宇	1926年8月
初级中学应用文	张鸿来	1926年8月
本国地理（四版）上下册	程国璋	1926年9月
世界历史（再版）	殷祖英	1927年2月
民国史要（再版）		1927年5月
婚丧礼亲说（初版）	张鸿来	1928年3月
中学英文选（再选）	赵海天 戴骅文 吴文仲 郝家麟	1928年8月
中学国文科教授法之商榷	夏宇	1928年8月
中等国文法（再版）	汪震	1928年9月
曼	黄庐隐	1929年7月
初中化学（初版）	王鹤清	1930年5月
新制初级中学教科书矿物学	朱隆勋编辑	1931年
初级中学教科书生理卫生学	张国璘编	1932年7月
高级中学物理实验	方嗣欆编著	1932年8月
初级中学国文读本（1—6册）	张鸿来、卢怀琦选注	1932年
新标准高中实用化学（上册）	王鹤清编著	1933年
初中算术教科书（上、下卷）	王鹤清等编 傅种孙校订	1933年4月
高中立体几何学教科书	韩清波等编译 傅种孙校订	1933年5月

续表

书　名	著　者	出版年月
初中代数学教科书（上、下卷）	程廷熙编译	1933 年 6 月至 1934 年 1 月
新标准初级中学植物学	张国璘编	1933 年 7 月
新标准初级中学卫生学	张国璘编	1933 年 7 月
高中平面三角法教科书	韩桂丛等编译 傅种孙、程廷熙参校	1933 年 8 月
高中平面几何教科书	傅种孙著	1933 年 8 月
高级中学英文选（1—3 册）	力谢盐等编	1933 年 8 月
新标准初级中学卫生学	朱隆勋编	1934 年 8 月
新实用物理学	（美）Black、Davis 著 薄善保，等，译，张贻惠、刘拓校订	1935 年 1 月
新标准高中化学实验	王毓琦、孙震涛编 刘拓校订	1935 年 5 月
高中生物学提要	张国璘编	1935 年 7 月
新标准初中化学	阎玉振著	1936 年修正版
新标准初级中学生理卫生学	张国璘编	1936 年 8 月
新标准高级中学实用化学（上、下册）	王鹤清著 刘拓校订	1936 年 8 月
新标准初级中学物理学	方嗣櫻编辑	1937 年 6 月

民国时期（1912—1949）的附中教师往往既在师大附中教书，又在师范大学、辅仁大学和北京大学等大学兼课，如语文教师张鸿来，化学教师符琴仿等。也有些教师后来完全转入了大学任教，如林砺儒、徐峙峰、吴越千、王绍先、王鹤清、傅种孙、程廷熙、方叔密、李宇涵、董鲁安、钟善基、顾明远等，都是名声赫赫的教育专家。以上名师、专家，有些是成名以后被聘来的，但更多的是在师大附中这片教育沃土上成长而闻名北京（北平）、蜚声中国。

北京师大附中历任校长重视教师队伍的培养、发展，成为附中最宝贵的优良传统。100多年来，师大附中延聘和培养的就是“心性伟大、学问渊博、教学有方、管理有术、品行无瑕、品格清高”的名师。

时至今日，延聘名师、培养青年英才的传统，在附中不断地发扬着。离退休和在职的特级教师共有19人，他们是：数学组的韩满庐、乔荣凝、陈汶、孔繁潜、赵多彪；语文组的时雁行、邓虹、陈耀文；化学组的尚兴久、王天开；生物组的朱正威；地理组的王树声、秘际韩；物理组的毛鹤龄、顾长乐、胡朗、马桂君；历史组的杨子坤、白幼蒂等。全校现任200多位教师中，45%以上是高级教师，其中市区级学科带头人27人，市区级骨干教师40人，10位特级教师在职任课或指导青年教师。历史上师大附中的很多名师，后来也成为北师大的名教授。

下面摘要展示一些不同时代师大附中名师的风采。

钱玄同

钱玄同（1887—1939）青年时曾师从章太炎学习声韵训诂。但是，他不是钻入故纸堆中的书虫，而是弘扬民族文字文化的国学大师、中文教育家，是“国语运动”的倡导者和力行者。所谓国语运动包括统一国语、研究方言、制定拼音文字、改古文为白话文等内容。他首创的白话文加注音符号的小学一年级“国语”教科书，给北京高师附小试教，这是我国革新语文教学的大胆尝试。正因如此种种，1913—1916年北京高师附中聘钱先生3年，努力向学生普及国语学习。离开附中后，在北京大学、北京高等师范任教授，主授音韵学；他积极推动新文化运动。后又任北师大国文系主任，民国教育部国语统一筹备会常委。他与黎锦熙等制定“国语罗马字”的拼音法式，即现在通用的汉语拼音方案的前身，草成《第一批简体字表》，为新中国成立后的文字改革工作奠定基础。

张鸿来

张鸿来（1880—1962），字少元、邵元。1913年来校以后，他把半生奉献给了师大附中，在1919年、1927—1928学年度和1930—1931学年度三度出任附中主任（今称校长）。他一方面作为国文教育家兢兢业业地钻研教学；一方面从兴趣出发治学不倦，成为中国著名的版本学家、书画家、文物鉴定家。1962 年去世前，遗嘱将其 30 余年的藏书赠送给中国科学院图书馆收藏。

在八年抗战时期，张鸿来先生教授高一年级的国文课。那时候必须学习日伪华北教育编审会编撰、由“国立编译馆”印行的高中国文课本，高中伊始就必须学习《尚书》《诗经》《老子》《左传》、汉代乐府等古文。日本帝国主义和敌伪政权痴想用远离学生们的古典作品麻痹少年一代，忘掉反抗。张鸿来先生刚开学就交代学生，怕学生不易理解，对学生只讲明书表面的意义，深的内容不能讲了。他讲课时，让学生在字句旁注上生词的释义，然后他用抑扬徐缓的语调朗读并逐句讲解，留给大家充分体味文意的时间。如讲《诗经·葭》，他动听地念着：“兼葭苍苍，白露为霜，所谓伊人，在水一方，溯洄从之，道阻且长，溯游从之，宛在水中央。”确实，这里的“溯洄”“溯游”的意义是不容易得到确解的，但诗歌的美丽韵律和意境，加上少年时代无限的幻想，使人神驰于另外一个世界，于是几千年先民的感情不知不觉地同自己通连了。优秀的传统文化，爱国的思想就这样一句一句地渗入学生的心中。正是这样的引导使学生在高中时就强烈地爱上陆游的诗，尤其耽读《剑南诗稿》中那些洋溢着爱国抗敌精神的名篇。

20 世纪 40 年代，附中有个学生叫贾长兴，尽管背书很好，但每次作文总不能入优等。他颇以未得高分而自鸣不平，有一次在教室高声大呼以抒发愤懑。在讲读作文的课堂上，张鸿来先生并不知道他有不快的心情，微笑地对他说：“贾长兴啊！我们初学作文的人，不能效仿龚自珍那样文字呵！你看，龚自珍《游庸关记》是难学的呵！”龚自珍文章的风格确实多是跳宕恣肆的。张先生就是这样委婉地劝学生，从不简单地指责，而启发他去内省。

石评梅

20 世纪 20 年代师大附中决定招收女生，实行男女同校。这不仅是一个创举，更是在旧式中国社会的一种“冒险”。因此，林砺儒主任要物色一个德性、才干、学术三方面都合意的人来分担他的责任，就和女子高师的许寿裳校长商量。经过两年来的物色、观察，林砺儒深觉石评梅身上没有一般女子的那种短处，可担此重任。1923 年，石评梅在北京女子高等师范毕业的时候，就被聘为附中的女子部学级主任。

石评梅在附中一开始教的是体育课。发现那些女学生还很封建，走起队来都不敢抬头，扭扭捏捏，于是她让学生整队回到教室，对学生作了第一次讲话。她说："我们女子的优点是精细、温柔、典雅，但作为一个新时代的女子，只有这些优点是不够的，我们还要像男子一样具有果断、爽直、勇敢的精神。男子能做到的，我们都应该做到。既然古代的花木兰能够替父从军，我们现代的女子不能上好体育课么?"果然，在她的诱导、带领之下，这些女学生的队伍越走越精神。石评梅有着大姐姐式的和蔼可亲的态度，一点也没有架子，把心都交给了学生。林砺儒主任在背后也高兴地对别人说："石评梅先生来校不过一个月的工夫，其品学才干，已如锥处囊中，其末立见。以奋斗二十一岁的女青年，能够做到这样，真是不凡。"1924—1929 年，石评梅在北京师大附中担任女子部主任、国文兼体育教员，并成为 20 世纪 20 年代继冰心等之后文坛上又一位活跃的著名女作家。

师大附中开始招收女生后，石评梅先生给女学生开篇上的第一课，就是领大家读《总理遗嘱》，然后给学生讲解。她告诉学生：总理孙文，字中山，又号逸仙，是大家的"国父"；他是个伟大的革命先行者。接着讲"辛亥革命"，特别着重地给学生讲了学长——赵世炎烈士：他是个既关心国家又重视学习的品学兼优的好学生；他在校学习的时候，就认识了李大钊先生，受了李先生很大的影响。石先生给学生讲了"五四"运动，讲了当时提倡的"德先生"（民主）、"赛小姐"（科学）和"打倒汉奸卖国贼"等口号的意义。

就是在师大附中，在石评梅先生所讲的这第一堂课上，许多学生开始认识了"国家""革命"这些字。特别是石评梅说的那句话："人活在世上总应该对别人有点儿用"，被许多学生记了一辈子。

钟善基

钟善基先生原本是师大附中毕业。1945 年从北京师大数学系毕业后回母校执教，时年 24 岁。虽然是青年，他却老成稳重，神态雍容。

蓝布长衫，纤尘不染，头发整齐，再配以无框眼镜，倜傥文雅。初中学生刚接触 X、Y、Z，有点怵，先生用那具有强大吸引力的讲授，严密的逻辑推理，一面讲一面随手画图，不用矩尺而其方正全如用尺所绘；从无赘语，又为学生留有思考的余地，激发起了学生极大的学习兴趣。成绩不言而喻，更促进学生先自学。学生们评价尚在青年时期的钟善基先生的数学教学：表现出了一种数学教学艺术。正如先生的老师吴鸿迈先生所说："好的老师能让学生看到没有画在黑板上的图，和让学生听到老师没有明讲出的话。"以钟善基先生的学识能力可以做摘取数学王冠明珠的科学探索，然而，他却以毕生 60 余年的精力埋头于数学教学论的实践和研究，不因循传统数学教学窠臼，走出了一条新路，硕果累累。1994 年在大阪举行的《中、日、美、德、法数学教育研讨会》上，先生作题为《数学教育八原则》的学术报告，见解独到，受到各国数学教育家的关注。在国际数学教育交流方面，先生做了很多工作。

梅贻瑞

国文老师梅贻瑞（仲符）在初一年级新生入学的第一天，给学生们上了在沦陷区生活的第一课。他讲课时感慨万千、悲壮沉痛，给学生们幼小的心灵里注入了爱憎分明的情感。

徐文昇

英语老师徐文昇（弼光），上课时讲了美国民主党、共和党的竞选，讲述了列强之争，世界各处对日寇侵华暴行的反应等，大家最关心的时事。

万方祥

地理老师万方祥（致和），上课时讲解当时北非地区的反法西斯战争形势。在当时，这是冒着极大风险的。他的讲话大大启发学生的正义、爱国及反法西斯思想。后来因日寇迫害，万先生出走到了抗战后方。

吴定治

英语老师吴定治（文仲），在日寇占领时期，在办公室里经常讲起内地传来的，以及欧美广播中的抗日战争的消息。隔壁房间有日籍教师，他毫不顾忌，正气凛然，令人敬仰。

日寇侵占平津后，附中几个月都没有经费。老师们在没有薪金收入的情况下，忍受艰苦，用自己的积蓄维持着最低限度的生活，保证照常上课，使学校教学秩序正常运转。敬爱的老师们对学生、对学校，对教育事业、对国家民族的高度负责精神，何等崇高，何等伟大!

张明珠

原外语教研组组长张明珠老师曾获全国“五一”劳动奖和北京市教育系统优秀共产党员标兵的称号。20世纪80年代，张明珠老师为了提高学生的英语水平，组织全班同学看美国电影《音乐之声》原文版。电影中插曲《雪绒花》表达了主人公对祖国奥地利的热爱之情。电影结束后，身为印尼归侨的张老师讲:“同学们，每个人都有自己的祖国，你们要记住这首《雪绒花》，记住我们的祖国是中国，无论今后你走到哪里，千万不要忘记这块生养你的土地……”每当想起这些话，学生们都以自己是个中国人而自豪。“祖国啊，我们永远忠于您!”是张老师和学生们的心声。

邓海帆

邓海帆先生于1939年来师大附中执教，坚持美育40多年，其间经历过日伪和国统时期，此间国破家亡、民不聊生、物价飞涨，许多教师被裁失业，有的被逼改行，有的冻死饿死在街头。而海帆先生热爱学生，认为教育青年祖国才有希望，坚持教学岗位，按时到校上课。据亲友所知，先生数十年如一日、专心一意于教育事业，没有缺勤漏课过，深为家人和亲友所理解，受到师生的称颂。

旧社会的教育从不重视美育教学，没有教学大纲，更没有教材。这一切都要由邓先生亲自规划，自己准备教具和充分备好每一课时的内容。据回忆，当年年级不同教材有所不同，初一年级教学钢笔和铅笔画法作静物临摹，初二学习水彩画法，初三则侧重国画，对高中生还教授过机械制图。为此先生参阅了教学理论，查找了许多美术教材，自制教具，为培育青年学子不辞劳苦，呕心沥血。由于先生精心教学多年积累了宝贵的教学经验，新中国成立后北京教育局就敦请他编写中小学的美术课教材，并多次组织他的美术课示范教学供同道及国际友人观摩，得到普遍好评。

董鲁安

20世纪20年代，语文老师董鲁安先生是在师大附中教师中最为学生称道的老师之一。董先生给人们的印象是个乐观派、名士派，非常潇洒。他讲起书来慢条斯理，一板一眼。讲文章，念诗词，到了精彩段落或句子，时常忘我地坐在讲台椅子上自言自语起来，说“妙哉，妙哉”“妙不可言”一类的话。有时讲得出神，就给同学们讲述一些轶事或甚至离题好远的趣闻，所以他的课深受学生们的欢迎。在高中一年级时，有一次董先生上课讲着讲着讲走了题。同学们在下边悄悄议论：“又神聊啰!”谁知董先生耳朵很灵，这话被他听见了。他笑了笑，没有说什么，就回到课文正题。过了些天，董先生讲课又走了题，董先生想起了同学们的话，于是就问到：“我是不是又神聊啦?”全班哄堂大笑。师大附中的课堂气氛就是这样的和谐、融洽。

尚兴久

化学特级教师尚兴久先生对学生的成长十分关心。听尚先生的化学课，学生们认为是一种享受。他授课时的一丝不苟、循循善诱、声音抑扬顿挫、铿锵有力，讲台上整洁、条理。娴熟的化学试验技巧，批改作业认认真真，对成绩较差同学的耐心辅导都给人留下了深刻的印象。

20世纪50年代，学生冯娟学习了金属钒的发现过程，异常激动，就写了一首诗《女神——钒娜第丝》，并将此诗写到了周记上：“我热爱化学，这是一种奇异的爱情，我要将终生献给化学事业。我会把碳变成金刚石，我要发现比金属锇更难熔化、比橡胶更具弹性的物质……”尚先生用红笔认真地加了批语：“你提到一些问题有的是难以解决的。目前最重要的是学好当前各科的基础知识。”并找冯娟进行了一次语重心长的谈话，使她从对化学的狂热回到了现实。到了冯娟高三年级快毕业时，尚先生对她母亲说：“冯娟的化学课学得比较突出，我希望她报考化学专业。”这坚定了冯娟报考化学专业的决心。

教育事业的终极目标和永恒魅力在于什么？尚兴久先生临终前说：

“如果下辈子让我选择职业时，我还会选择教师。因为，我所面对的是有生命的人，我对他们笑，他们会对我笑……这是一种特殊的产品——人才。”

孙彦贞

生物老师孙彦贞在附中属于名不见经传的教师。但三五十年过去了，她的学生们依然崇敬和爱戴她：20 世纪 60 年代，孙老师在课上手把手地教学生如何解剖青蛙。学生霍永明因为过分紧张，解剖刀竟落在了孙老师的食指上，顿时血流不止，“啊！”还没等霍永明惊叫出声，孙老师急忙用手捂住了他的嘴巴。孙老师忍着钻心疼痛，首先想到的是如果让学生发现自己受了伤，不但影响全班学生的情绪，而且这节生物课就很难继续上下去。孙老师迅速地用手绢把突突流血的手指包扎好，又若无其事地从这个课桌前走到另一个课桌前。下课铃响了，唯独霍永明发现包在孙老师手上的手绢已被鲜血浸透了。

顾长乐

物理特级教师顾长乐老师是被学生们评价为两“特”的特级教师。

其一，特敬业。顾老师中途接手基础较薄弱的高三毕业班，对每一份练习卷都实行“面谈”政策，即她牺牲自己午休的时间，挨个找到错题的同学面对面地讨论。这样，学生就可以把思路上的漏洞及知识上的问题充分暴露出来，及时进行改正。就这样，每天中午从 12 点一刻刚吃完饭到下午 2 点上课前，总会看到一个瘦小的身影穿梭于座位之间，半个学期，在顾老师任课期间竟从未中断过！以至于班中某些原本极贪玩的同学都努力刻苦地学习了，问及原因，眼眶略有些潮润：“我再不好好学，都对不起顾老师。”就这样，只半个学期过去，落后班的物理成绩就跃升至年级第二名，学生欢呼雀跃之余，大家不由得感叹：“唉，真是‘特’级教师呀！”

其二，特幽默。高一物理作业本上的一个个鲜红的大叉子早已让学生们窒息，期中考试一片片的不及格成绩让学生目瞪口呆。那些在初中时只为满分而“战斗”的骄子们，一个个愁眉苦脸、唉声叹气地去找顾老师，大有天塌地陷的感觉，没想到顾老师只是笑着说：“没事，没事，慢慢就会习惯的，我教过的学生中成绩册上一向是红色汪洋中漂着几座蓝色小岛屿。”形象的比喻、温柔的声音使学生们一下子破涕为笑了。慢慢地，学生们真的习惯了，不过不是习惯不及格的分数，而是习惯了不再把分数看得那么重要。转眼升入了高三年级，巨大的升学压力迫使学生自觉地加班加点，于是乎上课打瞌睡的人多了，做卷子做到爪哇国去的人多了，试卷上常会出现如 $Q = I^2R$ 之类的“低级错误”，又于是乎某日某生试卷旁赫然出现了顾老师“你已经不行了，快回家好好睡上一大觉!”的批语。学生们在爆笑之余，深深感到了老师的那片良苦用心。

程延熙

创校之初就开始任教的程延熙先生，数学教学出众。他一口皖南口音，但讲课时口齿却非常清楚，一句一句地，有条不紊，极少重复，逻辑性又强。听了他的课觉得数学并不难学，复习起来也不太费力。程先生的板书好，尤其是画的几何图非常规矩。他画图时，先定好圆心，一笔下来，一定是一个闭合的圆，几乎与用木质的大圆规教具画的一样。同学们对程先生的教学非常佩服。20 年代“师道尊严”的风气依旧特别浓厚，程先生因为鼻子大，又有些鹰钩，同学们给他起了个外号叫“程大鼻子”。高一年级一个同学上课前，在黑板上画了程先生的一个头部侧影，特别突出勾画出他那个大鼻子。学生们都担心程先生来时，看了一定要大发雷霆。谁知，程先生走进教室，到讲台前，端详了黑板好一会儿，笑了笑，操着他那皖南口音评论说：“嘴呔小，鼻子呔弯。”同学们哄堂大笑，紧张的气氛一下子松了下来。融洽的师生关系，使学生们倍感老师的亲切可爱，更加尊重老师。

韩清波

30 年代“附中数学二韩”闻名于附中的校内、校外。韩清波先生，字问渠，1925—1949 年任教于北京师范大学附属中学；1932—1941 年还兼任数学学科主任。1940—1947 年任教于北京师范大学数学系，其间还兼任北京师范大学数学系主任。

韩满庐

韩桂丛先生，字满庐。1921 年任教北京师范大学附属女子中学（当时为女师大附中），继而于 1929 年任教北京师范大学附属中学，1934 年起更兼任教务主任。1956 年被评为北京市首届中学数学特级教师。两位韩先生治学谨严，博大精深。任教的同时，博览中外名著，仍然作学科学术研究、学科教学研究。

在附中开始任教期间，正值中学由四年制改为三三制之始。两位韩先生与傅仲孙先生、程廷熙先生边编、边选、边译、边改、边教学，并为便于出版，创办名为“附中算学丛刻社”的出版社，出版的全套中学数学教科书，并兼影印外国数学书籍供研究数学者选用，是为在中学由数学教师开办数学出版社的创举。经历三年的教学实验，韩清波先生个人编著成《初中平面几何教科书》，与李恩波先生（后任南开大学教授）、魏元雄先生（后任北京师范大学、陕西师范大学教授）合著《高中立体几何教科书》。

1924 年韩满庐先生与同窗挚友、当时既任教北京师范大学附属中学又任教北京师范大学的傅种孙先生合译出版了德国大数学家希尔伯特（David Hilbert，1862—1943）的新著《几何基础》（*Fundamentals of Geometry*，当时的译名是，德国赫尔勃特原著，傅种孙、韩桂丛译述《几何原理》，商务印书馆出版），是为这项在数学上划时代的论述传入我国之始。

傅种孙

教几何的傅种孙先生的治学精神，可以概括为“谨严”二字，而且数十年如一日。傅种孙先生自认“长期不懈地努力是一切成功的秘诀”。他讲课深入浅出，言简意赅，鞭辟入里，尤其边讲边写的板书，总是成竹在胸，写来眉目清楚，远看如画图。有旁听过傅种孙先生课的人，认为他的板书足为楷模，于是听课时就携来相机，将所作的板书拍摄，然后作为插图编入他自己所著的数学教学法书里，深受读者赞许。傅先生古文水平很高，是桐城派古文风格。他自己编几何讲义，用古汉语编，教学生的时候就拉着腔调念讲义，很带味。给学生印象很深的是："你只要承认公理，定理是根据逻辑推断的必然结果，没有第二种定理。在中国是如此，全世界也是如此，就是拿到火星上去它也得是如此。"他的这个讲法彻底极了，火星上都是一样的，跑不了。他数十年培养的学生中，后来在著名大学数学系当主任和教授的，不乏其人。

曹振山

教高中几何的有曹振山先生，瘦瘦的高个儿老头。课堂教学把几何定理间的关系归纳得清楚明白。使学生解几何题达到了着迷的程度，甚至走路、睡觉都在想。

申介人

申介人先生，瘦瘦矮矮的干巴老头儿，戴着高倍的近视眼镜，颇有点"迂腐""邋遢"的味道。讲起课来精神抖擞，极有魅力，三角公式背得滚瓜烂熟，讲课从来不看讲稿。对于尚未跨入科学殿堂的孩子们，也就跟着他在黑板上的推导，领略着数学逻辑的美妙，同时又不乏幽默与风趣。记得讲半角和倍角公式时，他在黑板上轻轻点了三下，提醒学生们这两个公式很重要，一定要牢记，但并未做更多的讲解。第二堂课，在黑板上推导下个公式，其中用到半角和倍角公式，申先生飞快地不停地讲下去，写了满满一黑板，讲完后停下来，问学生们懂不懂？他断定学生们有人不懂。果然一个同学举手说不懂。申先生说："不懂，不懂该挨打！"开始学生们吓了一跳，继而便哄堂大笑。申先生接着说："上堂课我提醒你们注意，怎么不注意呢？这不是半角和倍角公式吗？"于是又回过头来深入讲解半角和倍角公式，让学生们的印象和理解都很深，再也忘不掉了。

乔荣凝

特级教师乔荣凝老师给学生讲如何考虑问题："想问题，有时要一步步去严密地证明；而有时则要凭直觉去想，直觉很重要，你认为它是对的，再去找为什么。也就是有时要实实在在，而有时要虚一点，即有'实'有'虚'。而且，你们学数学也要学好语文和英语，尤其是语文，它决定着你今后能否学好数学！有首诗叫什么来着？""诗和数学还有关系？""没错！不是有首诗说'一望二三里，烟村四五家。亭台六七座，八九十枝花’吗？从一到十不是都写进去了吗？还有那首《寻隐者不遇》，说‘只在此山中’，是多么的具体、实在；可下一句‘云深不知处’又是多么的虚无缥缈，让人看不见，摸不着，但似乎能感觉到。”全班都哈哈大笑起来，给索然无味的数学课带来了几分欢笑。

同学们最喜欢的还要数讨论课。乔老师在黑板上写下一个问题，随后坐在教室的后面，以后的时间就给同学们畅所欲言了。同学们经常争得面红耳赤。尤其是当一个自以为想明白的同学上去讲时，其他人便会注意地听着准备随时纠正他的错误，那互相“揭短”的场面真不亚于“驴象之争”。只可惜同学们往往会掉入乔老师布下的陷阱，只能互相指出错误，但找不到最终的结果，最后又不得不让乔老师出马。这样一来，不但丰富了自己的思维方法，而且发现了自己的思维漏洞，在欢声笑语中使学生对知识有了更深地理解。

数学很枯燥，似乎离不开数字、公式和图形，但乔老师用自制的教具给学生上的课，却使人兴趣盎然。那是一节立体几何课，乔老师拿着书走进了教室。“今天我们接着讲棱柱。看，这是一个正六棱柱。”说着，他从兜里掏出了一个东西，仔细一看，原来是用土豆削的，同学们笑起来。“怎么切然后再怎么拼，能变成个斜六棱柱呢?”“斜着切。”同学们边笑边回答着。“好！那我就切了。”说着，便从怀里掏出了一把水果刀。原来是深藏不露啊！班里又是一片哗然。乔老师也笑了笑，又往下讲了……那节课是在欢声笑语中度过的，而那直观的实物把那些惹人烦的概念深印在我们的头脑中。

如果说看着乔老师自制的教具有种新鲜的感觉，那么轮到自己做时，却又是另一番情趣。同样是一节立体几何课，乔老师教学生做正多面体。首先，得能画出正多面体。从正四面体、正六面体，到正十二面体、正二十面体，他由浅入深地引导学生。接下来，就是画它们的平面展开图。在他的启发下，学生终于想出了正十二面体和正二十面体的展开图。以后的工作，自然是回家动手做一个多面体了。当学生做成正十二面体时，他们拿着自己的作品爱不释手，那种激动、喜悦的心情难以用语言形容。

张少元

语文教师张少元先生，学识渊博、教法灵活、深入浅出、讲解细致，给人以难忘的印象。有一次让同学们默写一段古文，李元善把其中一个染色中的“染”字多点了个点，即把右上方的“九”字旁写成“丸”字，张先生把李元善找到跟前，耐心地给他讲染字的由来，大意是古时染料缺乏，很多从树叶上取，所以染字从木。煮树叶着色需要水，所以染字又从“氵”。染一次着色不深，必须多煮几次，九者极言其多之意，所以此字又从九，如果把九字点个点，变成丸字，就失去了造字的原意。先生这样一讲，李元善不但对被减一分没有意见，而且受益终身，至今未忘。

时雁行

特级教师时雁行先生教语文。他上课极为投入，把自己对中国古典文学的熟悉和热爱感染到每一个学生的心田，极具感染力地把学生们带入课文的意境。学生时时回忆起学习《李白送孟浩然之广陵》时，时先生在台上反复地吟诵、讲解着，他自己也欣赏、陶醉着，我们好像看到了：那三月的桃花，那浩荡的长江，那天际的孤帆，而身心也处于融融的友情之中。以后，大家虽然也听别人讲过这首绝句，也看过有关的诗意画，觉得都未达到时先生讲的意境。经过时先生的讲解，《琵琶行》里的江州司马和琵琶女好像成了学生的朋友。读着美丽的诗句，大家跟时先生一起“沉浸浓郁，含英咀华”。讲完了，时先生感慨地说：“白居易要是生活在今天，那还不是文化部长啊？琵琶女要是生活在今天，那还不得是音乐学院院长啊？”学生们不仅清楚记得这两句话，而且记得时先生当时的音容笑貌。直到现在，时先生的学生聚会时，都会背上几句诗词，还要把时先生讲课的神态学一番。

李士博

矿物硬度有十度，哪几个矿物能代表这十度呢？“滑、膏、方、莹、磷、长、石英、黄玉、刚、金刚”，挺押韵的，好记，有用！这就是硬度的十度。滑就是滑石，膏是石膏，方是方解石，莹是莹石，磷是磷石，刚是刚玉。这就是李士博先生编的词，钱学森在几十年后仍然背得滚瓜烂熟。

毛鹤龄

特级教师毛鹤龄老师备课极认真，使得物理课堂内容和时间的分配非常合适。原理与实例，概念与推导，讲解与提问搭配得当，有先有后，有轻有重，相得益彰。每当下课铃响，恰好到一个段落。因此，每节课下来都有明确的收获，课后也无须更多地复习。若有时间，就看看毛老师指定的参考书。学生们那时大多“同步”地参看萨本栋的《大学物理》，以便从不同的角度加深理解。物理和其他课程不同，既要建立概念（来自自然界），又要有数学计算——使之量化，弄不好两者就会偏废。而毛老师却能在力、热、声、光、电各部分都把物理概念和方程式推导结合得很好。这使后来学工科的同学受益终生。有些学生参加工作后，曾力求效仿毛老师的讲课方法，讲授大学的“电工学”“电气测量”和“可行性评估”等课程，这才深感“学之不易”。

陈充辰

陈充辰老师的授课用具是独一无二的。他的所有用具都装在一个又破又旧的布袋子中，袋子的颜色为一种极难形容的绿色。当你第一次见到这个袋子时，你一定会认为那是逛菜市场时使用的袋子。袋子的里面通常装着一些自制的实验用品，橡皮筋、易拉罐、儿童玩具，这些在陈老师眼里都是不可多得的教学工具。给学生印象最深的一次，便是在讲简谐运动时，陈老师居然带来了一个“痒痒挠”来做实验（估计那是陈老师自己专用的休闲用品）。记得陈老师将这个“法宝”亮出来的时候，台下着实爆笑了一阵。

陈充辰老师的诗句更是无可匹敌的，在每节理论课时，陈老师便会写上一首自己创作的老陈诗句作为理论总结，使学生更加精练地抓住理论。在每次写完之后，陈老师便会以其特有的口音抑扬顿挫地念上两遍，使他的诗句又蒙上一层陈氏色彩，让同学们在记住诗句的同时，又极力地记下每个字特有的读音，力求完整地保存下原创的风格。“平移落，始到末”，“矢量减，共起点，连末端，指被减”，这些朗朗上口的诗句使他的学生一生都不会忘记。

王天开

特级教师王天开老师对自己的业务知识可谓是了如指掌。据学生观察，薄薄的几册化学书，几本练习册，还有常见的几千道题，都在他的熟练掌握范围之内。昨天给你背了段书上的酸式盐的定义，给出了硼酸钠的分子式，比较了氧化镁与氧化钙的熔点；今天给你倒背了过渡元素，细述了这道题的发展历程及出题人的现身说法，又畅谈了20世纪的高考发展动向；明天就会给倒霉的练习册和化学书的注释挑错，讲讲编辑是如何误会他出题的原意。

王天开老师上课注重知识间的内在联系，更善于总结，讲今儿的能捎带着昨儿的，还会三天两头的给你列个表，归归类，总结个方法窍门什么的。久而久之，化学笔记就成为了所有书本中最厚实的一本。他注重讲课的方法，注重通过他的启发讲解让同学们思维活跃起来。这也许就是他对素质教育的理解，虽然他用来实现素质教育的方法有些残忍（王老师的爱徒们称它为“挫折教育”），可没学生不承认他的这一做法逼得不少同学在课上努力思考，活跃了思维，增加了创造性。

王天开老师有许多自创的解题方法，主张用最巧的方法解题，能不算就不算，解选择题时更是独有一套。什么分析选项间的逻辑关系，看看它们的奇偶性，是不是几的倍数，单位对不对，物料电荷是否守恒，这样一来，二三百字的选择题也能在几秒钟内被解决，真不愧一分钟五道。

王天开老师上课采取“紧逼”式，提的问题都很绝，针对性很强。对平时不好好记笔记、回去也不复习的学生，他就提这种问题：“我当时是分几项讲的，我当时说过什么话？”对概念不清、不用心记忆的学生，他就提这种问题：“什么是酸式盐？”“常见氧化剂都有哪些？”对思维混乱的、不敢说话或是表达不清的学生，他就提这种问题：“你把怎么做电化学的题的方法总结一下。”还有一类最著名的问题，看谁不顺眼就问：“你来说说我为什么讲这个，为什么问你这个问题？”“我为什么只擦这半边黑板？”“我为什么不下课？”……这些问题一提一准，自然都是让你答不上来。在某个学生最近状态不佳的时候，可能会一连几星期堂堂课叫他，更有甚者会一堂课上连续不断地提问他（班上就有人因为铁的氧化物的问题被他叫起了八次）。而“你来说说这题是怎么回事”的答案一般就是“这题出错了”（能说出哪印错了的水平更高）；“我为什么说乙酸，而不是醋酸”就是让你捎带着把甲酸丙酸也给分析了；“我为什么只擦这半边黑板”一般是暗示你用那半边黑板上的东西去思维……王老师鼓励同学创新，喜欢有创意答案。对于同一个问题，磨磨蹭蹭地站起来或沉默或重复别人说过的话会被判死罪；支支吾吾说些别的是死缓；长篇大论但不挨边的会被流放加州；唯有换个角度分析或跟他斗斗嘴可以被释放。

朱正威

生物特级教师朱正威老师任教之初，接手了个初中年级的乱班。而朱老师第一次去课堂就把学生镇住了。几个“闹将”仍然在旁若无人地吵闹，朱老师并没有开口，而是把锐利的目光从眼镜的上方射向他们，用无形的压力使他们静下来，然后把手中的几样动植物标本安放在讲台上，开始讲生命的起源。朱老师在黑板上用漂亮的行书写了一个“海”字，他让同学观察“海”字由“水”“人”“母”三个部分组成。他说：“我想用这个字来帮助你们记忆水对生命的意义：‘水’是‘人’的‘母亲’。”同学们发出轻声的赞叹。随着对朱老师的逐渐熟悉，学生对朱老师越来越崇拜。在办公室看到他写的不同字体的条幅，佩服他的书法；在别的老师那里看到他画的栩栩如生、空游无所依的鲤鱼，佩服他的绘画。

万事开头难。每一节上课之初的导言，朱老师都上得别具一格。高中生物的绪论课是从朱老师介绍生物书封面“青海鸟岛自然保护区的棕头鸥”开始的。他讲到了棕头鸥的栖息地和见闻，还讲到了这几年环境变化对它的影响，就这样他用大量生动有趣的事例和独特的吸引人的讲课方式打破了学生对它的陌生；紧接着他让学生分析那一年洪水泛滥的原因，分析人类与环境的关系，最后总结学习生命科学的意义，学生兴致勃勃，意犹未尽。至于以后每节课的引入，朱老师都是精心设计的，如伴性遗传一课，一改过去由常染色体遗传与伴性遗传的谱系分析导入的方式，而让学生从检查自己是否患色盲开始；减数分裂的引入，不从有丝分裂的复习开始，直接引导学生看挂图，提问题。

朱老师的教学策略是准确而鲜活的。朱老师为学生介绍蛋白质的分子结构时，为了让学生明白 R 基在区别氨基酸种类中的作用，他把 R 基比喻为人们戴的各种帽子，先从教室里男、女同学戴的帽子说，一直说到英王室卫队卫兵戴的插着羽毛的高帽，边说边比划；为了让学生了解氨基酸如何连接成肽链的，他叫上来几个学生，和他一起相互拉起手为全班同学展示出一段模拟的肽链来，那情景是师生交融在一起，难分彼此，进入物我两忘的境界；为了让学生明白多肽链如何盘绕折叠形成具有空间结构的蛋白质，他用女孩子的长发打比方，长发飘飘固然美丽但很不方便，可以编成小辫，这就是纤维蛋白，到了夏天想更凉快，可以把小辫盘起来，顶在头上，这就是球蛋白。通过恰如其分的比喻、诙谐生动的语言和动作，把抽象的、复杂的生物大分子结构展示得一览无余。讲生命的生殖发育一章，他讲起了诗经中的“关关雎鸠，在河之洲，窈窕淑女，君子好逑”，顿时一幅充满了动人色彩的画卷展现在学生眼前，遮住了原本枯燥的文字图表。

朱老师在课堂上每每讲到动情之处，就情不自禁、热血沸腾，甚至手舞足蹈。一次讲细胞膜的流动性，他把自己当做了膜上的蛋白质，一会儿模拟漂浮运动，一会儿模拟旋转运动，如果条件允许他一定会模拟翻跟头运动。就是这样，一堂课下来他往往湿透衣襟。

谁说自然科学就不能进行生动的情感态度价值观的培养呢？在学习完《生物群落的演替》，临下课他对学生感慨道：“我们这节课讲了一个重要的哲学思想‘万物皆流’，‘子在川上曰，逝者如斯夫’。啊，青春不在，尤其是在生命环境之中流动，我们一定要争取创造更多的辉煌。”1999 年美国炸毁我驻南联盟大使馆事件激起我国人民的强烈愤慨。第二天恰逢学习“生命起源的化学进化学说”，从无机物形成有机物开始—有机小分子—有机高分子—多分子体系—原始生命。朱老师在课堂总结时，升华的是：“生命来之不易啊，人的生命更是如此。那些无视生命尊严、肆意践踏生命的行为难道不应该受到谴责吗？”

朱老师的生物课不仅精彩，而且见解深刻，勇于创新、引领潮流。早在20世纪50年代后期，当时的课本上有彼此对立的遗传学两大学派：米丘林—李森科学派和孟德尔—摩尔根学派。受当时社会历史的影响，课文把重点放在介绍苏俄米丘林—李森科学派上，可是朱老师对它只是一带而过，却详细介绍了孟德尔—摩尔根学派。时至今日，孟德尔—摩尔根学派已发展成基因工程，在科学、经济、生活各方面都发挥着重要作用。朱老师当时坚持已见、拥护真理、顶住社会压力的精神与勇气，永远是后人治学的榜样。

杨子坤

历史特级教师杨子坤老师课堂授课时，情绪饱满真挚，言谈举止轩昂，点拨机智灵活。他的课堂教学过程，概括起来就是“开发智能为重，创新教育为先，学生自悟为主，启迪人生为本”。他深入研究过高中学生历史思维活动的特征，研究过教学方法怎样适应学生的个性特征，提出了学生是“点状发展”的创见。据此，杨老师确定了“因点而雕”，尊重个性的方法论。杨老师在课堂教学中发现学生个人的闪光点就及时肯定，看清群体中的精彩点就恰当放大，遇上会学的成功点就尽量推广，敏感深层的潜在点就有意诱发，抓住思路的阻塞点就巧妙疏通，见到思维的新颖点就予以鼓励。杨老师深切地认识到：“只有启动学生的个性内力，才能迸发出智能的亮光。”他通过多年的实践，把学生的灵感思维能力总结为“四性”的特点和表现，即顿悟性、新知性、潜在性和个体性。

杨老师源于学科特点，并切合学生的现状，围绕培养创新型人才，提出了引导学生要做好“五个善于”的教学理念：引导学生善于发现；引导学生善于优化；引导学生善于再造；引导学生善于已见；引导学生善于修身。在历史课堂上，坚持用历史的规律武装学生的头脑，是杨老师一贯的教学指导思想。随着教学改革的深入，特别是素质教育的推进，他在高三的课堂上独创了“问、答、评、导”教学法，从大面上发展了他的“雕点论”。

杨老师在图示教学法方面也独辟蹊径。他先后创作了蜗牛状的

《“二战”初期欧洲形势简图》，数轴一样的《过渡时期结构图》，归纳成史诗般的《国民革命时期发展图》等数十幅图示，可分为线索大事类、整体联系类、过程演变类、难点解析类、方位示意类、归纳综合类六大类。由于这些图示所反映的历史的结构特征与学生认知规律紧密相结合，特别利于学生简明地完成知识的系统化。

杨老师认为：“从整体上说，历史学科能力是人们认知历史、阐释历史和借鉴历史的本领，是人们对历史的主观能动作用在特定情境（条件）中的展现和结果。”又指出：“认知→阐释→借鉴，是统一的、递进的关系。认知和阐释，在很大程度上是为了借鉴。借鉴包括了历史知识、历史观点和历史方法。”“能从借鉴的高度阐释历史，是本学科一项独特有之、独专其用的。历史学科和历史教学的生命力极其重大的育人价值，就在这里了。”他从理论上指明本学科之独特的育人价值，对中学历史教师来说是种很好的导向和启发。

白幼蒂

历史特级教师白幼蒂老师精通中国史和世界史两门通史，及时了解历史学科、教育心理学领域内新的研究成果。20 世纪 80 年代，白老师是北京市中学历史教学界最早使用电化教学手段的老师之一。那时候，白老师较多地使用投影、幻灯和录像，主要解决了历史知识的过去性和具体性的特点，同学生掌握知识是从形象到抽象的感知特点的矛盾，激发了学生的学习兴趣。有些调皮的学生说，“想用历史课做数学作业，不由自主地被吸引了……”

20 世纪 90 年代，白老师看到附中的计算机多媒体技术的发展，使灵活多变地传递图、文、声、像等多样化的信息成为现实，敏锐地认识到使用现代教学手段，特别是计算机辅助教学，是发展的趋势，于是把历史地图、补充的历史文字资料、图片、录像剪辑，复习巩固的结构图示等内容，按照教学设计编成系统化的课堂教学软件。而这时期，编制多媒体课件的目的与设计的中心环节是促进学生历史思维能力的培养。特别是白老师为每一节课、每一章复习所设计的动态结构示意图，在教学最后环节，教师边引导学生归纳所学史实、概括结论，边展示示意图，最终把复杂的历史现象逐步勾画成为一个完整的知识体系。运用这种图示有助于发展学生的抽象思维，有助于学生从内在联系和整体上把握历史。对于素质教育的问题，白老师特别关注教学目标的多元化、教学过程的主体化，教学效果的可持续性发展化三个方面。白老师曾尝试进行过如“亚洲、非洲的民族解放运动”等自学课、“没有希特勒第二次世界大战能否爆发”等讨论课、“欧洲的启蒙运动”等史料研习课，探索了一系列新课型、新教学模式。

2000年以来，白老师又带领、组织全教研组开展了“获取处理历史信息技能”的课题研究，界定了历史学习技能的内涵和研究内容，研究了各项技能的规则，结合本校学生不同年级学生的实际认知水平完成了技能与教材的整合，组织了一系列探索技能规则的教学实验。在计算机教师李和平老师的技术支持下，白老师指导青年教师通过“美苏争霸”一课，探索了人机交互分层自主学习的教学模式；通过“洋务运动与近代化”一课，探索了利用校园网络平台学生自主交流探讨的学习模式；通过“近代铁路的修建告诉了我们什么?”一课，探索了主题性的开放探究学习模式；通过“回首‘二战’爆发的原因企盼世界和平”一课，探索了跟进式探究形成性评价学习模式。

秘际韩

地理特级教师秘际韩老师身材魁梧、外表严厉，其实内秀。他的板书是一流的，粉笔字工整均匀，一节课的教学内容不多不少在45分钟内被优美排列于黑板上。迟到的、缺课的，都能从黑板上找到讲课内容。上他的课时，看他的板书是一大享受。

王树声

2006年夏季，被评为北京市第一批特级教师的王树声老师再一次站在了一线课堂上，和一所宣武区普通校的初一年级同学一起，为全区老师做了一节课程改革的研究课，那一年王老师78岁。“我们每个人在地理教学中迈出一小步，中国的中学地理教学就会向前跨出一大步。”——这就是鹤发童颜、不断挑战自我、始终保持高度社会责任感的“青年”教师，王树声老师的豪言壮语！

王树声老师任教之初就认识到：要培养学生的学习能力，教师就应自觉培养教学能力。比如，默画地理板图的功夫。他用了两年时间，不仅对教学所需的各种板图能运用自如，而且随讲课随画一些自然或人文景观，如地貌、植物、动物、地形雨、岩石风化过程、褶皱、断层等，清晰、惟妙惟肖。1954 年，刚调到师大附中的王老师为了贯彻落实市里的决定，大胆地开始了电化教学的尝试。尽管当时学校只有一台幻灯机，还是反射式的，但是为了突破传统地理教学的束缚，王老师在深入钻研教材的基础上，成功地设计绘制出一批又一批教学幻灯片：既有地图片、景观图片，又有数据图片和地理原理示意图片；既有单片、复合片，又有偏振光片和抽拉片。这些幻灯片虽然还较为粗糙，但由于符合地理课的教学特点和规律，特别是能紧密配合教材，所以受到了学生的欢迎，并得到学校领导和教师们的充分肯定。电化教学虽然在“文革”中一度被砍掉，但文教事业恢复正常以后，王老师就再未中止过电化教学的实践、研究与突破。

王树声老师提出地理教学语言可分描述性、启发性、逻辑性、艺术性等，并注重直观性形象的描述。比如，学习长江，王老师讲道：“瞿塘峡以雄伟险峻著名，四川各支流汇进的江水，被约束在这里，‘众水汇涪万，瞿塘争一门’。巫峡重峦叠嶂，水复山重：‘田野纵横千嶂里，人烟错落半山中。’西陵峡过去以滩多、水急而行船艰难著名：‘朝发黄牛、暮宿黄牛，三朝三暮、黄牛如故’，那是历史上的黄牛峡，今天炸平了滩礁，设置了航标灯，川江已可夜航，将来三峡工程建成，这里将是高峡平湖的景色……”

王老师在组织教学方面不仅富有艺术性，而且讲究严谨。如自身的服饰、发型要符合身份；课前教具要准备齐全，放幻灯、投影片要事前演示一下；课堂上举手、投足、转身，视线都不能成为干扰学生情绪的因素；讲课中要将教师内心的情感通过目光与学生交流，随时捕捉学生情绪的信息；提问时先向全班同学提出，让大家思考，然后再点名让一个学生回答，回答不全，一般不再追问，而是让别的同学补充，启发诱导，使学生思维深化，发挥学生学习的“主体”作用。

正是王老师为了不仅使学生学会，更要使学生会学，费尽心思去营造生动的课堂，给学生参与表现的机会，在教学中引入演讲、知识竞赛、阅读地理报刊后的内容介绍、报告地理时事等；给学生动手实践的机会，在教学中让学生做简单实验、演示仪器或模型、绘制地理图表或幻灯片、进行简易的地理小制作等；给学生观察思考和学习的机会，根据印发的实习内容或问题，在教学中让学生通过观察地球仪等，填写观察记录和实习报告，或在教学中通过看幻灯片、录像、电影、景观图片等，对教师设计的问题作出解答；给学生发挥创造想象和表达的机会，通过教师设计的新颖巧妙、联系性强的灵活题目，让学生大胆想象、讨论、活跃思维、培养兴趣。花样翻新，层出不穷，让每堂课都充满了新鲜感，使学生觉得地理课堂极富挑战性和趣味性，牢牢抓住了学生注意力，激活了学生的参与意识和学习的主动精神。

1982 届学生写道：

“王老师在我面前展开了一幅无限的美丽的图画，我完全陶醉在里面了，那里有多少奥秘在等人们去探索……学了地学课，我受到了爱国主义的教育，将来努力去改变我国的面貌，使祖国变得更加美丽。”

“雪水为什么会有这种妙用，我怎么也弄不明白……我长大了，也许会研究这个十分有趣而又有意义的雪水呢！感谢地学课开阔了我的眼界，使我爱想问题了。”

“我和同学们常常讨论：这几天天气太热是不是咱们这个地区正被反气旋中心控制了？怎么解决北京地区缺水的问题？星际移民能不能解决人口过多问题？……我认为地学课能起到激发学生探索、学习的兴趣，开阔眼界心胸的作用，而这正是建立正确人生观、世界观的前提。……我甚至为自己是国内头几批学习地学课的学生有几分自豪呢！”

“它使我意识到一个中华人民共和国的主人应该做些什么，树立主人翁责任感，对以往司空见惯的不良现象，现在深感它们对于国家的危害，有许多坏现象如果不加以制止，那么国家将会糟践得不成样子……长江变黄、耕地减少、动物灭绝……不是已突出地说明了这个问题吗？……”

“自从学了地学课以后懂得了许多从前不知道的问题……现在当我看到院内小孩在玩水时，就情不自禁地上前阻止他们，告诉他们注意节约用水的道理……”

王树声先生还是我国最早在中央电视台主持中学生智力竞赛的中学教师，此后他还主持过《伟大的祖国》等节目，被评为“全国电视专栏节目优秀主持人”。王先生几十年前主持电视节目的风采，今天依然深深地留在人们的脑海里。

名师们的诸多成就，基础在于“出众的课堂教学”；在对名师的评价中，学生的评价最有价值。1957 届学生王鸿冀对附中名师的评价很具有代表性：

“一是业务熟练，认真负责。对教材内容掌握深刻，每堂课都写教案认真准备，讲课内容自然充实完整。这可说是规范化的教学层次。

“二是讲求方法，效果显著。像课堂三段教学法，阶段小复习、期末大复习。使学生对整个知识体系的理解和掌握准确、深刻、灵活。这可说是艺术化的教学层次。

“三是出神入化，独具魅力，形成个人风格，这可说是人格化的教学层次。凡是好教员，都有特色，听一堂课让你终生难忘。听这些老师的课，不仅学到了知识，还是一种享受，陶冶你的性情，提高你的思想境界。”

所谓师大附中名师的业务熟练，包括：对所教学内容有整体把握，对教学知识与能力培养有系统安排；课堂教学思路清晰、重点突出、难点突破；课堂立即准确地引导学生解决生成性问题；课堂学习密度兼顾全体学生的情况，课堂学习节奏张弛有度；课堂进度把握准确，准点下课，不提前、不拖堂；板书系统、清晰、优美；教师语言干净、生动、优美；教具实用、贴切，等等。

所谓师大附中名师的“讲求方法”，归纳起来包括：以学生的学与悟为基本出发点，设计、组织教学，强调发挥学生的主体性；高屋建瓴地抓住学科体系特点；举重若轻地安排教学环节；启发式教学；理论联系实际，形成研究问题的情境，增强学生感悟，培养学生学以致用的态度；注重培养学生的学科兴趣与基本技能，善于引导学生归纳所学内容的知识体系、学习规律、研究方法。

每位师大附中名师都在每一节精心设计的课中把学生带入“科学与艺术”水乳交融的境界。但每位教师的教学方法又因学科、因教学的对象、因自身的情趣性格而异，独具魅力，各成一派。

四、育人沃土，人生基石

中学阶段在人的一生中是记忆力最好、活动力最强、求知欲最旺盛、想象力最丰富的时期，许多成年后在各自领域出类拔萃、作出杰出贡献的人回忆起自己的中学时光，都常常犹如昨日、心存感念，就是因为他们的知识基础是在那时奠定的，他们的人生理想是从那时起步的，他们的精神气质是在那时形成的，他们最初的社会活动训练是在那时进行的。

走进校园大门，设计独特、古朴庄重又兼具简洁现代特色的灰色砖墙教学楼矗立眼前；楼间的花园绿树丛荫，花草芬芳，落英缤纷；赵世炎烈士像、青少年钱学森像栩栩如生……教学楼内，雪白墙壁，灰砖墙围，雅洁清新。宣传栏异彩纷呈，定期宣传海报、学生作品举目皆是。走在这样的校园里，沐浴着文明的阳光，感受着学校活跃有力的脉搏跳动，这里就是北京师大附中。许多学生都说北京师大附中有一种独特的“附中味儿”，就是指北京师大附中多年来积累形成的校风，这个校风就是浓厚的学术空气，文化气息，好学精神，文雅富于幽默的谈吐，爱好体育健康活跃的作风，不死读书，而是生气勃勃，具有广阔的视野。

（一）能力培养

学校主要通过传播知识、技能来影响学生能力的形成和发展，而学生是在掌握知识、技能的过程中形成和发展自己各方面的能力。能力是掌握知识、技能的必要前提，同时掌握知识、技能的过程也会促进能力的进一步提高。能力是学生成才的关键。它不仅直接影响着学生在校学习期间的学业，而且对学生将来的学习和工作都会产生巨大而深远的影响。在各自领域都颇有建树的各届北京师大附中校友在回顾自己的成长过程时，印象最深的往往是母校的学风对自己的影响。

师大附中校友、著名科学家钱学森常说，“我能为国家为人民做点事，也是与中小学老师的教育分不开的！”在初三年级时，他听傅种孙老师的几何课，第一次得知什么是严谨的科学。

1935 届校友沈攻说：“张鸿来老师的‘人指疑不关’说的是代名词分为人称、指示、疑问、不定和关系代名词五种；物理老师讲牛顿第二定律：‘有主动力必生反动力，大小相等，方向相反。’老师讲起来犹如背‘台词’，抑扬顿挫，有缓有急，还带点地方口音，直到现在我还能学得来。……老师教得好，学生学得必然扎实。学好了基础课，一生受用不尽，我深有体会。”

北京师大附中的领导对于教学质量及效果是极为重视的，凡是不利于教学的言论或不称职的教师都不能在学校立足，形成了一套提高教学质量的作风与管理制度，也形成了一支具有较高教学水平的高素质教师队伍。1947 届校友谢群回忆，1945 年抗日战争胜利之后，上级为我们派来一位新地理教师，在听了他的几次讲课之后，大家一致反映，讲课水平较差，还在课堂上大谈反共言论。大家通过观察这位教师的讲课情况和言论，觉得这位地理教师是很难称职的，同学们就找到了学校的领导反映情况，过了一个星期之后，这位地理教师就被免职了，换来了一位我们非常敬爱的张恩获老师。张老师在地理教学上很有特点，特别有趣味性，他把地理课可以讲成一个个有趣的故事，不但容易记住而且日久不忘。

1926 届校友陈梓北回忆：“母校对我的教育影响是深远的，终生难忘的。有人问我，你为什么进师大附中？当时中学四年制毕业后，一般应考大学预科，但听到北师大同乡侯圣磷劝告：‘大学预科松松垮垮，远不如师大附中要求严格，知识面铺得广阔，学问基础打得稳固。’我考插班进入附中理科高中二年级。事后证明，他的忠告是无比正确的。我附中毕业后，考入师大教育系名列前茅，凭附中的英文水平，可以直接阅读原文专业书，进图书馆不需携带小字典。”他觉得“师大附中要求严格，知识面宽，基础稳固，进大学后，比别人学得多，学得快，特别是自学能力强”，很多北京师大附中学生都有此同感。

（二）理想萌芽

中学阶段是一个人人生理想的起步阶段，在这个时期，学校教育和教师的言行举止对学生潜移默化的教育作用和多方面的正面影响尤为显著。由于教师这个角色具有示范性、权威性和亲切性等因素，教师的榜样就是一部活的教科书，就是一种巨大的教育力量。这种教育力量是以直接的、形象的、具体的形式非常自然地起着作用，使学生们在不知不觉中受优良学风潜移默化的陶冶。

1943 届校友关广岳说，我和师大附中是一门课程定终身。师大附中的学生生活回忆起来都历历在目，但其中最难忘的却是一门学时很少的课程，就是在初中二年级李士博先生所教授的“矿物学”。在课堂上老师向同学们展示的一小盒矿物标本使他感到无比惊奇，那金光闪闪的黄铁矿、透明无瑕的水晶都引起他极大的兴趣。从那时起他就将学校图书馆中有关地球的书借了个遍，下决心要弄个一清二楚，探讨个明白究竟，这可能是终生从事地质工作心愿的萌芽。果然，关广岳后来成为地质学教授，这成了他一生的工作与研究。

1937 届校友李琦，曾任周总理办公室副主任、教育部副部长、中共中央文献研究室主任等职，是位老革命家。他回忆道：“直到现在，我对师大附中仍怀念不已。在这个阶段（指 1932—1937 年——笔者注），我经历了具有历史意义的‘一二·九’运动，并且决定性地选择了我的人生道路，加入了中国共产党，为党的事业、为祖国的独立富强而奋斗，六十年矢志不渝。”由此可见，一个人在青年时期的选择对他的人生会产生极其巨大和深远的影响。

我国著名音乐家李德伦在北京师大附中学习时，当时音乐老师是吴中正先生和李惠年先生。李德伦回忆说：“吴先生教我们五线谱、听唱片，他自己还在课堂上演奏贝多芬的《月光奏鸣曲》。当时学校经常举行音乐会，组织合唱团，有一架精艺牌立式钢琴，学生交2元5角学费就可以练琴，我每天下课后就去练琴。学校举行音乐会时，师生同台演出，我班何广慈每次都是钢琴独奏，李惠年老师独唱，汪德昭作为校友演出小提琴独奏，他拉过巴赫的G弦上咏叹调。后来他和李惠年同去了法国。师大的老师、同学也来参加音乐会，我们也常去师大听他们的音乐会。1935年，我在师大听了马思聪的小提琴独奏会，他演奏了《思乡》《塞外曲》。学校的教育、学校的环境，使我爱上了音乐，并成为我一生的追求，终于干上了音乐这一行。”

钱学森说：“我对师大附中很有感情。在我一生的道路上，有两个高潮：一个是在师大附中，一个是在美国读研究生的时候。六年的师大附中学习生活对我的教育很深，对我的一生，对我的知识和人生观起了很大的作用。几十年前在师大附中所受的教育，我们这些人是终身感谢的，现在还在影响着我们。”

师大附中校友、著名摄影家王瑶从小酷爱摄影，进入北京师大附中后，仍是边学习边为学校的各项活动拍照片。校领导和老师们热心地为她提供各种各样的锻炼机会：赴北戴河参加通信夏令营；被聘为特邀记者，参与校团委组织入党积极分子与当时任团中央第一书记的胡锦涛同志座谈。还有像校运动会、文艺演出、新年联欢会、教师节等那些充满青春气息的难忘瞬间，也都凝缩在了她的镜头里。她回忆道：“上初三的时候，通过考试我加入了北京市少儿摄影爱好者学会和北京中学生通讯社，并担任了通讯社的摄影部主任。当别人正在一心学习准备中考的时候，我的社会活动却越来越多。它们占去了我的所有课余时间，有时因为过于兴奋连上课也不能集中精力，学习成绩明显下降了。说实话，我真担心自己考不上附中的高中，从此离开那可爱的校园，离开可敬的老师和可爱的同学。距离中考还有半年的时间，校领导卢鲜明老师亲自找我谈话，她一方面鼓励我放下包袱，继续发展自己的爱好和特长，另一方面要求我努力学习，打好文化基础，以便将来获得更大的成就。班主任老师也要求我在初三最后一个学期集中精力搞好学习；对于一些大的活动实在推脱不开，老师们就利用休息时间一遍遍不厌其烦地为我补课。就这样，我幸运地闯过难关，再一次激动地佩戴上师大附中校徽。”现在，王瑶已经是第一位获得世界新闻摄影比赛（荷赛）一等奖的中国女记者，是著名摄影家，但她说：“没有附中的培养就没有我这一切”。

纵观北京师大附中建校以来一百多年的历史，在动荡不安、战火纷争的年代，学生们怀抱着科学救国、革命救国的理想；在和平年代，同学们梦想着个性与成功，在各个领域闯出一片天空。这一切都是和在北京师大附中所受到的教育分不开的。在优良校风的熏陶下，学生们确立了为祖国作贡献的远大理想，形成了爱科学、学科学和用科学的浓厚风气；这种优良校风也成为学校推动师生进步和陶冶人的力量，一种光荣感和自豪感，成为学生群体团结奋进的核心力量。

（三）正确价值观和道德观的确立

中学阶段，是形成一个人的世界观和人生观的重要时期。在学生正确的世界观和人生观的形成过程中很多方面会对其产生影响，比如客观环境和客观条件对学生的意识和精神世界，也就是对其信念的影响；比如思想政治教育的影响；等等。在教育过程中，教育者的感受、热忱和责任心，不可避免地要通过社会心理机制传授给教育对象。在现实的社会生活中，如果教育者言行不一，表里不一，那么他们所捍卫的思想就不会为被教育者所接受，而只能作为不相干的知识留在被教育者的记忆里。教育者的以身作则、率先垂范尤为重要，也就是所谓的身教胜于言教。

北京师大附中一直重视培养学生正确的价值观和道德观，并为此提供一个良好的客观环境。校歌对此有一个明确的体现，就是“正正堂堂本校风”“莫忘了诚爱勤勇”。鼓舞大家向上、自尊、有理想。“诚爱勤勇”，这是师大附中的校训。老师们率先以此律己，他们朴实无华、敬业钻研、科学育人，给学生留下深刻印象。同学们勤奋学习、艰苦朴素、团结友爱。“正正堂堂本校风”，要求我们正正堂堂做人、做事，自尊、自信、自律，做一个高尚的人、为社会做点事的人。许多校友都很怀念这首校歌。

附中教师石评梅主张情育教育，对学生采取理智指导、真情感化的方法，被学生誉为“我们的星”“母亲式教员”。校友、著名作家颜一烟曾受教于石评梅，对此感触颇深。颜一烟刚入学没多久就当选为自治会主席，她总觉得自己干不好，于是石评梅在言语上鼓励她，“人活在世上总应该对别人有点用”，“什么事都是干干就会了”；在行动上支持她，石评梅将几十本自己心爱之书捐赠给班自治会，帮助班自治会创办了一个“图书柜”。颜一烟主动报名当图书柜的管理员，以便对别人有点帮助。

直到多年后很多校友还记得当时石评梅老师和其他老师们总结的做一个真正的中国人要做到的六点：一是终生爱国、卫国、救国、建国；二是终生大公无私为国为民，毫不自私自利；三是终生艰苦创业，不计个人得失；四是终生勤劳、朴实，不贪图安逸、享受；五是终生学习，越老越要学；六是终生健康是保证生命力的源泉。1933 届校友宋迪夏说：“老师们用他们的心血浇灌我们加速成长，他们搭了一座金桥，带领我们从桥的此岸到达人生的彼岸，解决了我们一生最宝贵的——人生大方向问题。他们告诉我们绝对不要糊涂地瞎过一生，终生要做一个真正的中国人。”

（四）全面发展的“全人格教育”

全面育人是北京师大附中办学的一贯方针。林砺儒在就任北京师大附中校长（当时称主任）发表的演说《我的中等教育见解》中说道：“少年身心之发育甚盛，人格活动之范围日加扩张，几几乎对于人类所有之经验都要发生趣味，所以中等教育的任务就是引导少年人格之放射线到各方面去。例如文学的陶冶，并非要把少年立刻造成一位名家，也不是准备将来卖文讨饭，乃是要引导他的人格的活力往文学方面去。科学的陶冶也不是要养成科学家或准备做农工，乃是要引导人格的活力往科学方面去。艺术的陶冶也是一样的理由。譬如一株树要它十分发育，就要让它的根四面八方蔓延。若堵住几向，单让一向给它伸张，就不能完全发育。所以我认定理想的中等教育，是全人格的教育，决非何种职业之准备。要全人格的陶冶受得圆满，那么将来个性的分化才算是自然的。……全人格的教育，是使学生活用其人格的活动力，来实地经验各种高尚有价值的生活。……我以为学生活动，要直接经验道德生活、科学生活、艺术生活、宗教生活，换句话，就是善、真、美、圣的生活，而且尤要紧的是发挥天真烂漫，为趣味而活动之少年精神。我希望校内教授训练均以此为目标。我们要实现这种理想，费工夫就不少。也没有一定的方法，总要事事留神，随处研究。须知教育是人格与人格之交感。要发展少年之人格在极平常事里面，有极玄妙的作用。”

为了这种全面发展的“全人格教育”，林砺儒在北京师大附中试行“六三三”新学制时，积极组织教师自编教材，制定规章制度和教学计划，实行学科制，分必修科、选修科。选修科以两星期为试习期，若学生认为不合适，可改选其他，但以一次为限。高中分第一第二部，类似于文理科，但为了避免文理界线过于泾渭分明的弊端而进行了调整，第一部有必修的数理科，第二部有必修的文学科；另外，还设有共同的选修科，如世界历史、世界地理、论理学、经济学、社会学、政治学、图画、音乐、第二外国语等。

我国著名声学家、中国科学院院士马大猷是北京师大附中的学生。他说，附中的课程中除了论理学和伦理学外，还有心理学、化学工艺、矿物学、德文、日文等，都是一般中学所没有的，其中有的是选修课，很有助于学生的发展。他虽然没有选修矿物学，但觉得很有意思，常和同学们一道骑自行车出西直门到红山口去挖矿石。后来他上大学听教授们直接用英语讲数学、物理，在国外学习生活时讲英语一点都没有困难，即得益于他在附中打下的外语基础。在北大和哈佛大学考德文也没有另外补习。另外一些像逻辑、心理学、化学工艺、矿物学、生物学等方面的知识在对他后来的研究和教学工作大有裨益。

除了注意教给学生系统的知识外，师大附中还高度重视体育活动，每天有课间操，每周有体育课，定期有运动会。学生的课外活动丰富多彩，各班有自治会，全校有学生会。学生可自由结合，采集制作标本、解剖生物、排演戏剧、自办报刊，如作家赛先艾在北京师大附中求学时就与同学李健吾等成立过“曦社”，办过两期《爝火》杂志。学校还经常请师大老师或著名学者前来讲演，如邀请鲁迅到北京师大附中讲演(即《未有天才之前》，见《鲁迅选集》第 2 卷，人民文学出版社，1983 年)。所有这些都体现了林砺儒所秉持的“中等教育，恰位于全教育历程之中段，其职分应在完成全人的陶冶，以厚其个性发挥之根基”的教育理念。在能力全面发展方面，北京师大附中对学生的影响是一生的，学生们的印象都很深刻。

北京师大附中的历届校领导团结广大教师，致力于教育事业，培养了众多人才。校友都说：“附中的六年教育，奠定了我们治学、处世、做人的基础。几十年来我们在不同的岗位上，为国家为人民贡献微薄力量，这和附中的老师们辛勤的教育分不开。六年在人生的旅途上是短暂的，但中学的六年，却是关键的一段，是光辉灿烂的一段，使我永生难忘。”

正是有师大附中这样一片育人的沃土，为学生奠定了人生的基石。

五、历史证明的成功

——杰出人才奇迹般地涌现

检验一个学校是否办得成功，最根本的“指标”是看这个学校是否为国家培养了大量杰出的人才。100 多年来，北京师大附中为国家培养了大批优秀毕业生，历届校友中人才辈出。中共早期领导人赵世炎，科学家钱学森、汪德昭、张维、姜泗长、马大猷、林家翘，哲学家张岱年，经济学家于光远，艺术家李德伦、于是之，全国人大副委员长成思危，著名教练傅其芳等人就是他们的杰出代表。据不完全统计，从北京师大附中走出的中科院院士和工程院院士就有30多位，曾任或现任省部级以上领导干部的也有30多位。新中国成立以来，国家教育部有6位正副部长林砺儒、杨秀峰、张承先、张文松、李琦、李铁映曾是北京师大附中的教师或学生。师大附中毕业生在各方面作出突出成就的人才还有很多，例如南京中山陵的设计者吕彦直，著名播音员齐越、邢质斌，儿童文学家刘厚明、颜一烟，电视剧《四世同堂》的导演林汝为，漫画家丁午，电视剧《水浒》《三国演义》《红楼梦》的制片人任大惠，著名邮票设计家刘硕仁、许彦博，歌唱家叶佩英等，由此可见北京师大附中不愧为人才的摇篮。历史证明，师大附中在20世纪的办学无疑是成功的，办学成果是辉煌的。

下面，我们从这些杰出校友中挑选出75位各行各业的代表。通过他们的成长足迹，人们可以感受到北京师大附中这个“人才摇篮”的巨大魅力。

（一）科学技术类

1. 中国航天事业的奠基人——钱学森

钱学森（1911—2009），祖籍浙江杭州。1923—1929年就读于北京师大附中。1935年赴美国留学获博士学位。1955年冲破重重阻力回到祖国。著名科学家、中国科学院和中国工程院院士，我国近代力学事业的奠基人之一，为我国火箭、导弹和航天事业的创建和发展作出了卓越的贡献，是我国系统工程理论与应用研究的倡导人。1991年10月获国务院、中央军委授予的“国家杰出贡献科学家”荣誉称号和中央军委授予的一级英雄模范奖章；1999年9月获中共中央、国务院、中央军委授予的“两弹一星功勋奖章”。

2. 著名力学家——张维

张维（1913—2001），1924—1928年就读于北京师大附中。我国著名力学家、教育家，中国科学院和中国工程院院士，瑞典皇家工程科学院外籍院士。曾任清华大学副校长、深圳大学校长。为我国力学和工程学教育的起步和发展作出卓越的贡献，是科教兴国的实践巨匠。张维先生一生都对母校北京师大附中怀有极深厚的感情，一直同母校保持着密切的联系。他一直是北京师大附中校友理事会的成员，是母校百年校庆的热心倡议者和组织者，并多次为母校捐款。

3. 声学大师——马大猷

马大猷，1915 年生于北京，原籍广东。1932 年毕业于北京师大附中，中国科学院院士，国际著名的声学家，我国声学事业的开创者，人民大会堂声学设计者。

4. 我国现代耳鼻喉科创始人之一、戎装院士——姜泗长

姜泗长（1913—2001），天津人。1931 年毕业于北京师大附中，著名耳鼻喉专家，中国工程院院士，曾任解放军总医院副院长，耳鼻喉科研究所所长，中华医学会理事，耳鼻喉科学会主任委员、专家组组长。曾担任毛泽东主席的保健医生。1993 年获中央军委“模范医学教授”称号，1996 年获首届陈嘉庚奖。

5. 中国第一枚导弹的总设计师——梁守槃

梁守槃，1916 年生于福建福州市。1934 年毕业于北京师大附中。中国科学院院士、国际宇航院院士，导弹总体和发动机技术专家，中国导弹与航天技术的重要开拓者之一，中国第一枚导弹的总设计师。1992 年被批准为航空航天部有突出贡献的老专家，1994 年获“求是”杰出科学家称号。

6. 我国国防水声事业奠基人——汪德昭

汪德昭（1905—1998），江苏灌云县人。1923 年毕业于北京师大附中。我国著名物理学家、中国水声事业奠基人、中国科学院资深院士，

为我国国防水声学事业的开拓和建设作出了突出贡献。曾任中科院声学所所长，全国人大代表，全国政协常委。

7. 生物学家——汤佩松

汤佩松（1903—2001），湖北浠水人。1916 年毕业于北京师大附中，植物生理学家、生物化学家、教育家，中国科学院资深院士，中国植物生理学的奠基人之一。

8. 中国天文学奠基人——张钰哲

张钰哲（1902—1986），1919 年毕业于北京师大附中，中国科学院院士，曾任紫金山天文台台长，我国现代天文学的主要奠基人。

9. 天文学泰斗——陈遵妫

陈遵妫（1901—1991），1920 年毕业于北京师大附中。中国科学院院士，著名天文学家，曾参加南京紫金山天文台和昆明凤凰山天文台（现云南天文台的前身）筹建观测工作。曾任北京天文馆馆长、中国天文学会总秘书等职。

10. 大地测量专家——陈永龄

陈永龄（1910—2004），北京人，北京师大附中 1927 届毕业生。中国大地测量专家，中国科学院院士。历任清华大学、西南联合大学、同济大学教授，岭南大学理工学院院长，华南工学院、武汉测绘学院副院长，国家测绘总局总工程师兼研究所所长等职。

11. 著名数学家——段学复

段学复（1914—2005），陕西华县人。1932 年毕业于北京师大附中。我国著名数学家、教育家，中国科学院院士、北京大学教授。曾任清华大学数学系主任，北京大学数学力学系、数学系主任，中国数学学会常务理事，国务院学位委员会第一届数学评论分组成员兼召集人，

《中国科学》《科学通报》《数学学报》《数学通报》和《数学年刊》编委，《数学进展》主编、名誉主编，《中国大百科全书》总编委会委员、数学卷执行副主编，数论、代数学分组主编。

12. 中国第一位汽车专家——孟少农

孟少农（1915—1988），湖南桃源人。1930 年毕业于北京师大附中。中国汽车设计专家，中国科学院院士。1941 年获美国麻省理工学院硕士学位，1946 年回国，在清华大学机械系任教，开创了汽车专业。50 年代末期，为第一汽车制造厂设计、制造“东风”牌轿车和“红旗”牌高级轿车作出了重要贡献。

13. 中国物理有机化学学科的开拓者之一——高振衡

高振衡（1911—1989），浙江绍兴人。北京师大附中 1930 届毕业生。有机化学家和化学教育家，中国科学院院士，中国物理有机化学学科的开拓者之一。曾任南开大学教授、化学系主任、中国化学学会理事、国家科委化学学科组成员，中国民主同盟盟员。

14. 中国核化学化工事业主要奠基人之一——汪德熙

汪德熙（1913—2006），祖籍江苏，1931 年毕业于北京师大附中。我国著名的高分子化学家、中国科学院院士，参与领导并组织了核武器研制过程中的放射化学研究工作，是我国核化学化工事业主要奠基人之一。第三届人大代表、中国核学会第三届理事长、中国核工业集团公司科技委高级顾问、全国“五一”劳动奖章获得者。

15. 著名机械工程专家——雷天觉

雷天觉，1913 年生。1930 年毕业于北京师大附中。中国科学院院士，著名机械工程专家。长期从事机械设计和制造技术的研究。在轴承设计、液压传动、齿轮传动、精密分度和测量方面有多方建树，其“弹性流体静压轴承研究”解决了研制中国同步卫星试验设备高频液压振动台的技术关键。

16. 数学大师——林家翘

林家翘，原籍福建福州，1916 年生于北京。1933 年毕业于北京师大附中。1937 年毕业于清华大学物理系。美国国家科学院院士，力学和数学家，当代应用数学学派的领路人。中国科学院外籍院士。2001 年 11 月被聘为清华大学教授。

17. 著名岩石学家——池际尚

池际尚（1917—1994），湖北安陆人。1936 年毕业于北京师大附中。中国科学院院士，著名岩石学家。1941 年毕业于西南联合大学。1947 年和 1949 年获美国宾夕法尼亚州布仑茂学院硕士学位和博士学位。中国地质大学教授。

18. 矿床学家——张炳熹

张炳熹（1919—2000），河南省社旗（原唐河）县人，1936 年毕业于北京师大附中。我国著名的地质学家，中国科学院院士。曾任国土资源部科学技术高级咨询中心主任、高级工程师、国际地质科学联合会副主任等职。

19. 农机专家——陈秉聪

陈秉聪，1921 年 10 月 10 日生于山东省黄县。1939 年毕业于北京师大附中。中国工程院院士，农业机械设计制造专家。1948 年毕业于美国伊利诺州立大学获硕士学位。吉林大学、青岛大学教授。曾任中国农机学会副理事长、地面—机器系统学会理事长、国务院学位委员会第一、第二届工学科评议组成员，现任中国农机学会名誉理事长。长春市政协副主席、吉林省政协副主席。

20. 分析化学家——周同惠

周同惠，1924 年生于北京，原籍广西桂林，1934—1937 年在北京师大附中学习。中国科学院院士，分析化学家。现任中国医学科学院药物研究所研究员，国家药物及代谢产物分析研究中心主任。曾负责筹建中国兴奋剂检测中心兼任主任，领导建立了五大类 100 种违禁药物的筛选与确证办法，顺利通过多次考试，建成了国际奥委会承认的兴奋剂检测实验室，圆满完成第十一届亚运会的兴奋剂检测任务。

21. 何梁何利科技奖得主——梁晓天

梁晓天，1923 年生于河南舞阳，1942 年毕业于北京师大附中。中国科学院院士，有机化学家、药物化学家，中国医学科学院药物研究所化学药物合成研究室研究员，是在中国采用现代谱学研究天然产物结构化学的开拓者。

22. 水利专家——徐乾清

徐乾清，水利专家，中国工程院院士。1925 年出生于陕西城固。1945 年毕业于北京师大附中。1949 年毕业于上海交通大学。水利部教授级高工、水利部科学技术委员会顾问、全国自然科学名词审定委员会委员。徐乾清教授长期从事水利规划、科研等方面技术管理和综合研究工作，推动并参与了大江大河历次流域综合规划工作、三峡工程可行性研究论证工作，主持了防洪专题论证，先后担任国家“八五”“九五”科研攻关项目“黄河治理”“长江防洪”“西北水资源开发利用”三项专家组组长，主持水利部“黄河水沙变化”项目的研究，研究成果在黄河治理、长江防洪等规划工作中得到应用。

23. 科学史界泰斗——席泽宗

席泽宗，1927 年生，山西人，北京师大附中 1947 届毕业生。著名天文史学家，中国科学院院士、国际科学史研究院院士、国际欧亚科学院院士，现任中国科学技术史学会理事长，是中国第一个科学研究机构——中国自然科学史研究室（中科院自然科学史研究所前身）的创建者之一，也是国家重大项目“夏商周断代工程”四位首席科学家之一，曾获香港何梁何利基金2002年度科技进步奖。

24. 气象学专家——赵柏林

赵柏林，1929年4月16日生于辽宁。1948年毕业于北京师大附中。中国科学院院士，气象学专家。1952年毕业于清华大学气象学系。1957—1959年赴苏联科学院应用地球物理所进修。北京大学地球物理系教授，全国博士后管委会专家组成员，全国大气科学教学指导委员会主任。先后从事云、降水物理及人工影响天气研究；微波辐射计及其环境遥感应用；大气云雨对微波通信的影响；光学和卫星遥感大气污染及海洋大气遥感研究。其中微波辐射计系列跨入世界先进行列。

25. 中国计算机领域首席科学家——汪成为

汪成为，1933年7月生，宁波奉化人，中国工程院院士，中国计算机领域首席科学家，863国家高技术计划信息领域智能计算机专家组组长，中国人民解放军总装备部科技常委委员。1950年就读于北京师大附中。

26. 中科院金属所所长——李依依

李依依，1933年10月出生于北京，原籍江苏苏州。1953年毕业于北京师大附中。冶金与金属材料专家，中国科学院院士，第三世界科学院院士，曾任中科院金属研究所所长，中国共产党十四大、十五大代表。1996年获首届中国工程科技奖，2000年被评为中科院系统“十大女杰”之首。

27. 国家安全技术奠基人——何德全

何德全，1933年生。1944—1950年在北京师大附中读书。中国工程院院士。他是我国物理安全、通信安全、网络安全等国家安全技术方面的奠基人。目前担任国家信息化专家咨询委员会副主任，国家信息安全测评认证管委会主任。上海交大信息安全工程学院院长，博士生导师。他的十余项科技成果获国家级发明奖和科技进步奖。

28. 地球物理学家——陈颙

陈颙，祖籍江苏，1942 年出生于四川重庆。1960 年毕业于北京师大附中。地球物理学家，中国科学院院士、第三世界科学院院士。曾任中国地球物理所所长、中国地震局副局长。

29. 著名生物学家——陈阅增

陈阅增（1915—1996），1933 年毕业于北京师大附中。英国剑桥大学博士。我国著名生物学家，曾任北京大学生物系主任、教授、博士生导师，中国动物学会副理事长，国家教委生物教材编审委员会主任。

30. 美籍数学逻辑专家——王浩

王浩（1921—1995），1939 年毕业于北京师大附中。美国文理科学院院士、数学逻辑专家。英国科学院外籍院士和符号逻辑学协会会员。1983 年在美国丹佛召开的自动定理证明特别年会（由人工智能国际联合会和美国数学会共同主办）上，王浩被授予首届里程碑奖，以表彰他在数学定理机械证明研究领域中所作的开创性贡献。1972 年以后，王浩数次回国。他撰写的《访问中国的沉思》，被报纸与杂志广泛刊载。1985 年兼任北京大学教授；1986 年兼任清华大学教授。

31. 中国科学院数学研究所的筹建者——田方增

田方增，1915 年生，辽宁省沈阳市人。1934 年毕业于北京师大附中。著名数学家、中国科学院数学研究所研究员。曾任中国数学学会第三届、第四届理事，全国自然科学名词审定委员会委员及数学名词审定委员会主任。

32. 著名细胞生物学家——汪德耀

汪德耀（1903—2000），1920 年毕业于北京师大附中，著名的细胞生物学家，曾任厦门大学校长。早年留学法国，是我国第一位细胞学博士。曾任厦门市政协副主席。

33. 著名数学家——闵嗣鹤

闵嗣鹤（1913—1973），字彦群，祖籍江西奉新，我国著名数学家。1925 年考入北京师大附中。曾任北京大学数学力学系教授、中国科学院数学研究所专门委员。国际著名数学家陈省身教授曾评价他“解析数论的工作是中国数学的光荣”。

34. 台湾电信专家——方贤齐

1928 届毕业生，与钱学森为同班校友，同年越级考入清华大学，后入上海交大改学电信专业。抗战期间，曾战斗在第一线，保障前后方通信联络。1947 年奉调到台湾任电信管理局副局长，后升任总局长等职，先后服务电信 45 年。

（二）社会人文类

1. 国学大师——张岱年

张岱年（1909—2004），字季同，别号宇同，河北沧县人，著名的哲学家，哲学史家，国学大师，北京大学哲学系教授。1926 年毕业于北京师大附中。张岱年先生 1933 年任清华大学助教，1936 年写成名著《中国哲学大纲》。1952 年调任北京大学哲学系教授。1978 年起张岱年先生担任中国哲学教研室主任。1979 年中国哲学史学会成立，张先生被推为会长。张先生长期从事中国哲学史研究，有极高的造诣和广泛的建树。他又是一位诲人不倦的导师，桃李满天下。曾任中国社会科学院哲学研究所兼职研究员、中华孔子研究会会长、清华大学思想文化研究所所长等。

2. 考古学家——张光直

张光直（1931—2001），1943—1946年就读于北京师大附中。当代著名的美籍华裔学者，人类学家，考古学家，曾任美国哈佛大学人类学系教授，在国际考古学界享有崇高地位。是20世纪70年代以来最热心地促进中国和西方考古学界进行交流的第一人。中国考古学会会长徐苹芳先生评价说："中国考古学的成就为世界学术界所接受和认可，光直起了不可替代的作用，中国考古学界永远纪念张光直为中国考古学所作出的贡献。"

3. 文物鉴定大师——史树青

史树青（1922—2007），汉族，河北乐亭人。当代著名学者，史学家、文物鉴定家。1941年毕业于北京师大附中，1945年毕业于北平辅仁大学中文系、辅仁大学文科研究所史学组研究生。工书法，精鉴赏，尤以考古鉴定驰誉中外。曾任中国历史博物馆研究员，国家文物鉴定委员会副主任委员，南开大学历史系兼职教授，北京大学考古系研究生导师，中国收藏家协会会长，《收藏家》杂志主编，中国博物馆学会名誉理事，中国中日关系史学会理事，中国古文字研究会理事，中华诗词学会理事，全国政协第七、第八届委员，全国政协教育文化委员会委员。获国务院颁发的政府特殊津贴证书。1996年被聘为北京市文史研究馆馆员。主要著作有《长沙仰天湖出土楚简研究》《祖国悠久历史文化的瑰宝》《楼兰文书残纸》《小莽苍苍斋清代学者法书选》《中国大百科全书·文物卷》（合著）、《中国文物精华大全》（合著）、《书画鉴真》《鉴古一得》等。

4. 中山陵及中山纪念堂的设计者、著名建筑师——吕彦直

吕彦直（1894—1929），字仲宜，别号古愚。我国近代杰出的建筑师。曾入北京五城中学堂学习。1913—1918年由北京政府派赴美国康奈尔大学攻读建筑工程。吕彦直曾担负北京燕京大学和南京金陵大学的

建筑工程设计，用中国传统风格设计现代建筑，初显其才华。1925 年 9 月回国后，独立创办彦记建筑事务所。其间，参与中山陵及中山纪念堂的设计及施工工作。吕彦直及其设计的南京中山陵与广州中山纪念堂在我国近代建筑史上均占有举足轻重的地位。

5. 著名经济学家——于光远

于光远，上海人，中国经济学家。原姓郁，名钟正，于光远是入党后起的名字。1915 年 7 月出生。1930 年入北京师大附中高中学习。1935 年参加“一二·九”学生运动。1936 年毕业于清华大学物理系。1937 年初抗日战争前，加入中国共产党。1941 年起从事陕甘宁边区经济的研究工作，后在延安大学财经系任教。1948—1975 年在中共中央宣传部工作。1955 年被推选为中国科学院哲学社会科学学部的学部委员。1964 年任国家科学委员会副主任。1975 年以后任国家计划委员会经济研究所所长、中国社会科学院副院长兼马列主义毛泽东思想研究所所长、国家科委副主任、中共中央顾问委员会委员、中国社会科学院顾问、《中国大百科全书》总编委会副主任等职。

6. 一代史学宗师——郑天挺

郑天挺（1899—1981），中国著名历史学家、教育家。原名庆甡，字毅生，笔名攫日，原籍福建长乐，生于北京。1912—1916 年在北京师大附中学习。主要著作有：《列国在华领事裁判权志要》《清史探微》《探微集》《清史简述》《中国通史参考资料》（与翦伯赞合编）、《史学名著选读》（主编）等；主要论文有：《杭世骏“三国志补注”与赵一清“三国志注补”》《多尔衮称皇父之臆测》《清世祖入关前章奏程式》《清代皇室之氏族与血系》《发羌之地望与对音》《清代的幕府》《清代的八旗兵和绿营兵》等。曾任南开历史系主任、国务院学位委员会历史组的负责人、中国历史大辞典总编、中国档案学会顾问、国务院古籍整理委员会顾问、全国人大代表及天津市政治协商会议副主席等职务。

7. 著名思想史学家——张岂之

张岂之，生于 1927 年，江苏南通人。中国思想文化史专家，现任西北大学名誉校长、思想文化研究所所长。1940 年毕业于北京师大附中，1950 年毕业于北京大学哲学系，同年考入清华大学文科研究所读研究生。1980 年晋升为教授，1984 年经国务院学位委员会批准为博士生导师。曾任西北大学历史系主任，西北大学副校长、校长。张岂之教授长期从事中国思想文化史研究，50—60 年代，协助侯外庐先生整理《中国思想通史》（1—2 卷），后来又同侯外庐、邱汉生共同主编了《宋明理学史》。80 年代中期以来，他主编的著作有：《中国思想史》《中国历史大辞典·思想史卷》《中国儒学思想史》《中国传统文化》《中国近代伦理思想的变迁》《中国近代史学学术史》，以及《陕西通史·思想史卷》《中国历史》六卷本；自著有：《顾炎武》《儒学、理学、实学、新学》《春鸟集》《中华人文精神》；并主编《华夏文化》杂志。历任国务院学位委员会学科评议组历史学科组成员、国家教育部古籍整理工作委员会副主任，中国历史学会副会长，中国孔子基金会副会长，中国教育国际交流协会副会长、全国政协委员等职。

（三）文学艺术体育类

1. 交响乐大师——李德伦

李德伦（1917—2001），1938 年毕业于北京师大附中，在校期间参加中国共产党。我国著名的交响乐指挥家，中国交响乐团顾问，中国音乐协会副主席，原中央乐团（中国交响乐团前身）艺术指导、常任指挥，对中国音乐事业的发展作出了很大贡献。

2. 话剧表演艺术家——于是之

于是之，1927 年生于天津，1942 年毕业于北京师大附中。著名话剧表演艺术家，曾任北京人民艺术剧院院长，中国戏剧家协会第四届副主席，代表剧目——话剧《茶馆》。

3. “乒乓王国”的开国元勋、著名教练——傅其芳

傅其芳（1923—1968），浙江宁波人，北京师大附中1948届校友。著名乒乓球运动员、教练员。曾率领中国队在第二十六届、第二十七届和第二十八届世界乒乓球锦标赛中三次蝉联男子单打和男子团体世界冠军。

4. 著名诗人、学者——林庚

林庚（1910—2006），字静希，原籍福建闽侯，1928年毕业于北京师大附中。北京大学中文系博士生导师，中国作家协会首批会员。曾任北京大学中文系古代文学教研室主任、北京大学诗歌中心主任。

5. 文艺评论家——李健吾

李健吾（1906—1982），山西运城人，常用笔名刘西渭。1925年毕业于北京师大附中，著名文艺评论家、现代作家、戏剧家、文学翻译家。曾任国务院学位委员会评议组成员、法国文学研究会名誉会长。

6. 著名导演——张骏祥

张骏祥（1910—1996），江苏镇江人，笔名袁俊，1921—1927年在北京师大附中学习。中国著名导演、剧作家、理论家、文化部电影局副局长。代表作有影片《翠岗红旗》《鸡毛信》《燎原》《白求恩大夫》等。在电影理论方面，他也有颇多建树，出版论文集《关于电影的特殊表现手段》等。

7. 体操健将——吴树德

吴树德，1934年生于北京，1953年毕业于北京师大附中。1959年中国第一届全运会体操比赛单杠冠军。著名国际体操裁判，曾任中国国家队体操教练。

8. 著名乡土作家——蹇先艾

蹇先艾（1906—1994），贵州遵义人。1921 年考入北京师大附中，现代作家，被鲁迅先生称为“乡土文学作者”。曾任贵州省文联主席、贵州省文化局局长、中国作协贵州分会主席，是第三届全国人民代表大会代表。

9. 程派京剧表演艺术家——赵荣琛

赵荣琛（1916—1996），安徽太湖人。1930—1934 年在北京师大附中学习。著名京剧表演艺术家、教育家，程派艺术传人，对继承、发展和弘扬程派表演艺术发挥了重要的作用。

10. 电影表演艺术家——胡朋

胡朋（1916—2004），山东莱阳人，1933 年毕业于北京师大附中。著名的戏剧、电影表演艺术家。代表作品有《戎冠秀》《日出》《烈火中永生》《槐树庄》《白毛女》《回民支队》等。

11. 著名女作家——颜一烟

颜一烟（1912—1997），1927 年以第一名的成绩被北京师大附小保送进北京师大附中。1928 年 10 月，初二时转学至溪山温泉女子中学。电影艺术家，中国作协、影协、剧协会员。在长达 70 年的创作生涯中写下了大量的小说、散文、戏剧及电影剧本，其中《中华儿女》获 1956 年文化部优秀影片奖。中篇小说《小马倌和“大皮靴”叔叔》及长篇小说《盐丁儿》在国内多次获奖。

12. 中国共产党的第一个男播音员——齐越

齐越（1922—1993），原名齐斌濡，河北高阳人。1941 年毕业于北京师大附中，1942 年考取西北大学外文系。我国著名播音艺术家，北京广播学院教授。1949 年 10 月 1 日，作为中央人民广播电台播音员，齐越在天安门城楼上向全世界转播开国大典盛况。

13. 著名音乐家——麦丁

麦丁，1927 年生。北京师大附中 1947 届毕业生。中央民族歌舞团国家一级作曲家，代表作有《远方的客人请你留下来》《壮锦献给毛主席》《春到苗家》《阿细跳月》《56 个民族 56 首歌》等。

14. 著名导演——林汝为

林汝为，女，北京师大附中 1951 届学生。著名影视导演，曾在电视剧《四世同堂》《便衣警察》中任编剧和总导演。其作品《四世同堂》获得第四届大众电视金鹰奖，同时获得第六届电视飞天特别奖；《便衣警察》获得第六届大众电视金鹰奖。

15. 著名儿童文学家——刘厚明

刘厚明（1933—1989），北京人，1951 年毕业于北京师大附中。著名儿童文学家，国家一级编剧。曾任北京《儿童读物》编委会编辑组长，《东方少年》副主编，文化部少儿司司长，中华全国青年联合会副主席，中国作家协会儿童文学委员会副主任，中国儿童基金会理事，北京作家协会理事。代表作有：《夏天来了》《小雁齐飞》《箭杆河边》《绿色钱包》《黑箭》《朝霞》《山村姐妹》等。

16. 女高音歌唱家——叶佩英

叶佩英，女高音歌唱家。祖籍广东惠阳，生于马来西亚吉隆坡，1951 年回国。1955 年毕业于北京师范大学，1960 年毕业于中央音乐学院声乐系。后任中央音乐学院副教授，致公党第八、第九届中央常委。演唱的曲目有《蓝天里有一颗会唱歌的星》《塔吉克人民怀念毛主席》《送上我心头的思念》《我爱你中国》等。

17. 著名演员——向梅

中国影视女演员，原名武相梅。原籍河南巩县，1937 年生于北平。1955 年毕业于北京师大附中，1957 年在天津大学建筑系上学时参加拍摄影片《女篮 5 号》，同年入上海电影制片厂任演员，1985 年任上影演员剧团团长。是中国影协第四、第五届理事、上海影协理事、中国电影表演学会常务理事。曾在《布谷鸟又叫了》《红色娘子军》《保密局的枪声》《蓝色档案》《流亡大学》等几十部影视片中饰演主要角色。曾获上海市文联举办的首届文学艺术奖优秀电影表演奖、中国电影表演学会表演奖。

18. 著名评书表演艺术家——连丽如

连丽如，满族，1942 年生。中国煤矿文工团评书演员，著名评书表演艺术家，国家一级演员，享受政府特殊津贴。1960 年毕业于北京师大附中后随父连阔如学艺，是连派评书的唯一继承人。十几年来为各省市电台、电视台录制了《东汉演义》《三国演义》《鹿鼎记》等十几部长篇评书，受到听众的热烈欢迎。多次到新加坡为“丽的呼声”电台和国际广播电台录制了《聊斋》《红楼梦》《水浒传》等大书，并应邀到美国、马来西亚演出，为中国评书走出国门打开了道路。

19. 著名导演——娄乃鸣

娄乃鸣，1971 年毕业于北京师大附中后就读于中央戏剧学院导演系，国家一级著名导演，中国戏剧家协会会员。1984 年进入全总话剧团，1994—2006 年任中央电视台春节联欢晚会小品总导演。早期《实话实说》主持人、导演。导演的话剧有：《双人浪漫曲》《路上雨蒙蒙》《初恋时我们不懂爱情》《行星启动录》等。导演的电视剧有：百集情景喜剧《圈内圈外》、百集情景喜剧《闲人马大姐》等。

20. 中央电视台资深播音员——邢质斌

邢质斌，中国中央电视台《新闻联播》和《整点新闻》资深播音员。1964年毕业于北京师范大学附属中学，后进修于中国记者协会新闻学院。她于1974年进入中央电视台（当时称“北京电视台”），后担任《新闻联播》播音员。

21. 著名邮票设计家——刘硕仁

刘硕仁，1930年生，北京人，擅邮票设计。1945年毕业于北京师大附中，1953年毕业于中央美术学院，后从事邮票设计工作。曾任邮电部邮票发行高级工艺美术师、编辑室主任。作品《蝴蝶》《菊花》《奔马》和《毛主席逝世一周年》等7项获新中国成立30年最佳邮票奖，《古桥》获新中国最佳首日封奖，《京剧脸谱》《白鱀豚》在日本被评为1980年中国最佳邮票，《全国邮联一大》获1982年最佳首日封奖，《西厢记》获1983年最佳设计奖。作品有：《鲁智深》《伏羲举日》等。

22. 著名漫画家——丁午

丁午，1931年生，贵州遵义人，著名漫画家。1943年就读于北京师大附中，1952年毕业于中央美术学院。历任《中国青年报》美编、人民美术出版社编审、儿童美术编辑室主任，《儿童漫画》《漫画大王》主编。创作的连环漫画《熊猫百货商店》《小熊猫当木匠》均拍成动画片，连载系列连环漫画《熊猫小胖》获全国儿童读物一等奖。系列连环漫画有《小刺猬》等。出版有《丁午漫画日记》。

23. 著名男高音歌唱家——黄越峰

黄越峰，1955年生。1971年毕业于北京师大附中。他是中央歌剧院男高音歌唱家。曾先后担任中央歌剧院歌剧团团长，现任中国国家交响乐团副团长兼合唱团团长，被誉为中国三大男高音之一。

24. 杰出的青年女摄影家——王瑶

王瑶，1970 年生。1988 年毕业于北京师大附中。中国摄影家协会副主席。2000 年获得在荷兰举行的第 43 届世界新闻摄影比赛艺术类一等奖。她是第一位获此殊荣的中国女记者。应邀担任美国尤金·史密斯摄影奖评委，美国国际摄影中心年度奖推委会委员。

（四）政治社会活动类

1. 中国共产党早期领导人——赵世炎

赵世炎（1901—1927），四川酉阳人。中国共产党的创始人之一，老一辈无产阶级革命家，工人运动的著名领袖。1915—1919 年就读于北京师大附中，在此期间从事了大量的反帝爱国活动，是“五四”运动的积极参与者和组织者。1927 年 7 月在上海被捕，壮烈牺牲，年仅 26 岁。为纪念赵世炎同志，1987 年北京师大附中在校园中建立赵世炎烈士塑像，邓小平同志为赵世炎烈士塑像题字，杨尚昆、李鹏同志前来北京师大附中出席赵世炎烈士塑像揭幕仪式。

2. 全国人大副委员长——成思危

成思危，1935 年 6 月生，湖南湘乡人，曾任全国人大副委员长，民建中央主席。1946—1948 年在北京师大附中学习，1951 年参加工作，美国加州大学洛杉矶分校毕业，研究生学历，硕士学位，教授级高级工程师。第七、第八届全国政协委员，全国政协第八届四次会议增选为常务委员，第九届全国人大常委会副委员长。

3. 最高人民法院院长——郑天翔

郑天翔，内蒙古凉城人。1936 年加入中国共产党。1939 年后，任晋察冀边区北岳区党委宣传部科长，中共阜平县委副书记，聂荣臻的秘书。1945 年后任绥蒙区绥南专员，中共中央华北局宣传部科长。新中国成立后，任中共包头市委副书记、书记、市长，中共北京市委常委、副书记、书记处书记兼秘书长。1975 年后，任北京市建委副主任、市委书记、市革委会副主任。1978 年任第七机械工业部第一副部长、党组第一副书记。1979 年起任七机部部长、党组第一书记、顾问。1983 年后任最高人民法院党组副书记、最高人民法院院长。1982 年和 1987 年均被选为中共中央顾问委员会委员。

4. 教育部副部长、中国教育学会会长——张承先

张承先，1915 年生，山东高苑（今高青）人，北京师大附中 1936 届毕业生。曾任国家科委副主任、教育部副部长、教育部党组书记、中国教育学会会长。

5. 教育部副部长、周总理办公室副主任——李琦

李琦（1918—2001），河北磁县人。1937 年毕业于北京师大附中。曾先后任周恩来总理办公室副主任，文化部副部长兼中国对外友好协会副会长，教育部副部长和部党组副书记，联合国教科文组织中国委员会主任，中共中央毛泽东主席著作编辑出版委员会办公室第一副主任，中共中央文献研究室主任等职。

6. 北京市委第二书记——刘仁

刘仁（1909—1973），原名段永强，四川酉阳（今属重庆）人。1924 年到北京，入北京师大附中读书。在舅父赵世炎的影响下，积极参加反帝爱国学生运动。1927 年加入中国共产主义青年团，同年转为中国共产党党员。中华人民共和国成立后，历任中共北京市委组织部长、副书记、第二书记，中共中央华北局书记处书记，为首都的社会主义革命和建设事业作出贡献。他是中共第八届中央候补委员。

7. 新中国的银行家——乔培新

乔培新（1912—2007），内蒙古达拉特旗人。1936 年加入中国共产

党，次年毕业于清华大学经济系。曾任中共五原县委委员、包头县县长、陕甘宁边区银行处长。新中国成立后，历任中国人民银行西北区副行长、行长，中国农业银行行长，中国银行总经理、董事长，中国人民银行副行长、顾问，是第六届全国政协委员。

8. 著名社会活动家——王光美

王光美（1921—2006），曾名董朴，祖籍天津，1921 年 9 月出生于北京。1937 年毕业于北京师大附中。20 世纪 40 年代初求学并任教于北平辅仁大学。1943 年毕业于北平辅仁大学物理系。1945 年辅仁大学理科研究所毕业，获科学硕士学位。1945 年任辅仁大学物理系助教。1946 年任北平军事调处执行部中共方面英文翻译，后赴延安，担任外事翻译并参加土改工作。她的一生有很多身份：大家闺秀、数学女王、中国第一个原子物理的女硕士毕业生、万人仰慕的第一夫人、十二年的阶下囚以及幸福工程组委会主任等。她的一生大起大落，是 20 世纪中国最具传奇色彩的女性之一。

9. 全国人大法律工作委员会主任——顾昂然

顾昂然，1931 年生。1946 年毕业于北京师大附中，同年加入中国共产党。曾在北平从事党的秘密工作。1949 年后任中共北京市青委西南区委委员、共青团北京市东北区委委员、彭真同志秘书。1954 年后在全国人大常委会办公厅法律室从事法律研究工作。1978 年后历任教育部处长、全国人大法工委委员、副主任兼秘书长、主任。他为我国的法制建设作出了突出的贡献，被誉为新中国立法工作的“活字典”。

10. 周总理的外事秘书——马列

马列，1923 年生。1936 年考入北京师大附中，在北京积极参加抗日救亡活动。1940 年高一结束后随父亲到解放区。1950—1965 年任国务院总理办公室秘书，在周恩来总理身边工作 15 年。1971—1975 年任我国驻苏联大使馆政务参赞，1983—1985 年任我国驻匈牙利大使。

以上列举的这些在各行各业作出过杰出贡献的人才，只是北京师大附中百年来培养的无数英杰中的典型代表。“桃李遍天下，人间共芳菲”，北京师大附中这个创造了无数奇迹的杰出人才的摇篮，正在用无可辩驳的事实证明着它的辉煌、伟大。北京师大附中的育人成就，在这一代一代的校友身上得到了最充分的验证。

六、进入新世纪，开创新辉煌

与世纪同行，2001 年北京师大附中在北京人民大会堂隆重庆祝了建校 100 周年。百年校庆后，师大附中跨入了自己的新世纪。21 世纪的头十年，对师大附中来说是不平凡的。十年来，学校坚持党和国家的教育方针，坚持素质教育，取得了辉煌成果。21 世纪开局十年，师大附中迈开了新步伐。

（一）高举素质教育旗帜，坚持德智体美全面发展

北京师大附中有优秀的教育传统，这个传统主要是按照教育规律培养学生，使他们成人成才。这个传统与贯彻党和国家的教育方针、推进素质教育是完全一致的。随着社会的发展，特别是我国处于社会主义初级阶段，市场经济规律的影响很大，再加上我国计划生育的独生子女政策，造成就业竞争，升学竞争愈演愈烈。反映在学校教育上，就是升学成绩成为硬道理，不免出现不同程度的“应试教育”。在滚滚而来的升学压力下，“应试教育”农村包围城市，城市里也在不断缩小包围圈。在这样的形势下，百年名校师大附中自然感到压力，因为自己一贯高举素质教育旗帜，坚持德智体美全面发展，而今天社会的评价，并不关注这些。

十多年来，我校领导和广大教师本着对学生、对家庭、对国家负责的精神，坚定地按照培养人的规律办事。因此，这些年，无论升学压力多大，我们也不因中、高考挤掉正常的教育活动。我们坚持德育为先，

军训、社会实践、志愿者服务始终坚持高标准，体育、美育受到高度重视。那些重视人生成长规律、重视能力培养的家长，都愿意让自己的孩子上师大附中。来北京师大附中访问的有识之士总是叮嘱我们要坚持下去，不要随波逐流。实际上，师大附中是在两手抓，两手都硬。既坚持德智体美全面发展不变，同时也要让学生考上理想的学校。让学生成人、成才是我们的最大愿望。

（二）办学规模扩大，为国家培养更多优秀人才

北京师大附中自建校以来，始终保持着较小的办学规模。除“文革”期间初中班次较多以外，一般情况是每个年级不超过 4 个班，全校 6 个年级 24 个班，1000 多个学生。一方面是因为校舍小，容纳不了多少人；另一方面也是追求精致，重质不重量。因此，当年要考上师大附中非常难。

进入 21 世纪以来，校园的扩大，教学设施的增加，使学校有条件扩大招生。到目前为止，我校办学的规模已经稳定在初中每个年级 8 个班，高中每个年级 12 个班，全校 60 个班，约 2400 人的规模，此外再招收 100 个左右的外国留学生。这比十年前在校人数翻了一番还多。我们既保数量，也保质量，要保证让所有进入师大附中学习的学生都取得理想的成绩。招生人数的扩大极大地满足了广大人民群众享受优质教育的愿望，同时也使我校有机会培养更多的优秀人才。

（三）师资队伍向精、深、强方向发展

北京师大附中向来以师资队伍强著称。十多年来，我们不仅没有丢掉这样的好传统，而且使我校的师资队伍人员更精，学问更深，能力更强。当前我校的教师学历高、来自著名高校，除 100 多位教师来自北师大外，其他教师来自中科院、北京大学、清华大学和国内各名牌师范大学。师德好是对教师的基本要求。各个教研组注意人员结构的组合。例如生物组，有的教师擅长动物学，有的教师擅长植物学，有的教师擅长生态学，有的教师擅长医学，还有的教师对实验技术精通，这样的组

合，使全组知识能力互补，形成强大的合力。又如物理组，既有老年、中年两位特级教师，还另有两位市区学科带头人，两位骨干教师和希望之星，此外，还有一批青年骨干，他们大都是博士、硕士，能力很强，物理组形成这样的梯队非常合理，他们的教学也取得了优异的成绩。实际上，师大附中每个教研组都在精益求精地培育自己的师资力量。此外，我校还有擅长编导的舞蹈教师，精通计算机的图书馆馆长，学术造诣高的心理教师……师大附中的师资队伍不断朝着精、深、强的方向发展。

十余年来，我校教师在教科研方面取得了丰硕成果。据不完全统计，从“九五”后期到“十一五”结束，学校、各教研组和教师个人负责或参与各级各类课题达 80 余个，仅“十一五”期间的国家级子课题就有 12 个。在研究过程中，乔荣凝、白幼蒂、黄全信、戴凤春、邓虹、杜志娴等教师出版了专著；在第一、第二届“北京市基础教育成果奖”的一等奖名单中，都有我校教师的成果；2009 年第三届“北京市基础教育成果奖”，我校生物教研组的“中学生命伦理学课程的开发与实施”项目又获得一等奖，校本教材“生命的凝视——生命伦理学青少年读本”由教育科学出版社出版。除了进行课题研究，各教研组还积极组织和承办教研活动，做课和撰写论文成为教师进行教科研的主要形式。十年来，我校各教研组每年承办的市区级教研活动都在 50 次左右，这些活动在一定程度上引领着学科的发展方向，或对课改起到示范性作用。教师所做的各个级别的研究课、评优课或示范课每年有 70—80 节，它们中的一部分被“名师百节风采课”“国家基础教育资源库”“清华同方多媒体教学库”“北师大 IPV6 网络教学平台”等收录，成为宝贵的教育资源。我校教师善于将教育教学过程中的所思所想形成文章，撰写的论文数量多、质量好。2002—2009 年，我校教师撰写的论文和教学案例发表或获奖共计 481 篇，其中市级一等奖以上 109 篇，有 75 篇发表于核心期刊。由于教科研成绩突出，我校在 2007 年被评为北京市科研先进单位。

（四）高考取得理想成绩

100多年前，中国的名中学还比较少，北京师大附中可谓一枝独秀。早年的情况是，中国科学院首批资深院士144名，其中有10名是师大附中毕业；中国工程院首批资深院士30名，其中师大附中毕业的有3名。这就是当年师大附中教育成果的写照。随着中国优质学校百花齐放，优秀生源日趋分散。近十年来，北京市推进教育的地域化，师大附中地处经济文化相对落后的原宣武区，生源情况受到了一定的影响。即使在这样的情况下，我校教师本着对学生、对国家负责的精神，努力钻研业务，精心指导学生，在保持学习负担不过重的前提下，力争取得好成绩。中、高考中，优秀学生和一般同学都得到超水平发挥。

过去十多年，我校中、高考都取得了理想的成绩，大多数学生考入国内外名牌大学。见表1－3。

表1－3　1998年以来，考入部分名校的人数（不完全统计）

学　校	人　数
北京大学	260
清华大学	135
中国人民大学	144
北京师范大学	127
复旦大学	34
浙江大学	15
上海交通大学	17
北京航空航天大学	144
协和医科大学	2
中国科技大学	5
国防科技大学	2
对外经贸大学	113
南京大学	43
东南大学	6
同济大学	13

续表

学校	人数
武汉大学	63
南开大学	35
天津大学	36
中山大学	27
吉林大学	26
山东大学	10
中南大学	20
中央财经大学	57
华中科技大学	28
中国农业大学	70
中国传媒大学	57
北京邮电大学	110
外交学院	34
北京外国语大学	67
北京语言大学	50
中国政法大学	86
上海财经大学	12
西安交通大学	33
哈尔滨工业大学	35
西南交通大学	12
中国地质大学	18
北京理工大学	148
北京交通大学	81
北京科技大学	132
首都医科大学	140
北京体育大学	13
北京电影学院	7
中国音乐学院	1
中国美术学院	2
北京舞蹈学院	1

此外，还有100多名毕业生考入香港、澳门或国外的著名大学。

（五）各项竞赛取得优异成绩（含学科、科技、体育、艺术）

学校有步骤地发展学生特长，注重提高学生的能力，积极参加各项竞赛，1998—2010 年，北京师大附中学生在各级、各类竞赛及活动中取得以下成绩（统计不完全）。

物理学科获全国一、二等奖 50 项，北京市一等奖 70 项；

数学学科获全国一、二等奖 22 项，北京市一等奖 35 项；

化学学科获全国一、二等奖 5 项，北京市一等奖 92 项；

科技创新获全国一、二等奖（含国际）8 项，北京市一等奖 10 项；

信息学科获全国一、二等奖 7 项，北京市一等奖 15 项；

生物学科获全国二等奖 7 项，北京市一等奖 3 项；

航模竞赛获全国前五名（含国际）7 项，北京市一等奖 2 项；

单片机和电子技术比赛获 44 项北京市一等奖；

英语获市级一等奖以上的奖项 36 项；

语文获市级一等奖以上的奖项 8 项；

在天文领域，我校学生还发现了两颗小行星。

近年来我校在全国率先引进的模拟联合国、JA 经济学、金融与保险等课程始终保持在全国先进水平。我校模拟联合国协会学生先后在美国、全国、北京市高中学生模拟联合国大会中获得 35 项大奖（包括含金量最高的“最佳代表奖”3 项）。我校学生在 JA 经济学各项比赛中获得 3 项一等奖。我校学生在中英中学生金融与保险知识辩论大赛中获胜并获得最佳辩手奖。

体育比赛方面，我校女篮多年保持北京市中学前三名，田径团体总分在原宣武区保持第一名，并在市运动会上取得优异成绩。2010 年，我校韩伟宸同学获得北京市运动会 400 米栏冠军。

在艺术比赛方面，舞蹈、合唱是我校的强项，在历届北京市中学生艺术节上，我校均获得一等奖。2010 年，我校合唱团应邀在国家大剧院演出；舞蹈团应邀到加拿大、美国演出，受到好评。

（六）学校文化宝库得到发掘

北京师大附中的文化是一个宝库，保存着100多年来我国教育的精华。近年来，我们进行了大力的开发。我们编写了“中国名校丛书”《北京师大附中》卷，由人民教育出版社出版，此书收录了我校最珍贵的历史档案，是了解北京师大附中的“百科全书”。我们编写了四辑《100个附中人的故事》，展示了100多位校友中杰出人才的事迹。我们收集了著名校友钱学森的大量资料，建成钱学森纪念馆，展现了钱老的成长之路和爱国的一生。这些资料的整理、出版与展出，不仅使师大附中师生受益，而且对全社会都带来了非常积极的作用。

为了弘扬中华传统文化，我们建成中国教育场景系列，从2500年前奴隶社会时期的“杏坛”，到封建社会的私塾，再到百年前的民国小学；加上我们现代的学校，和正在筹建的“未来教室”。五“室”同堂，为弘扬中华教育的优良传统作出了贡献。

（七）校园设施现代化

师大附中的校园历史上经历了三次变化。第一次是100年前建设的平房院落；第二次是20世纪80年代开始的教学楼建设和校园改造；第三次是2000年开始的大规模校园改扩建，这次使校园面积扩大了一倍，建设了现代化的七层综合教学楼，重修了“百年附中会堂”，校园网的建设得到全面发展。在信息中心的管理下，我校网站办得有声有色。全校实验室也得到了大发展，理、化实验室各8个，生物7个，理、化、生都增加了最先进的电子化实验室。此外，科技教室、地理教室、语音教室、心理咨询室应有尽有。全校计算机超过500台，并且建设了先进的演播室。校园里到处都有供师生休闲的设施，大家在这里流连忘返。现代的学校不仅充满技术，还充满了美，处处体现出以人为本的思想。

（八）国际交流更加广泛

十多年来，外国代表团经常来校访问，进行友好交流。通过师大附中这个窗口，他们加深了对中国教育的了解。我校师生也不断走出国门，到国外学校交流访问。我校的友好学校稳定发展，除原有的日本东京杉并高中、岩手女子高中之外，我们又在美国、英国、德国、澳大利亚等国建立了友好学校。来我校学习的外国留学生，十多年来累计近千人；我校每年向美国、英国、德国派出教师，教授汉语，传播友谊，促进了师大附中的国际化。

第二章 与时俱进的教育理念

北京师大附中建校一百多年来，在历届校长的领导下，在全校师生的共同努力下，始终站在中国基础教育的前列，在国内外享有盛誉。学校教育理念与时俱进，办学特色鲜明。近年来，我们在继承传统的基础上，进一步统一思想，把“保持国内一流，争创世界先进”作为北京师大附中的办学目标，把“全人格、高素质”作为我校的育人目标；把“学校自主，教师自尊，学生自治”作为学校发展创新的基础；把“育人才、抓质量、促和谐”作为中心任务，把“继承、创新、实干”作为工作要求，努力做好学校各方面工作。在21世纪，把北京师大附中办出新水平、新特色。

一、“国内一流、世界先进”的学校发展定位

我们将“保持国内一流、争创世界先进”作为北京师大附中的办学目标。其含义是：继承和发扬学校优良传统，按照新时代的要求，不断改革创新，把北京师大附中办成一所能够反映中国基础教育发展最新最高水平和国际教育发展趋势的示范性中学。学校要在师资队伍建设、教育教学质量、教育理论研究、优秀人才培养及学校管理、文化与设施建设等方面保持国内一流，并向世界先进水平迈进。这个目标的定位既符合北京师大附中的历史地位，也提出了更高的要求。

（一）构成国内一流、世界先进学校的基本要素

1. 具有先进的办学理念

苏霍姆林斯基曾说过：“校长对学校的领导，首先是教育思想的领导，其次才是行政上的领导。”学校必须用正确的办学理念统领学校的各项工作，才有可能取得办学的成功，先进科学的教育理念是办好学校的灵魂。

时代在发展，世界在前进，学校办学的理念也必须与时俱进。作为一种价值判断的办学理念，通过办学思路、课程设置、教育策划治理学

校，从而形成办学特色。校长独到的办学理念又是支撑学校特色发展的一个关键。学校要经常对自己教育理念的内涵进行探究、反思和追问，确立学生在教育中的主体地位，追求学生的全面发展和自由发展，尊重和培养他们的主动性和创造精神，让崭新的时代教育理念融入整个教育过程，而不是拘泥于老传统，一成不变。一流学校的办学理念具有强烈的学生成长意识和超前发展意识，学校的一切都是为了学生的未来，国家的未来，世界的未来。

2. 学生素质高，校友中不断涌现杰出人才

一流学校一定能够吸引大批优秀学生入学。然而，学校教育并非只能适应优秀生源，而是既能做到“有教无类”，又能做到“因材施教”。学校的教育教学质量体现在学生素质的提高，优良品德的养成，体现在校风校纪良好和积极向上的精神面貌。一流学校一定是学生和家长都满意的学校。

一流学校的毕业生一定要受社会的欢迎。对于中学来说，使自己的学生具备未来成长为优秀人才的基本条件，点燃他们继续学习的浓厚兴趣，养成良好的学习习惯，她的毕业生是国内外著名大学渴望得到的生源。一流学校的校友要为社会作出突出的贡献，在他们中间不断涌现出全国乃至世界公认的杰出人才。

3. 形成有凝聚力的、积极进取、继承与创新的学校文化

学校文化是学校个性的集中体现，是学校优良传统的传承、发展与积淀。一流学校一定具有独具特色的学校文化，形成旗帜鲜明的学校精神，树立学校的名牌形象。学校文化得到本校的认同与社会的尊重，一流学校的地位得到全国乃至世界的公认。

4. 民主科学有效的管理体制

一流学校有系统而又严格的规章制度，管理机构精简，管理人员精干，管理作风简洁。学校需要有一个睿智的领导核心把握学校的方向，要有一套完善的民主程序，保证科学决策，保障教职工的权益。管而不死，活而不乱，学校始终保持积极和谐的工作气氛。

在实行校长负责制的学校里，校长是学校领导集体中最重要的决策者和指挥者。校长的教育理念、管理理念、工作态度、工作水平等，直接决定着整个学校的发展水平。陶行知先生曾经说："做一个学校校长，谈何容易！说得小些，他关系千百人的学业前途；说得大些，他关系国家与学术之兴衰。"一个具有开拓创新精神和先进管理理念的校长就如同优秀的舵手一样，即使再大的风浪，学校也会"长风破浪会有时，直挂云帆济沧海"。

在当今世界，学校校长作为核心领导，必须具有开拓创新精神，具有广袤的国际视野，审时度势，从国内和国际的高度来为学校制定发展规划，使学校走在同行的前列。然而，只靠校长一人领导的学校不会是好学校，还应该包括校长领导下的学校管理团队。学校管理团队应当由擅长德育、教学、管理等方面的专业人员组成，做到优势互补，团结一致。只有全体领导和管理干部尽职尽责，勇于创新，协同合作，作风端正，才能打造出具有凝聚力的学校文化，才能使学校教育达到并保持高质量高水平。

5. 一流的师资队伍

清华大学老校长梅贻琦先生曾说过："大学之大，非大楼之大，大师之大也。"大学要有大师，名校要有名师。教师的素质直接影响着学生的素质，决定着学校教育的水平。一流学校必须有一流的教师队伍，一流教师队伍的师资来源一定是一流人才、优秀人才，又要具有良好的师德和教育教学能力。在教师队伍中，名牌大学毕业的博士硕士、有国外留学工作经历的教师、具有高级职称的教师（含特级教师），以及有特殊造诣的教师要占相当大的比例。鼓励教师深入进行教科研和教学实验，鼓励教师形成自己的风格流派。学校还要把各个领域的大师级人物、大学教授吸引到中学来讲课，使在校师生能够直接了解科技与社会最新最前沿的发展。

6. 对外开放，与世界保持密切联系

在科技与信息迅猛发展的今天，世界已逐渐融合为一个整体，一个国家的政治、经济、文化、教育以及环境都与国际社会密切相关，自然、社会、人、教育共处于一个大系统中，它们相互依存、相互制约、相互促进。培养具有国际性视野的人才，以增强国家在国际社会中的竞争力已经成为各国教育改革的主题。现代教育必须重视学生国际意识的培养，让他们从小就来了解世界、认识世界，从而为世界的发展作出贡献。

一流学校与世界保持不断的交流合作，学校有能力接收来自世界各国的留学生，通过不同国家学生的共同学习生活，增进相互了解，增强学生的国际交往能力。积极推进国际间的校际交流，与世界名校建立友好合作关系，学习和引进国外学校教育的先进经验，为师生创造到国外进修、学习的机会。学校要拥有一定数量的外籍教师，从事外国语等课程教学，介绍世界各国不同的文化。

7. 创设良好的育人环境

校园布局合理，教育教学设施齐全现代，环境优美安静。学校图书馆藏书丰富，体育场馆满足学生锻炼需要，计算机网络先进，建筑与装修体现学校文化。校园拥有相当多的绿地面积和学生休闲活动场所。

学校还应有充足的资金保障，保证教职工较高的工资待遇，保证学校设施的正常运转。办学经费除了国家拨款外，学校还有自己合法募集资金的渠道，包括校友捐款、社会捐款、社会合作，以及其他办学收入等。只有拥有雄厚的资金作为经济基础，学校才能保持全方位的优势和持续发展。

（二）按照办大学的精神办好大学附属中学

大学的附中有一个共同特点，就是她既是一所普通中学，又是大学的组成部分。按照办大学的精神办附中，在大学的氛围里培养中学生，

有利于学校办出高水平，有利于优秀人才的培养。

什么是大学氛围？什么是大学精神？这主要体现在对科学与真理的追求，对民主与自由的追求，以及重视人才，重视科研，办学与国际接轨，教学不脱离科学发展的前沿。

北京师大附中具有浓厚的学术研究传统，在中学当中是颇为罕见的。很多名师除了正常的教学工作，平常还作学术研究，出文章出专著。一个频频涌现出专家学者型教师的学校，一定具有相对自由宽松的学术文化环境。北京师大附中历来尊重教员的个性，十分尊重教师的劳动，不轻易干涉教师的正常教学工作，保证教师有充足的时间来进行自主研究和探索。在这种环境下工作的教师，具有一种自信。各个教研组和广大教师保持着与北师大相关学科系所的密切联系，共同研究课题，进行教育教学实验，指导研究生、本科生。

以办大学的精神来办中学，还体现在课程设置上。学校结合学生的能力，把不少大学基础课提前教授给高中生，使他们到了大学学习超前主动，有更多的精力学习自已感兴趣的东西。我校著名校友钱学森曾说过，“我附中毕业后，到上海交通大学学习，第一年觉得大学功课没有什么，因为我在中学都学过了。上海交大四年实际上就学了两年，考上公费留学美国，是靠附中打下的基础。”①

办学自主性强也是大学附中的一个优势和特点，也是按照大学精神办附中的一个有利条件。建校以来，北京师大附中一直拥有较大的办学自主权。校长由大学直接任命；经费实行总额包干，学校有较大的支配权。地方政府对学校督导，但不干涉学校的具体事情（如干部、人事、经济和基建等）。而大学对附中的管理，又是比较宏观和宽松的，一方面基于对校长的信任，一方面基于对学校总体业绩的肯定。特别是在2007年北京市高中开始新课改的时候，我校又被确定为自主排课和自主会考实验校，在教学方面也获得了很大的自主权。因而，北京师大附中的教育教学在国家大政方针指导下，有着广阔的发展空间。我们可以

---

① 刘沪．北京师大附中［M］．北京：人民教育出版社，2000：139.

做一些与地方学校不太一样的事情，可以做一些求新求异的事情。在中学教育同质化趋势日益严重的今天，大学附中还有一些自由和机会创造自己的特色，成为学校自主管理的活标本。

二、“全人格、高素质”的育人目标

结合北京师大附中的优良传统与党和国家的教育方针，近年来我们提出把“全人格、高素质”作为北京师大附中的育人目标。

早在 80 多年前，林砺儒先生在就任北京高师附中主任（即北京师大附中校长）时发表的题为《我的中等教育见解》的演讲中说：“少年身心之发育甚盛，人格活动之范围日加扩张，几几乎对于人类所有之经验都要发生趣味，所以中等教育的任务就是引导少年人格之放射线到各方面去。例如文学的陶冶，并非要把少年立刻造成一位名家，也不是准备将来卖文讨饭，乃是要引导他的人格的活力往文学方面去。科学的陶冶也不是要养成科学家或准备做农工，乃是要引导人格的活力往科学方面去。艺术的陶冶也是一样的理由。譬如一株树要它十分发育，就要让它的根四面八方蔓延。若堵住几向，单让一向给它伸张，就不能完全发育。所以我认定**理想的中等教育**，是**全人格的教育**，决非何种职业之准备。要全人格的陶冶受得圆满，那么将来个性的分化才算是自然的。……全人格的教育，是使学生活用其人格的活动力，来实地经验各种高尚有价值的生活。……须知教育是人格与人格之交感。要发展少年之人格在极平常事里面，有极玄妙的作用。”

林砺儒先生 1922—1930 年在北京师大附中做校长近十年，钱学森校友 1923—1929 年在北京师大附中学习。钱学森钱先生接受的中学教育，完全是林校长倡导的全人格教育。全人格教育在北京师大附中得到继承和发扬，不仅造就了钱学森，而且培养了 30 位院士和众多杰出人才。事实证明，全人格教育是成功的。

新中国成立以来，北京师大附中坚持党和国家的教育方针，无论是在“教育必须为无产阶级政治服务，必须与生产劳动相结合”的年代，还是“我们的教育方针，应该使受教育者，在德育、智育、体育各方面都得到发展，成为有社会主义觉悟的，有文化的劳动者”的历史时期，北京师大附中都是积极的贯彻者。

然而，随着社会的不断变化，基础教育中“应试”的压力越来越大，“应试教育”也愈演愈烈，直接影响党和国家教育方针的全面贯彻。1999 年第三次全教会召开，颁布了《中共中央国务院关于深化教育改革全面推进素质教育的决定》，在这个纲领性文件里，明确提出了“全面推进素质教育”，“实施素质教育就是全面贯彻党的教育方针”。从此，“素质教育”成为坚持正确教育方向的代名词。北京师大附中有全人格教育的传统基础，对“素质教育”的提出十分理解和拥护。

全人格教育与素质教育虽然不是同一个概念，但是它们之间存在着密切的联系和共同之处。它们之间存在的差异，也不是对立的，而是互补的。

全人格教育的思想更突出以人为本，突出对人的发展需要的满足；特别强调青少年在生长时期要得到充分的发展，不要急于考虑谋生或社会分工的需要，要突出解决学生的“成人”问题，使他们成为人格健全的人。成人是成才的基础，成才要先成人。

我们的全人格教育首先要培养学生健全的人格，理想的人格又可以分解为：

独立人格（自尊、自信、自爱、自省）
博爱人格（爱心、同情、兴趣）
共处人格（尊重、诚信、合作）
勤学人格（乐学、勤学、善学、终身学习）
勤劳人格（勤奋工作）
勇敢人格（勇气、坚强）
创新人格（探索、创造）
乐观人格（胸怀宽广、幸福、自乐）

有了这些基本的人格，一个人就可以使自己度过愉快的人生，也可以对社会和他人有所帮助。我们要做人格培养的有心人，从一点一滴做起。

素质教育的提出带有鲜明的社会性。它首先认为，国家国力的强弱，经济发展后劲的大小，越来越取决于劳动者的素质，取决于知识分子的数量和质量。公民素质是民族素质的基础，民族素质是综合国力的一个重要组成部分。提高全民的素质，主要是靠基础教育。素质教育强调社会发展对人的素质要求，突出了“成才”的任务。从“以人为本”的角度看，素质教育也体现着人自身发展的需求。

“在哲学看来，真正的人是在生理因素基础上由心理素质、科学文化素质和思想道德素质构成的完整的人，是在历史中行动的人，是作为活动主体的人。在哲学的意义上，人的规格，就是具备基本素质、能够从事现实的活动；人格，也就是人作为活动主体的资格。一个人只有作为社会活动主体，才具有人格；一个人只有具备了独立的人格，才能成为真正的主体。这就是哲学对于人格概念的理解。所谓道德人格、心理人格、法律人格，实际上不过是对活动主体资格的伦理学、心理学或法学的表征或评判。”① 由此可见，人格与素质密不可分。强调全人格教育，就是要塑造青少年健全的人格。有了健全的人格，就奠定了高素质的基础。

我们所说的素质教育中的“素质”，主要是指人完成某种活动所必需的基本条件，中学的素质教育就是要锻炼中学生终身学习和参与社会实践活动所具备的能力，就是要培养学生未来承担社会责任所需具备的自身条件。从人的发展角度看，这也是“成人”教育。

因此，不存在不讲人格的素质教育，也不存在不讲素质的人格教育，全人格教育与素质教育是相通的。“全人格”侧重人的社会属性，体现人的价值观，“高素质”集中反映社会和个人对人的发展需求、标准与期望，因此我们提倡“全人格、高素质”教育，对人的内在需求和社会的

① 袁贵仁. 试论人格［J］. 北京师范大学学报：社会科学版，1993（5）：44.

外在需要来说，可以从内到外，从外到内地促进人的全面发展。强调全人格教育不仅不会削弱素质教育，而且更有利于在素质教育中体现以人为本的精神。而强调素质教育，可以更加拓宽人格发展的范围。

北京师大附中作为历史名校要肩负起培养优秀人才、杰出人才的责任。优秀人才和杰出人才的共同特征就是全人格、高素质，就是要“有宽厚而扎实的基础知识和优秀人才应具备的基本能力，有个性特色和创新精神”。

我们把优秀人才和杰出人才的能力素养进行分解，把培养工作贯穿在教育教学始终。这些能力主要包括做人最基本的：生活能力和自我保护能力；包括学习与工作方面需要的：自学能力、分析问题解决问题的能力、动手实验能力、文字表达能力、外语能力（国际交往能力）、科研能力、创新能力；包括人的社会化方面的：与人合作的能力、组织能力（领导能力和接受领导的能力）、社会实践能力、理财与经营能力；也包括自身修养方面的：自我心理控制能力和锻炼身体能力（保持身心健康的能力），以及吃苦耐劳和顽强的毅力。学校按照中学生的特点建立相应的目标，分层次、有步骤地培养和训练这些能力和素质，在中学阶段达到相当的水平。如生活能力和自我保护能力必须很好地完成；动手实验能力、文字表达能力、外语能力、国际交往能力、审美能力、与人合作的能力、社会实践能力、保持身心健康的能力，以及吃苦耐劳的能力等必须完成得比较好；科研能力、创新能力、理财与经营能力、组织能力等要阶段性地完成，达到一定水平。其中，创新能力的培养只靠中学是不能完成的，我们主要是培养学生的科学态度、创新意识，培养学生敢为天下先的精神，为他们今后的创新实践奠定基础。

三、德智体美均衡发展的基本理念

（一）德育为先，依托实践抓德育

我们学校坚定地认为，高层次人才的培养，首先在于高尚人格和道德情操的培养。学校将德育工作放在首位，并根据中学生生理、心理和认知的特点，以及主体教育试验的理论，将自主体验式德育作为德育工作的取向。

北京师大附中的德育工作概括起来包括，**一个核心**：人格教育；**两个重点**：价值观教育和道德践履教育；**三项原则**：尊重学生，回归生活，知行统一；**四种方法**：民主化德育，针对性德育，实践性德育，欣赏型德育；**五条渠道**：注重教书育人的主渠道作用，强化行为管理的育人功能，在高质量的实践活动中育人，让学生自己的组织成为学生增长才干的学校，用北京师大附中特有的文化资源陶冶和激励学生；**六种做法**：持续开展中国优秀传统文化教育，持续开展青年志愿者服务活动，以校本德育资源为依托持续开展学校优良传统教育，持续开展生命伦理教育和模拟联合国活动，以军训远足为品牌持续开展高质量的社会实践活动，以互联网为载体开创德育新模式。

北京师大附中的德育传统是以实践为根基的。社会实践是最重要、最有效的德育。新中国成立前的北京师大附中，老师们就自发地结合国家危亡的现实，引导学生的爱国情怀；组织学生到郊外，挖矿石、捉小动物做标本，也带学生去煤矿考察矿工生活；新中国成立以后的很多年，学生在校期间要多次到农村、工厂干活，参加军训，有的还自发到饭馆端盘子、刷碗，甚至掏大粪。他们见过不少朴实的工人、农民和解放军，见了不少名山大川，风土人情。这些给学生奠定了热爱大自然、热爱祖国、热爱人民、热爱人生、追求事业的情感和理想。

近年来，安全问题成为学生社会实践的一大障碍，随着经济的发展，学生社会实践的场所也越来越少，这对德育工作的开展非常不利。即使在这样困难的情况下，我校坚持高一新生赴河北省石家庄机械化步兵学院军训，坚持组织高中学生赴泰山、曲阜和承德修学旅行，组织初中学生春游和各种参观活动。近年来，我校依托所处街道社区、依托北京师范大学白鸽青年志愿者协会开辟的学生服务渠道、利用本校“中学生命伦理学”选修课的课程资源，以及从电视、网络搜集社会弱势群体的信息，积极开展志愿者服务活动。志愿者服务点包括：椿树街道、大栅栏街道社区、北京市大兴区蒲公英打工子弟中学、北京红丹丹心目影院（为盲人服务）、北京市朝阳门医院第二病区（临终关怀病区）、北京市启蕊智障儿童教育中心等。高中年级学生人人参加，任课教师带队，管理规范，服务和教育效果良好。在服务活动中，同学们和打工者子弟、孤寡老人、智障儿童建立了深厚的感情。每次活动结束后，志愿者们都感慨万千。他们从残障人士身上看到了不输常人的坚韧力和创造力，体会到他们对待生活的认真与热情，从临终老人身上体悟出生命的意义。

（二）课程和教学要着眼于学生的长远发展

课程和教学是学校育人模式系统中的核心部分，是实现我校“全人格、高素质”育人目标的重要渠道。“全人格、高素质”教育的核心是促进学生的全面优质发展。纵观100多年来我校的课程和教学实践，虽然课程门类、课程内容及教学方式等在不断发展变化，但“为学生发展负责”的课程理念始终未变。

当前中国社会飞速发展，科学技术日新月异。课程和教学应该在关注学生现实生活、满足学生眼前发展和升学需要的基础上，更加面向未来，关注学生适应未来社会的需要，提高学生应对未来各种变化的能力。因此，我校结合优良传统和新时代的要求，确立了着眼于学生“长远发展”的课程和教学理念。围绕着“为什么教”“教什么”“怎么教”的问题，形成以下几点基本认识。

1. 促进学生“全面、均衡、主动、个性”的发展

无数成功人士的事例证明：要从容不迫面对多变的未来，必须以“全面、均衡、主动、个性”发展为基础。所谓全面发展是指德智体美劳等诸方面的发展，尤其是“德”和“体”两个方面，是健全人格的基本组成部分。拥有健康体魄、良好心理是实现个人发展的基础条件，拥有正确的思想道德观念和强烈的社会责任意识是个体服务于社会，以促进社会发展的先决条件。所谓“均衡”是指学贯中西、文理兼通，

即不仅具备广博的知识面，而且同时具备科学精神和人文素养。在文理分科难以取消的今天，“均衡”更多地指向文科和理科的均衡发展，唯有“均衡”才有适应未来的实力。所谓“主动”发展是指具备自我发展的意识和能力，即具有较强的学习精神、创新意识和实践能力，只有具备这种能力才能以不变应万变，在纷繁复杂的未来社会生活中解决好各种实际问题。所谓“个性”发展是指学有所长，唯有拥有个性化的知识结构才能具有不可替代性，而立足于竞争激烈的未来社会。

因而，“全面、均衡、主动、个性”发展的总体目标，可分解为“德育为先、身心健康、文理兼通、主动适应、学有所长”的具体目标，这一具体目标能够为我校的课程建设和教学方式改革提供更为明确的指导。

2. 注重与现实生活的联系

学校课程不仅仅要给学生传授学科知识，还肩负着促进学生发展，使学生适应并满足社会发展需要的功能。因此，课程内容不应为单纯的、理性的学科知识，课程和教学必须联系现实生活，也就是将社会热点、科技前沿、个人生活带入课堂。注重使学生在现实背景中学习，注重利用学生经验开展教学；倡导学生在解决实际问题的过程中，增进理解所学内容，并运用所学的知识和方法参与公众事物的讨论或作出相关的个人决策，从而提高解决问题的能力和增强社会责任意识；同时也能帮助学生了解相关职业，为确定未来的学习发展方向提供信息，为步入社会提前作好准备。

20世纪90年代初我校率先在理科教学中实施STS（科学、技术与社会）教育，不仅在课堂教学中努力贯彻STS精神，而且开设符合STS教育理念的选修课。新课程实施后，我们更加充分地认识到STS教育的重要价值，将STS教育理念确立为指导我校课堂教学改革的核心理念，并积极倡导教师开发和整合多种教学资源，将社会的、个人的、科学技术的各种现实问题融入课堂教学。目前这种教育理念已经渗透到各个学科的教学过程中，并且逐渐内化为每个教师的教学行为。

我们还利用校本课程的大舞台，紧密联系现实生活，积极开发以“实用性、教育性、前沿性”为特点的综合类课程，作为国家课程的有效补充。目前已经开发出：提升个人能力水平的课程，如“我的情绪我做主”“职业生涯规划”“英文写作”。为学生提供了解和体验社会生活的模拟类课程，如“模拟联合国”“学生公司”“企业经营管理”。引发学生关注科技前沿问题的课程，如“中学生命伦理学”“国际创新技能”。综合类课程的开发仍将是我校未来课程建设的重点。

3. 注重自主学习意识和能力的培养

能力是学生成才的关键。它不仅直接影响着学生在校学习期间的学业，而且对学生将来的学习和工作都会产生巨大而深远的影响。尤其是自主学习的意识和能力，是适应知识爆炸时代、实现个人可持续发展不可或缺的核心能力。

注重自主学习能力的培养不仅是时代发展的需要，而且是促进当代青少年健康成长的需要。今天成长中的一代，是独生子女政策的产物，他们独立性差，依赖性强，从小的生活、学习等一切都由家长包办代替，没有自我空间，缺乏锻炼机会，长此以往养成了被动、等待的习惯，不会自主生活，更不会自主学习。而时代发展对人的能力要求更高，只有具备主动学习精神、自主学习能力的人才能满足时代需要。因此，今天课堂教学中能力培养的核心问题是加强自主学习能力的培养。

培养自主学习能力，首先要敢“放”，为学生自主学习创造空间，要充分相信学生的能力和潜力；其次要大胆改革课程内容和教学方式。在“为不教而教”的理念指导下，我们提出学科教学要突出结构化知识，即学科核心概念和学科结构；要突出方法性知识，即学习方法、学习策略和学习技能。在课堂教学中，积极倡导“体验、探究、合作”等新的教学方式，加强信息技术与教学的整合，通过有效的教学策略促使学生形成有效的学习策略，从而使学生学会学习。再者不要把能力培养与提高成绩对立起来，两者关系如处理得好，应该是高度统一的。总之，自主学习能力的培养是当今教育研究领域的热点和难点，我们应在科学发展观的指导下，大胆学习、继承和创新，走出一条新路。

4. 发挥“大课程”的育人功效

所谓“大课程”，是指具有明确教育目的、精心策划和设计、严格按既定方案实施的一切学生活动，包括国家课程、校本课程、学科活动、德育活动、校园文化活动等。在大课程观的统领下，建设学校课程体系，有利于综合协调教育目标、课程内容、课程实施途径等课程因素之间的关系，整合各种教育资源，形成教育的合力，促进学生的发展。

我们秉承“大课程观”，抓住新课程改革赋予学校和教师的课程决策权，积极申请“自主排课和自主会考实验校”。在申请得到获准后，我们梳理学校原有课程，搭建课程基本框架；依据学校教育理念，本着在继承中创新的原则，积极探索国家课程的校本化实施；结合学校实际条件，广泛挖掘各种资源，开发特色校本课程，初步构建出“全人格、高素质”的学校课程体系。该体系将在今后的课程实施中得到丰富完善，进而形成富有个性的学校课程文化。

（三）高度重视体育，自觉锻炼身体

重视体育是北京师大附中的优良传统，学校一贯注重师生身体素质的提高。历史上，北京师大附中曾在我国首创课间操，率先举行学校运动会。建校 100 多年来，北京师大附中为国家输送了大批优秀人才，包括很多优秀的体育人才。

身心健康是学生发展成才的重要基础。没有好身体就无法搞好学习，今后也无法更好地工作与生活，从这个角度看，强化体育是学校工作的重中之重。师大附中对体育工作有着全面的认识和高度的重视，这包括：

——德智体美是学生全面发展的四个方面，它们相辅相成不可分割，体育在其中占有独特和重要的地位。

——学校体育要坚持面向全体学生，一个学生也不能少。既要重视竞技项目，也不能轻视健身项目，努力使每个具有不同体育基础的学生

都有收获。

——学校体育既要考虑国家和社会的需要，也要照顾学生自身发展的需要，要努力培养他们的体育兴趣、爱好和特长。

——学校体育要为学生的一生服务，要培养学生参加体育活动的良好习惯，培养他们自觉锻炼身体的意识与能力，让学生掌握终生受益的体育活动方法。

——建设高素质、高水平的体育教师队伍是坚持素质教育、搞好学校体育工作的根本保证。

——因地制宜、克服困难，坚持把学校体育与学校设施的客观条件相结合，走具有本校特色的体育发展之路。

北京师大附中有很多知名校友，不仅学习成绩好，还是各项体育运动的健将，他们读书认真刻苦，在运动场上生龙活虎，文武双全。在走入社会之后，校友们以健康的体魄投入到社会主义建设中去，为祖国为人民做了几十年的工作。今天的北京师大附中学生能够坚持“每天锻炼一小时”，争取“健康工作五十年，幸福生活一辈子”。

（四）增强艺术修养，用“美”陶冶情操

用“美”陶冶师生的情操，是北京师大附中重要的教育理念，也是学校的一大特色。

德智体美全面发展历来是我国的教育方针。实际上，古今中外对这四个方面的教育也都十分重视。在德智体美中，“美育”的概念提出较晚，直到18世纪德国的席勒才明确阐述了美育的意义（见《美育书简》），首创“美育”一词。美育历来受到教育家的格外重视。但在现实教育工作中，我们会发现美育像一个出生晚了很多年的“小妹妹”，比起德智体软弱得多，不但不能与它们并驾齐驱，而且在功利主义和应试教育的影响下，美育还可能被挤得无影无踪。美育之所以得不到足够的重视，除了美育与学校的眼前利益关系不大外，教育工作者对“美学”修养不足，对美育意义认识不深，是重要原因。随着时代的发展，人们对美的追求日益强烈，美育的地位需要进一步提升，并给予应有的

重视。美应当是教育追求的更高境界，这绝不是一种个人的主观愿望，而是教育顺应人类社会发展的趋势，符合教育自身的规律。

北京师大附中的领导和老师们充分认识到，美育的重要功能是其他教育无法替代的。美育不仅可以陶冶人的情操，而且对发展人的形象思维、促进人类创新有着非常重要的作用。培养人欣赏美、创造美的意识和能力，于社会于个人都是十分有益的。随着时代向前发展，美育必将体现出日益重要的影响。

艺术教育是美育的重要组成部分，北京师大附中对美术、音乐、舞蹈、书法、摄影、诗歌、戏剧等必修课、选修课和课外活动都十分重视。这些活动不仅活跃了学校文化生活，提升了学生的人生品位，而且为国家输送了一批杰出的文艺人才，像李德伦、于是之、叶佩英等。

钱学森先生在一次与温家宝总理交谈时说："我要补充一个教育问题，培养具有创新能力的人才问题。一个有科学创新能力的人不但要有科学知识，还要有文化艺术修养。没有这些是不行的……"钱老的观点是：科学和艺术如车之两轮，鸟之两翼。艺术不仅能够陶冶情操，还能开发人的智力。文化艺术修养对于杰出人才培养和科技创新都具有极其重要的意义。

为此，我校给予美育高度的重视。我们认为，不懂美育的教师不可能教育出全面发展的学生，不认真开展美育的学校绝不是一所好学校。从品德美、行为美的角度看，德育里面包含着美育；从学科内容美、教学形式美和激发创新灵感的角度看，智育与美育交相辉映；从动作美、形体美的角度看，体育也具有美育的功能。此外，学校的环境设施与建筑物、师生的穿着打扮和言谈举止，无不与美有着密切的关系。我们提倡建设和谐校园，就是要全方位创造美的人际关系、工作关系，创造美的校园文化。因此，学校提倡"全员美育"，通过每一位教职员工的工作与言行，推进学校美育工作不断登上新的台阶。

四、开放性国际化的教育视野

学校教育要面向世界，一是要开阔视野，教育培养人考虑问题不是仅仅局限于中国，而是要放眼全世界，了解不同国家的文化，增强全球意识。二是在世界经济全球化发展的形势下，学校培养人才特别需要具备国际交往能力，培养适应全球化经济所需要的国际型人才。三是扩大交流，增进友谊，为传播中国传统文化贡献力量。

20 世纪 80 年代，邓小平同志发出了“教育要面向现代化，面向世界，面向未来”的号召，指明了我国教育的长远发展方向。同时，我们的国家也开始走上了改革开放的光明大道。北京师大附中有国际交流的传统，新中国成立前北京师大附中有 16 位校长，其中 3 人美国留学，6 人从日本学习归来。我校现任校长刘沪曾在美国留学、日本进修。截至 2009 年，北京师大附中在校教师中，曾经在美国、英国、日本、新加坡、澳大利亚等国学习工作（一年以上）的超过 40 人。外语教研组 29 位教师，其中 20 位从英语国家学习工作归来。语文、数学、物理、化学、生物、地理、体育等学科都有教师在国外学习过，他们对国外的教育有了较深的了解，也把先进的东西带回了学校。

在完成好政府下达的招生任务，高质量地办学的同时，我们也在积极开拓与发展两个新的教育领域：一是请外国学生来我校学习，二是培养一部分中国学生去国外学习。这两方面的工作，都会进一步促进学校的国际化发展。

北京师大附中作为中国的名校，也要争做世界名校。我们通过建立友好学校，加强了与美国、日本、澳大利亚、英国、德国，以及港澳台地区的交流。请进来，走出去，使学校有更大的开放，吸收各国和地区有益的东西，使自己的教育更加现代化，跟上时代发展的潮流。

五、管理简约、风格大气的学校个性

大气是北京师大附中的一种风格、一种表现或一种气质。什么是大气，就是不小气。小气一般指斤斤计较，追名逐利，目光短浅，急功近利。大气是目光远大，从容自信，不被虚名和小利、近利所诱惑，坚定地去实现自己的奋斗目标，兼容并蓄，虚心好学，能与各个方面、各种层次、各种流派的人共同发展，合作共事。大气的学校看得见人家的长处，也承认自己的短处，既能领跑，也能虚心向别人学习，而不是不能容忍别人超越。不自卑、不嫉妒、不浮躁、不浮夸，安安静静办学，踏踏实实地提高教育教学质量。因此，我们反对言过其实地炒作自己，绝不会为片面追求升学率而抛弃教育规律，大大方方处事，坦坦荡荡做人，胸怀远大理想，不计较一时一地的得失。

在管理方面，北京师大附中以“实用”为重，不走形式、不搞套路，各种会议精简节约。能不开的会不开，能少开的会少开，不讲空话、套话。但是，学校该明确的方针政策、工作标准、纪律要求不能简化，而是强调执行力，强调一步到位解决问题。学校各项事务都有明确的规定和程序，日常工作实现“自动化”，最大限度地减少了人盯人式的管理，学校逐步从“人的管理”“制度管理”向着更高层次的“文化管理”方向发展。

此外，简约、大气还体现在学校的外观设计和师生的着装上，这需要有一定的艺术眼光。简约、大气的风格要继承，更要不断修养。

第三章 自主构建的学校课程

所谓课程，是人们整理、继承和传播精神文化的载体，根据社会的需要，对人类积累起来的精神文化成果进行有选择的编制，使之便于教和学，并能够使学习者的文化知识和精神生活更加丰富，从而推动社会精神文化的延续和发展。北京师大附中通过课程的设置、开发、实施和评价来实践其特有的办学理念，并传承其独特的学校文化。

一、自主构建“全人格、高素质”的学校课程体系

北京师大附中实施的是“全人格、高素质”教育，即“培养身心健康、有社会主义道德、有宽厚而扎实的基础知识和优秀人才应具备的基本能力、有个性特色和创新精神的高素质中学生。学校要为学生今后进一步学习成才、服务社会和持续发展奠定坚实的基础。”

我校的课程体系在继承优秀传统的基础上，融入体现时代特点的新元素，既体现“以人为本、满足人发展的需求”，又体现“培养社会需要的人才，满足社会发展的需求”。我们要通过设置全面、均衡、多样、可选择的课程，使学生健康发展，并具有继续发展的意愿和能力。同时，课程还要对学生进行“社会人”的培养，使他们能生存于社会，服务于社会，把自己的命运与社会的命运紧密地联系在一起，在社会发展中实现自身发展。为此，我校构建以国家课程为核心、以校本课程为有效补充的课程体系，使学生亲历**道德生活、人文与科学生活、艺术与体育生活**，使他们充分汲取我校百年积淀的文化精华，实现北京师大附中“全人格、高素质”的育人目标。

我校的课程包括学科课程与德育课程。两部分课程又都分为必修、必选和任选三种类型。必修课程是共同基础课程，包括国家必修课程和我校校本课程“英文写作”“鲁迅专题阅读”“体质健康”“音乐艺术鉴赏”；必选课程是群体特色课程，包括侧文学生必选的“科学”、侧理学生必选的“社会”、全体学生必选的德育“青年志愿者服务”，每门课程包括多个并列的子模块，学生必修此门课，但可以选择不同的模块；校本任选课程由学生完全自主选择，促进学生形成个性发展特色。

任选课包括“学科拓展延伸”“专项技能精深”“学科融合”“活动课”四种类型，涉及“语言文学”“数理科学”“历史文化”“经济”“健身技能”“艺术技能”“信息技术”和“塑造人格”八个领域，将近90门。学科课程与德育课程各有侧重、互相补充，以促进学生身体素质、心理素质、科学文化素质以及思想品德素质的全面发展。

事实上，教育是一个整体，许多活动既承载学科学习内容又体现德育目标。综合实践活动课程最能体现教育的整体性，它“基于学生的直接经验、密切联系学生自身生活和社会生活、体现对知识的综合运用”①。我校的综合实践活动课程除了国家课程中研究性学习、社会实践活动、青年志愿者活动以外，还包括学科与德育相融合的校园文化活动。我校综合实践活动的课程资源来源于学生的实际生活，体现百年名校与宣南文化特色，指向北京师大附中学子的兴趣、爱好及特长。学生参与综合实践活动使他们在真实的情景中认识自然、社会和自己，用自己所学去解决实际问题，生成真实的情感体验，促进学生自主选择、主动探究的意识与能力，为学生个性充分发展创造空间，为培养多样化人才奠定基础。

以上各类课程形成了课程形式多样、课程价值互补、课程功能比较完备的课程结构，如图3－1所示。

我校的课程具有以下特点。

1. 突出学校传统德育特色，形成我校特有的“德育课程体系”，使“品德”成为学生发展的根本。

2. 加强“体育与健康课程”，在高中起始年级要求学生选择自己喜爱的体育项目作为“校本选修课”内容；在高三年级加设一节“体育”课，使健康成为学生发展的保证。

3. 在高二年级设置“科学课”与“社会课”，侧文同学必选“科学课”，侧理同学必选“社会课”，使“全面、均衡”成为学生发展的基础。

---

① 摘自：《为了中华民族的复兴　为了每位学生的发展》第73页。

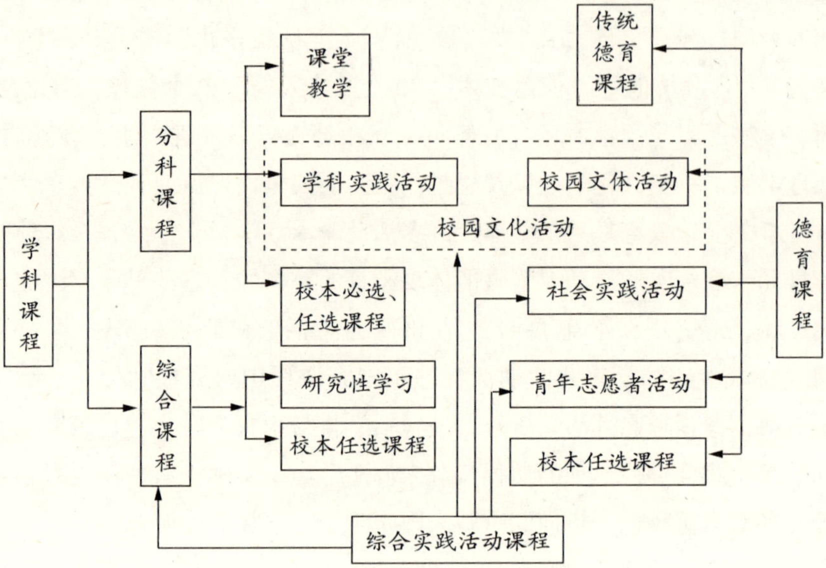

图 3－1 北京师大附中课程结构图

4. 提供种类多样的校本选修课程，使学生具有不同的“发展特色”，最终实现“学有所长”。

5. 开发“综合实践活动”课程资源，突出校本特色，给学生创设生长和发展的生活根基与人文轨道，使学生在丰富多彩的活动中体验、感悟，实现自主学习、自我教育。

概括而言，就是：德育为先、注重实践、全面发展、学有所长。

二、为学生奠定“人生基石”的德育课程

联合国教科文组织在《教育——财富蕴藏其中》指出：人的思想、观念、态度等已在人的基本素质中占据首位，德育已是人才培养的大问题。德育对于个人、国家和民族的重要性已成为世界共识。在市场经济背景下，社会道德价值观的多元化对学校德育教育提出了更高、更新的要求。我校实施的是“大德育”，即不仅要培养学生高尚的道德品质，还要使学生在成长过程中形成积极的情感、态度，正确的世界观、人生

观和价值观，同时有效促进学生智育、体育、美育的发展。正如朱小蔓在《知识概念变迁下的德育》中所言："人类最早的教育主要是德育，教育的意义就是教化一个人的人格。……德育是教育的灵魂，德育的根本任务是影响人格……"我校的德育工作以培养"全人格、高素质"人才为核心，秉承"勤爱诚勇"的校训，不断探索锐意创新，逐步构建、完善了具有北京师大附中特色的校本德育课程体系。

与学科课程相比，德育课程更加注重教育的整体性、综合性与实践性，更加突出学生的主体性。我校的德育课程为满足学生德育发展需求，从学生的实际生活中取材，创设适合学生生理心理特点的教育情景，开展学生喜闻乐见、形式灵活多样的综合活动，使学生在"近、小、实、亲"的德育课程中实现"知行统一、自我教育"。

我校现阶段的德育目标可以概括为"做三人""树三观""立四能"。"做三人"是做中国人、做现代人、做附中人；"树三观"是树立正确的人生观、义利观、享乐观；"立四能"是使学生具有明辨是非的能力，趋利避害的能力，自我设计、自我约束、自我完善和自我发展的能力，人际交往、适应社会的能力。德育课程包括：传统德育课程、校园文化活动、学科实践活动、社会实践活动、志愿者服务以及德育选修课程等。六种德育课程分为"必修""必选"和"任选"。

表3－1　北京师大附中德育课程

修习范围	课程形式	课程内容
必修	传统德育课程	班会与校会、心理健康课、校史、校训及校歌学习
	社会实践课程	石家庄军训、泰山及承德游学、人才市场调查、农村参观调查
	学科实践活动	新诗及古典诗词朗诵会、戏剧节、科技节、走进博物馆、参观宣南文化景观
	校园文体活动	一二·九合唱节、青杉艺术节、年级新年联欢会、全校运动会、"晨鸟杯"足球赛、"晨阳杯"篮球赛 、乒乓球赛

续表

修习范围	课程形式	课程内容
必选	青年志愿者活动	学校志愿者服务、椿树街道、大栅栏街道社区服务、蒲公英打工子弟中学支教、朝阳门医院临终关怀活动、启蕊智障儿童教育中心支教
任选	校本德育选修课	生命伦理学、情绪胜任力、职业生涯规划、《100个附中人的故事》的采访与写作、模拟联合国

这些德育课程有固定课时、稳定的课程目标、课程内容和评价标准，有专业教师指导，有对过程的课程化管理，对修习者给予学分，有力地保证了德育的规范实施。

我校德育课程立足于学生的全面和长远发展，在改革中创新，力求把学生培养成为道德上的“完人”，为学生奠定坚实的“人生基石”。

三、课程整合的探讨
——缤纷语文“大”课堂

语文综合实践活动课，是我校语文教研组秉承北京师大附中建校一百多年以来所坚守的“全人格”学校教育理念，遵循教育发展新时期所提倡的“全人格、高素质”的办学指导思想，结合新的语文课程标准要求，在总结多年校园文化活动和选修课教学经验的基础上，充分发掘学校自身的教师资源、环境资源、校友资源，充分研究学生的真实需求，联系中学语文教学实际，制定出有一定体系、符合学科教学规律、适应学生发展需求的一系列课程。它有效地补充了国家、市区必修课程，是由校本必修课、校园文化活动和校本任选课相结合的缤纷语文“大”课堂。

缤纷语文“大”课堂是对学校自身传统的承继。我校作为具有百年历史的中国名校，文学名人辈出。林琴南（林纾）、石评梅曾任教于此；李健吾、蹇先艾在北京师大附中就读时曾创立文学社团“曦社”，出版《爝火》学生杂志，李健吾本人还组织学生登台演出；北京师大附中学生曾请来鲁迅先生作过著名的《未有天才之前》的演讲；颜一烟、李德伦、于是之曾就读于此……辉煌的校园文化历史，至今为北京师大附中学子所津津乐道，心生向往。

缤纷语文“大”课堂具备得天独厚的地域条件。我校地处宣南文化的核心区域，背靠前门、大栅栏文化街区，南接琉璃厂文化一条街，隔墙有北京最古老的戏楼——正乙祠戏楼，数步之遥有湖广会馆、纪晓岚故居，就近则有林则徐故居、康有为故居、梁启超故居、绍兴会馆、红楼大观园……京都文学文化的历史长河经北京师大附中而流向远方，为我校搭建“大语文”活动舞台提供了极大的方便。

今天，缤纷语文“大”课堂为学生发展谱写“唯美”乐章。新的语文课程标准指出，现代社会要求公民具备良好的人文素养，要充分发挥语文课程的育人功能，全面提高学生的语文素养及整体素质。高中语文课程还应关注学生情感的丰富和发展，让学生受到美的熏陶，培养自觉的审美意识和高尚的审美情趣，培养审美感知和审美创造的能力。语文“大”课堂注重激发学生对生活、学习进行思考与探索的兴趣，使他们感受“语文即生活”，树立“大语文”观，对他们的“人文素养、情感态度、审美能力、个性发展”等方面的培养起到重要作用。其中，必选模块“鲁迅专题阅读”是利用网络平台对必修模块中鲁迅相关作品进行深入而有个性的系列研读学习；读书会、讲故事、辩论赛、讲演会、朗诵赛、写作赛、戏剧表演等校园文化活动，则是利用语文与美育的天然性结合特征，发展学生的思想美、情感美、语言美、仪态美，在实践性的表达与交流中提高自由表达、有个性表达、有创意表达的能力；丰富多彩的选修课成就了对学生的多元化与个性化的培养。

（一）语文校园文化系列活动——促进学生的全面发展

活动理念：从“做”中学，在体验中成长，注重精神追求。

活动特色：全员参与，注重实践，追求“有个性、有创意”的深刻表达。

语文教研组将学校举办的与语文学科相关的校园文化活动进行分类，确定了不同年级的教学内容和学习重点，分阶段、分层次、有针对性地制定了系列语文特色校园文化活动课程。正如语文组组长邓虹老师所说："语文活动课程的设置正是附中的一大亮点，丰富多彩的活动课程已经纳入课程设置的体系，是师大附中语文课程中不可或缺的一部分。"语文校园文化活动课程把语文学科素养的培养延伸到学生的生活中，激发学生的兴趣、培养学生的习惯、给学生以展示的舞台，可谓是"快乐教育、浸润教育"。

表3－2　初中语文校园文化活动课程

主　题	初　一	初　二	初　三
读书	寒假布置必读书目，开学组织"新春读书会"		
现代诗歌	现代诗歌朗诵	毛泽东诗词朗诵	
古典诗歌		诗歌朗诵会	
中外戏剧	课本剧表演		
口头表达	成语故事比赛、辩论会	配合选修课的演讲比赛	
知识竞赛	百词大赛；配合《黄河颂》教学进行"黄河知识竞赛"等	文学常识大比拼	语基识记比赛
写作	开展周记评比	开展读书评比	专家中考写作讲座

表3－3　高中语文校园文化活动课程

主　题	高　一	高　二	高　三
读书	寒假布置必读书目，开学组织"新春读书会"		
诗歌	结合课程内容，学生自主选择喜爱的现代新诗作品，全年级组织"放飞青春——现代诗歌朗诵会"	结合课程内容，学生自主选择喜爱的古代诗歌经典作品，全年级组织"唐风宋韵伴我行"古典诗词朗诵会	

续表

主　题	高　一	高　二	高　三
中外戏剧		结合课程内容，学生自主选择喜爱的戏剧（戏曲）经典作品，组织“高二戏剧节”活动	
写作	暑假布置必读书目，开学组织“金秋作文大赛”		
	尝试新诗创作，参加“我们”文学社新诗征集活动	尝试古诗、剧本创作，参加“我们”文学社诗歌戏剧作品征集活动	听专家作高考写作讲座

在异彩纷呈的语文校园活动中，“高二戏剧节”是一道亮丽的风景线。戏剧节包括“听、看、演、思”四个环节。

听：戏剧专家进校园。我校请来校友、中央戏剧学院导演系毕业的国家话剧院青年导演王剑男，给高二的全体学生作了有关《雷雨》的赏析讲座。王导演用他声情并茂的讲授、深厚的台词功力、独辟蹊径的见解，使时光穿梭一百年，让学生对于属于青年人的“雷雨”精神表达了极大的认同；之后，国家一级演员、中央戏曲学院教授董德光又为全体师生作了《西厢记》的讲座。比起《雷雨》，元曲和学生的距离可能更为遥远，但学生们为老师优美的唱腔所深深吸引，更陶醉在张生与莺莺那美好的青春里。戏曲专家生动活泼的讲座给了学生一个了解戏曲、喜爱戏曲的机会，让学生走近中国古典戏曲文化，感受它穿越时空的美丽。

看：专业剧团为学生做专场演出。在北京市“民族艺术进校园”的活动中，北方昆曲剧院的演员们来到了我校，为高二年级的师生进行了精彩的昆曲表演。演员们表演了语文课本中的曲目《西厢记·游园》《闹学》及《三岔口》。传统的艺术表现形式，经典的唱腔、唱词，配上演员们精湛、娴熟的演技，使学生们有机会完整地感受我国传统的艺术表演形式——昆曲，同时也加深了对语文课中所学戏剧内容的理解。

演：学生戏剧表演、评比。学生们改编剧本、挑选演员、准备服装、反复排演，准备年级话剧表演。在这个过程中，学生充分发挥了自主、合作的精神，对剧本的内容有了更深入的了解与阐释。在为期两天的戏剧节上，学生上演了老舍的《茶馆》、曹禺的《雷雨》、莎翁的《第十二夜》和《仲夏夜之梦》等经典名剧。有的学生更勇于尝试、探索，把京剧《沙家浜》、歌剧《白毛女》、舞剧《天鹅湖》改编成话剧搬上了舞台。

舞台小天地，天地大舞台，戏剧表演是整个戏剧节活动的高潮。学生为茶馆几十年的遭遇变迁而唏嘘，为雷雨强烈的悲剧气氛而落泪，为天鹅湖的正义取得最终胜利而击节称叹！戏剧节是学生展现自己的舞台，更是学生体验生活的窗口。学生们的才华显现于各个方面：剧本的改写和设计、服饰的选择、道具的使用、动作和神态的描摹，一颦一笑都匠心独具。戏剧节不但演出质量高，而且参与人数多，高二年级的所有班级都参加了表演，每个班级走上舞台的同学少则六七人，多则近二十人，充分展示了学生的积极性。

思：教师关于戏剧、戏曲的教学反思研究。在指导学生开展戏剧节活动的过程中，我校的语文教师积极开展关于戏剧、戏曲教学的研究活动，如龙军老师在常规教学之余，指导学生将课文《药》改编成剧本，并搬上了舞台，取得了成功，相关论文获得市级一等奖；邓虹老师利用文科实验班几乎全为女生的性别特点，组织学生课外学习现代京剧《杨门女将》剧本，并将其改编为话剧演出，在“戏剧节”大获成功，教学案例和师生共同撰写的戏剧活动反思文章一同被《多媒体教育学报》采集；张洋老师撰写了教学论文《不到园林，怎知春色如许——给学生一个喜爱戏曲的机会》，获得了好评。

作为丰富多彩的校园文化活动之一，戏剧节与教师探索性的课堂教学相辅相成。在《〈游园〉教学设计与反思》中，张洋老师谈到：“《游园》节选自我国古典名著《牡丹亭》，是我国古典戏剧中的经典之作。根据学生的实际情况，我设计了情境导入、合作学习、比较阅读等几个环节。”“语文教学中，古代戏曲的教学是难度较高的。首先是由于学生的陌生感，其次则因为戏曲本身的丰富性。所以在这节课中，我力图探索一条适合自己的戏曲教学之路。在这一点上，我认为基本上是成功的，既用多媒体技术体现了戏曲的特点，又紧扣文本，用朗读、写作等方式抓住了语文教学的关键。”

在整个戏剧节的过程中，语文老师为学生搭建了了解古今中外戏剧、展现自己才能的平台，而老师只是充当一个引路人的角色，使学生的主体作用得到了充分体现。课本上两个单元的戏剧课文只是八篇普通的文章，而以戏剧节为代表的校园文化活动，注定会成为学生成长路上的一段华彩乐章。

在异彩纷呈的语文校园活动中，“延展性、体验式语文学习”是另一类别样的风景。以下以高一“走进名著，做有文学修养的附中人”系列活动为例。

高一年级学生在语文老师的带领下，来到了北京大观园，开展了“走进名著，做有文学修养的附中人”的系列活动。全年级的学生分为两个大组，一组先在红楼礼堂听红学专家周汝昌之子周建临先生的专题小讲座，另一组学生以班为单位在导游的引领下，参观怡红院、潇湘馆、稻香村等重点景点。在讲座之后，本年级的十位学生扮演贾母、林黛玉、贾宝玉、王熙凤等角色，为同学们演出了自排的课本情景剧片段。活动激发了学生对名著学习的热情，增强了品位、体悟名著的能力，给师生留下了极其美好的记忆。这种“延展性、体验式语文学习”新方式极大地促进了学生在体验中成长，为提高学生文学素质和人文修养提供了新的途径。

在异彩纷呈的语文校园活动中，“巧用班刊促进拓展高中语文课”又是一种独特的风景。

新课标中阐述语文的目标是：“高中语文课程应进一步提高学生的语文素养，使学生具有较强的语文应用能力和一定的语文审美能力、探究能力，形成良好的思想道德素质和科学文化素质，为终身学习和有个性的发展奠定基础。”事实上，仅仅依靠课上的四十分钟，这一目标是很难达成的。为此，高流畔老师尝试以创办班刊的形式来进行语文学科的拓展。

班刊名字叫做《水韵》，充满诗意的名称包含着引导学生养成如水般“上善”人格的特殊意蕴。高一开学至今近一年的时间里，作为月刊的《水韵》已经出版八期，意义与收益颇丰。

特殊的大课堂充分激发了学生的写作兴趣。刊物分为六个栏目：“文学天空”“成长印迹”“人物风采”“作文广角”“写给我们”和“大事记”。因为是班刊，写自己身边的人和事，甚至是自己的爱恨情仇甜酸苦辣，倍感亲切与真实，所以学生们兴趣与热情一直不减，甚至在持续升温。

特殊的大课堂扩充了学生的读写数量。刊物平均每期七万多字。全班学生人手一份，拿到后爱不释手地阅读并珍藏，每人已经有了大约五十万字的阅读量和平均六千字的文字书写与刊登。为了写好文章，为了赶上甚至超过别人，同学们还积极主动地去阅读。

特殊的大课堂提升了学生的审美层次。刊物所登的是以反映中学阶段最纯真的感情为主的文章。在文章里真实地记录了孩子们对自然、对他人、对社会、对文化历史的最由衷的思考与评价，这样的情感因为坦诚与纯粹而具有难能可贵的美好。写的孩子，看的孩子都会在潜移默化里得到美的熏陶，审美层次也就逐渐提高起来。请看摘自《水韵》中的一小段美文：

又是另一个春季。还能不能像小时候一样，坐在山丘，吹着哨音，铭记一春天的云？又是另一个夏天。还能不能像小时候一样，站在树下，听着蝉鸣，拥抱一夏天的风？又是一年。

天气暖了，融了冰封很久的心情。整个城，就要迎来斑斓的香，遗传上一个花季。

创刊至今，全班学生写作水平有了明显的提高，学生们不再“发憷”写文章而是习惯阅读，乐于动笔。不仅如此，学生的人格境界也由此而提升。刊物集合了学生、教师、家长、毕业生等各个方面的文章，这些看得见摸得着的身边的人们，把自己最真实、最深刻、最博大、最珍贵的生命体验毫无保留地传达出来，对急需主流价值观熏陶滋养的孩子们益处无穷。学生们在行为养成与思考认识方面都有明显的进步，班级整体已经形成了一种积极进取、乐观向上、志存高远、注重人文素养提升的班风班气，各方面成绩在年级名列前茅。《水韵》既是语文课堂的延伸拓展，更是学生成长成熟的最温润的陪伴。

（二）语文选修课系列——促进学生的个性发展

课程理念：强调“知识”与“经验”密切联系，注重“开发潜力”与“张扬个性”。

课程特色：选择、体验、表现。

《高中语文课标》把选修课分为诗歌与散文、小说与戏剧、语言文字应用与探究、新闻与传记、文化论著选读与专题研讨几个方面。参照《高中语文课标》要求，语文组精选师之所长，针对生之所需，开设了可选择性的丰富多彩的选修课。教师个性化、特色化的课程必将带来学生多元化与个性化的发展。

表 3-4 语文教研组部分选修课的开设内容

类 别	课程内容
诗歌与散文	《诗经》入门、中国古典诗歌鉴赏、中国现代诗歌鉴赏、先秦散文鉴赏、现代文阅读指导、诗性写作
小说与戏剧	青春读书课、世界文学名著欣赏、《红楼梦》研究、课本剧创作、微型小说赏析
语言文字应用与探究	汉字与中国文化、演讲辩论、青少年演讲与口才、“诗性写作”专题、经典成语故事
文化论著选读与专题研讨	鲁迅专题研究系列课程、大众文化、文学与美学、文学文化系列讲座、《论语》解析

选修课使学生有了一个充分展现个性的舞台。

正如高超老师在他的“诗性写作”自评中这样说：“事实上，我的学生很多人都是第一次写诗，能写成这样，相当了不起。我乐意展示他们的诗，也乐意他们因为自己真实的诗歌而在课堂上展示真实的自己……”

选修课上，高超老师还将“诗性写作”纳入高中作文教学中加以深入研究。用他的话说，所谓“诗性写作”，是以诗人、词人（甚至作家、艺术家）的人生历程和诗词（作品）为写作素材，通过援引其诗词，以引述、复原再现、适度虚构等方式，对其行为、心理、思想进行叙述、描写和评价，从而获得诗的意境、诗性文字和富有文化的内涵的一种新样式作文。

“诗性写作”强调通过对诗和诗人的专题阅读来获得专题性写作材料，试图在语文的诗歌教学和作文教学中搭建一座桥梁。优秀诗歌的学习可以陶冶人的志趣，培养人的情操，同时获得对美的认识感知能力。专题性写作材料包含着丰富的人文精神和文化内涵，分析、解读、体味，并运用这些材料写作，可以有效地避免作文内容空洞，情感苍白虚浮，空话套话，言之无物的现象。“诗性写作”极力倡导针对中学生兴趣，因势利导开展专题写作，既着眼于学生诗歌鉴赏水平和写作水平的提高，更着眼于学生的长远发展。

在具体教学实施中，高超老师根据自己具体的教学实践和学生生动的写作实践，在方法上归纳如下。（1）引述诗文：引述作者的诗文或他人评论作者的诗文，通过作者的讲解、评述，以期读者直接建立对诗人强烈、深刻的印象。（2）化用诗意：以诗人的诗词文句为依托，重构诗词意旨，将此意旨巧做新用。（3）借用主题：将诗词中丰富、深刻的主题，借为我用。（4）复原再现：以诗人的人生经历为依托，结合诗人诗词以及前人的相关评述，将诗人彼时情境复原再现。（5）适度虚构：以诗人的人生经历为依托，结合诗人诗词，通过适度虚构的方法，展现诗人的活动和精神世界。（6）自创诗词：自己创作诗词，或做题记，或做引语，或做结语。上述六种方法力图从具体的操作层面解决由诗性材料到诗性作文的技术问题。

高超老师的“诗性写作”是我校语文选修课程教学体系中的一个典型例子，其中表现出来的对学生主体的尊重和赞赏，让学生在自主的探索中完成对写作的认识，也可以说是我校语文组个性化作文教学中的特色之一。

（三）语文必选课程“鲁迅专题阅读”——促进学生自主而深刻地发展

课程理念：理解“鲁迅精神”，做“深刻”而有“责任”的人。

课程特色：多空间自主学习，个性张扬的表达。

针对中学生阅读现状的调查资料表明，现今阅读、关注、喜爱鲁迅作品的中学生为数甚少。有人因此断言：鲁迅作品在当代已失去了其特殊的文学魅力。然而，多年来我校语文组却从来没放松过对鲁迅名篇的常规教学与深入探究。“没有伟大人物出现的民族，是世界上最可怜的生物之群；有了伟大人物而不知拥护、爱戴、崇仰的国家，是没有希望的奴隶之邦。”郁达夫先生的这段话至今振聋发聩。在这个以“速食”“娱乐”为特征，浮躁而肤浅的时代，百年附中的语文教师理当引领学生用心阅读鲁迅经典作品，吃进厚重，吃进深刻，吃进忧患，吃进使命……使北京师大附中学子拥有“铁肩担道义，妙手著文章”之胸襟与才学！

为此，我校语文组将“鲁迅专题阅读”确定为学生必选的特色课程。这一系列课程包括鲁迅著作导读讲座、鲁迅名作戏剧改编及演出、鲁迅专题展览进校园（与鲁迅博物馆、北京师范大学合作举办）等多种形式的活动，最重要的一部分是利用网络平台深化必修模块中鲁迅相关作品的研读学习。

以邓虹老师“记念刘和珍君”一课为例，教学预想是：利用网络平台“吸引学生拓展阅读”“引导学生自由自主地进行学习和探究”“激发学生的内在动因，让学生在展示个性、智慧、创新成果的过程中获得成就感”，以达到“使学生全面提高学生的阅读能力，激发学生继续学习的热情，形成良好的学习期待意识”的目的。教师在网络平台上布置了预习作业：（1）理清课文思路，用四字短语概括其写作思路；（2）解读课文内容，选出自己感触最深的一处或两处加以具体分析；（3）质疑释难，就本文的思想情感、构思剪裁、表现手法、遣词造句等方面提出问题。

语文实体课堂开始之前，学生就在网络平台上纷纷跟帖发表自己关于课文的解读；课堂教学过程中，教师针对学生们提出的问题，再次进行点拨，对网络平台上的帖子作出点评，并把学生的优秀答案展示在课堂上，也引导学生针对仍然存在争议的地方进一步进行讨论。在这样的课程中，让我们感叹的不仅仅是教师的妙语连珠，学生习作的精彩也让人赞叹不已。一位学生在学完《纪念刘和珍君》这课以后，在网络平台上留言道："鲁迅先生是冰冷的么？大概有人这样认为吧？时时刻刻紧蹙眉头斗争着，不得一刻安息的斗争者，永远背负着沉重的责任与黑暗，这样的一个人，大概没人愿意亲近吧。然而当我在暗夜中虔诚的含泪伫立在先生的文字前，或者情不自禁伸出手去触摸那冰冷的文字和那文字中的精魂，却隐隐地感受到激荡的热流和温热的哀伤。"当这样深沉的文字从一个高中生笔下汩汩流出时，这难道不已经是成功教学的明证了吗？

但是对课文的理解并不是这篇文章的终结，在分析了文本之后，老师为学生们留下了两项拓展作业：为刘和珍写挽联和墓志铭。有了课上的阅读，网络平台上的留言在真挚的情感背后更带有了理性的思考，平台上佳作连连，学生与鲁迅先生在精神上、心灵间取得了极大共鸣。

而在经典小说《药》自主探究中，邓虹老师的整个教学活动在虚拟课堂与实体课堂之间自由切换进行。课前，在网上开辟"《药》自主研讨区"，发布学习公告："欢迎大家从小说的主题、小说的人物、小说的情节、小说的结构、小说的语言……各个方面进行分析、感悟、探讨、质疑！"学生们积极响应号召，自由选择研读角度，迅速提交出高质量的作业。接下来，老师在仔细阅读学生发言与点评后，整理研读成果和疑难问题，再次发布学习公告："同学们的分析认识水平令人惊叹啊！敬请大家欣赏！"网上张贴"《药》自主研讨核心内容梳理"，进一步激发学生的学习积极性和自主钻研精神。

充分的自主研读为实体课堂教学的针对性、时效性、创造性打下了坚实基础。实体课堂三课时。前一节半课，老师以学生们涵盖《药》各部分内容的精华帖为引导，从对课文的整体感知到各部分内容深层分析，容量大却不繁复庞杂，节奏快却不敷衍潦草。后一节半课，老师根据学生自主质疑成果调整教学内容，开展重难点讨论，在这个过程中，老师特别点拨被学生忽略的关键性问题。《药》一文的深度解读在学生们异乎寻常的高涨热情中结束了。还能不能让学生与经典走得更近？如何能让经典常读常新从而"不隔"？老师又进一步尝试将流行文学创作元素引入课堂。（1）先向学生简介叙事学的新知识——"围绕一个故事讲出许多其他故事"，激发学生兴趣，开拓学生阅读与创作视野。（2）推荐2006年诺贝尔文学奖获得者帕慕克的代表作《我的名字叫红》，引导学生关注其超凡脱俗的艺术创造力与想象力，鼓励学生尝试独特的写作构思及新颖的叙事手法。（3）布置创造性思维拓展练习：从与小说《药》相关联的人、事、物、景等中，任意选择一个角度，自拟题目，尝试完成"与鲁迅先生合写《药》"的创新写作活动。

于是，出现了这样精彩纷呈的艺术创造："与鲁迅先生合写《药》"目录——《徘徊的乌鸦》《阿义的故事》《白家三兄弟》《灯之眼》《红》《我不情愿》《一枚洋钱的记忆》《我们都是馒头》《带血的灯笼》《你以为我是药》《茶壶的自白》《那片黑色》《天眼》《康大叔的昨天今天明天》……单是这几十篇各具特色的标题，已引发起学生们的好奇与惊诧了。而点开任何一篇，角度匪夷所思，选材眼花缭乱，立意超凡脱俗，实在令我们对学生充满敬意！这项拓展创新写作加上"平台互评"，字数几近五万。其中**《灯之眼》《我不情愿》《我是一株垂死的莲》《冷月无声》《天眼》《康大叔的昨天今天明天》**等多篇文章成为点击"热门"，掀起了同学们的点评狂潮！

《我是一株垂死的莲》一篇被首都师范大学文学院刘占泉教授引入大学课堂，并在其博客中这样写道："这是今天我课上全文朗读的作文。……这个文字我读着读着就停不住了，学生也听得入神，时有赞叹声和唏嘘声……读完，我说了5分钟，专说这个文字的内涵、特色、价值……几年了，几乎很少或者根本就没有读到过这么本色的高中生文字。"刘占泉先生还点评说：鲁迅专题研究课程使"学生穿越历史时空，走向经典的内蕴，通过再度的细读、感悟、思辨，在一定程度上消解了对鲁迅先生的陌生感、疏远感和畏惧感，初步达到了经过文本与作者交融思想情怀的深层解读目标。”这样的专题选修研究无疑使学生的情感体验、语言感受、思想认识、创造性思维、个性化品质得到极大发展。

经过多年的发展，北京师大附中的语文综合实践活动课已经形成了一定的规模和体系。展望未来，配合课程改革和学生发展的需要，语文组将进一步丰富“语文大课堂”，制定更翔实的目标体系、内容体系、实施纲要和评价标准，充分发挥语文课程在促进学生全面发展方面的独特功能，使学生获得必须具有的人文素养语文技能，同时帮助学生在语文学习中探寻适合自己的发展方向，给他们提供更多的个性发展机会，更大的展示才华的舞台。

四、自由而规范的研究性学习

“古希腊学者阿基米德说过：‘给我一个支点，我就可以撬动地球。’问题是：谁给他这个支点？对于我们教育工作者而言，我们必须把这个支点给学生。研究性学习课程的设置和开展，就是在给学生‘支点’。不要小看学生的能力，不要低估学生的创造性。只要能激发他们的兴趣，调动他们的积极性，他们的成果将是令人惊异的……”（研究性学习辅导教师高超）

有多少化学实验的现象与课本描述的不一样啊？

不同材料对太阳能的吸收状况怎样？

苔藓植物对二氧化硫的浓度有怎样的指示作用？

能不能自己制作智能化窗帘？

能不能研制一种自动制热饮料罐？

北京市新交规颁布后，非机动车的交规意识如何？

宣南文化经济的潜力和发展路径应该是什么？

封闭的试验田（全日制私塾）——是教育创新还是教育复辟?

博客给我们带来了什么?

如果出现突发紧急事件，在校的附中学生应该如何紧急避险?

……

2001 年底，当研究性学习作为一门全新的必修课程走进北京师大附中校园后，“支点”效应出现了：无数精彩纷呈的课题如雨后春笋般涌现出来。学生创造发明、质疑教材、观察社会、反思自身；研究的课题涉及政治、经济、科学、文化、心理、思维等各领域几乎所有学科。这个世界被我们的学生托在手中从若干个角度观察、审视、设计。

（一）研究性学习的课程定位

研究性学习是一门与其他各门学科课程并立的独立课程，它不像语文、数学等学科课程，有课程标准和教材，研究性学习只有《研究性学习课程实施指南》。按照 2003 年颁布的《普通高中课程实验方案》的规定，研究性学习与社区服务、社会实践一起构成综合实践活动领域。“重过程，重体验，重应用，重合作”是它的特点。研究性学习更加注重知识的综合运用；注重学生分析与解决问题能力、人际交往能力和组织管理能力的培养；强调学生在认知、情感和行为倾向三者之间的协调发展。

（二）研究性学习的课程内容

研究性学习由最初的高一年级开设，向上下游延伸和拓展，形成了初二、高一、高二、高三，四个年级各有特点和重点的研学体系，详见表 3－5。

表 3-5　研究性学习的课程内容及特点

年级	整体目标	探究能力目标（详见备注）	课题范围选题方式	研究过程特点	成果形式	指导方式
初二	激趣：初步体验科学探究	①③④⑤⑦⑨	教师给定科普类课题	学生在既定的研究板块和研究框架下合作探究已有科学定论的问题，旨在体验科学探究过程并进行生动的科普展示	科普展板 成果 PPT 视频 科普宣讲活动	教师主导式：提供研究课题、确定研究方法和策略、协助开展研究及科普宣传活动
高一	入门：掌握科学探究的一般方法，学会进行课题的科学探究	①②③④⑤⑥⑦⑧⑨	学生自主选题范围不限	基于研究性学习小组的学生主体探究活动	论文 实验报告 调查报告 实物模型 视频 成果展示汇报会等	辅导教师和导师的双轨制：激发动机、培养兴趣；引导方法、建立规范；跟踪过程、把握价值；帮助进程、倾听体悟
高二	登堂：结合高中课程进行拓展性的纵深探究	①②③④⑤⑥⑦⑧⑨	教师提供备选的学科课题，学生择一研究	紧扣学生已有的学科知识；基于研究性学习小组的学生主体探究活动	论文 实验报告 调查报告 实物模型 视频 成果展示汇报会等	年级组织管理+导师课题指导的合成模式
高三	内省（对自我人生的探究）：制定个人职业发展规划	②③⑤⑥⑨	统一课题：人生规划（人力资源管理领域）	专家讲座"导"人生规划；社会调查"明"职业状况；个人独立完成职业规划	论文	以班主任为导师的年级组织管理模式

备注：

能力培养目标：9 种单项探究能力（根据《美国国家科学教育标准》的相关内容提出）：

①观察自然现象、社会现象；②提出问题；③获取和归纳信息；④提出或修改假设；⑤提出答案、解释和预测；⑥制订与修改计划；⑦搜集、分析和解读数据；⑧检验假设；⑨表达与交流研究结果。

（三）研究性学习的开展特点

从最初的摸着石头过河，到今日具有北京师大附中特色的研究性学习教学体系的初步形成，我们在克服困难、寻找突破点的道路上前行着。也是在这样的过程中，我们感受到一届届学生在研究性学习中的获益和成长。如何成功地给学生一个“支点”，有效地推进学生的研究性学习始终是我们关注的问题。我们力图在课程的组织形式、教师指导、教学方法、实施评价等方面有所突破。我校摒弃传统课堂建制的传授方式，以小组活动为主；采用辅导教师和导师制的双轨制度开展教学；对学生进行形成性和结果性相结合的评价。略加梳理，形成以下思路。

1. 坚持教师指导下的自主选题

我们的研究性学习采用学生组成研究小组开展课题研究的学习方式。坚持以学生为主体，充分发挥每一个学生的自主探究学习能力，致力于培养学生团队合作的能力和精神，激发学生进行创造性学习。因此，发现“有价值”“可以研究”的问题是至关重要的第一步。

在选题这个环节上，我们坚持如下几个原则。

第一，基于自身兴趣的学生自主选题。鼓励学生从自然、社会和自身生活中选择自己感兴趣的研究专题。兴趣是最好的老师，也是学生在某一方面智能的发展欲望。我们坚持学生因材（自身能力、特点）选题，给他们以发展潜能的机会。

第二，选题具有实践探究性。我们认为，研究性学习的教学的认知取向不是接受学习，而是发现学习。整个学习应该是在选题解题的过程中，生成知识。因此，我们要求学生的选题应该是具有可操作的实践性题目，可以是自然与社会的体验、观察实验、体验式学习等，尽量不选择高深的理论性题目。实践性的课题还可以很好地培养学生的组织管理能力、动手实验能力，能够弥补课堂中知识传授的能力培养不足问题。

第三，选题要充分利用校内外资源，体现区位特点。一方面，立足学校特色。可以充分挖掘百年附中的优秀文化积淀，如校史研究、校友研究、校园文化研究等。可以针对当前学校生活展开研究，如班团队活动设计、学生管理、教师状况等。另一方面，充分利用地处宣南文化中心的区位优势，将宣南文化作为研究性学习的一个特色版块。

在北京故宫进行研究性学习实践活动

第四，教师指导保证选题质量。一方面，导师对学生的选题进行评估、改造，使之适合“研究性学习”，另一方面，各个教研组每年结合学科教学、学科前沿和热点提供高质量的参考题目，最后形成一份研究性学习课题参考，以备学生选用。学生选题必须和导师沟通，必须在导师指导下完善选题，并由导师进行最终的修改和定题。

2. 加强科学研究方法的教学

所谓“授人以鱼，不如授人以渔”，为引导学生高效地开展研究性学习，我们把科学研究方法的专题教学作为辅导员教师的主体授课内容。我们目前已经讲授的研究方法有：实地调查法、问卷调查法、访谈法、文献检索法、科学实验法、社会实验法、博弈论、民俗研究方法等。每一个专题由擅长该领域的教师负责在集体备课的基础上开发教案、教学课件、教学资料、巩固训练。在挖掘校内教师资源的同时，我们充分利用社会资源，邀请校外专家来学校为学生开研究方法的讲座，如博弈论、民俗研究方法等。

3. 采取辅导教师和导师的双轨制度

学校建有研究性学习教研组，各年级设有各班辅导教师组成的备课组。辅导教师是研究性学习的教学管理者和推进者，统筹管理各班的研究性学习，进行一般科学研究方法的讲授。

与此同时，学校有一支由校内教师和校外专家组成的导师队伍。导师负责学术指导。每个研究性学习小组配备导师一名，指导学生进行专业研究，为研究小组的科研活动提供专业知识支持和具体方法指导，并具体指导学生撰写开题报告，最终指导学生撰写出论文或获得其他研究成果，完成结题报告。

从学生的角度看，辅导教师和导师的双轨制度使得研究性学习既可以在学校班级建制下整体有序地开展，充分发挥班级管理和推进的优势，又可以使得学生可以获得合适的“点对点”的专业指导。从教师的角度看，基于课题专业要求的导师配备，因教师之材施教，很好地发挥了教师的专业特长，也有利于教师的专业化发展。

从实际实施的效果看，教学管理和学术指导并行的方式是很有效的。目前，我校几乎所有的教师都担任过辅导教师或导师。不仅校内教师积极投身导师指导工作，校外的一批专家能人也成为我们的导师。学校已经形成一支相对稳定的、有热情、有兴趣的、老中青结合的、多学科教师组成的研究性学习辅导和指导教师队伍。

4. 强调研究性学习小组的团队建设

在共同置疑→探索→解惑的探究过程中，学会沟通，培养良好的团队意识和协作能力也是我们的重要目标。在研究性学习分组的过程中，我们引入了团队建设模式，通过共创队名、队歌、队训、团队展示、团队游戏等环节努力打造具有共同目标的有凝聚力的分工协作的研究性学习小组。为防止“边缘人”出现，我们严格控制小组人数（4—5 人），并在课题的研究过程中利用开题报告评价、中期汇报评价、个人表现评价等管理方法敦促每一位学生贡献自己的力量。

5. 过程和结果并重的评价机制

我们建立较为完善的研究性学习的评价制度，强调结果性评价和过程性评价的统一。不仅要通过全面而多元的评价发现学生研究过程的亮点，激励学生，还要通过评价引导学生科学、有效地开展研究。评价的内容包括平时表现和课题成果。平时表现是指学生参与研究性学习的态度、合作精神、创新精神和实践能力的发展情况、对学习方法和研究方法的掌握情况等；课题成果包括论文、实验报告、创作作品、模型等。评价采取学生自评、辅导教师评价和导师评价三结合。具体办法如下。

学生根据小组研究性学习的活动进程填写《研究性学习周活动登记表》；辅导教师根据学生的平时表现给出平时成绩（40 分）；导师根据学生在课题研究中的探索活动和研究成果填写《研究性学习开题评价表》《研究性学习过程评价表》《研究性学习导师论文评价表》。

研究性学习一个研究阶段结束后，评选优秀研究性学习小组和优秀论文，推荐优秀论文参加北京市科技大赛。学校还将对各年级评出的特优创新研究者予以表彰和奖励。

每个学生的最终成绩由辅导教师根据上述所有资料和评语，按照平时成绩 40%、论文成绩 60% 的方式以百分制打分。

“路漫漫其修远兮，吾将上下而求索。”作为一门非高考的必修课，研究性学习在我校逐步找到了自己的生存和发展方式。秉承素质教育理念的北京师大附中教师在这个具有全球成功实践案例的课程上作了很多的尝试。学生在这个课程中的表现带给我们许多惊喜。2004年，中央电视台少儿频道《神奇之窗》栏目对我校的研究性学习作了专门的系列报道。学生们的研究成果在北京市、国家的各项科技创新大赛中屡获佳绩，成绩喜人。更重要的是，附中人自高一起就开始了可以终生受益的研究方法的学习。考入大学的附中学子告诉我们，得益于研究性学习的研究方法训练，在高校的学习过程中，他们很快便进入了论文写作的阶段。我们坚信，在这个方便快捷、可以多渠道获取各种信息的时代，我们注重思辨、探索、合作的研究性学习会有更加美好的明天！

附：

研究性学习优秀课题：宣南文化特色（结题论文节选）

“宣南”是地理概念，指北京宣武门外以南地区。据北京文史专家叶祖孚讲，明代今宣武门外骡马市大街以南，东至潘家河沿，西至教子胡同一带叫“宣南坊”；到清代时，人们逐渐把宣武门以南地区都叫成“宣南”，文人唱酬歌咏，也习惯于在自己著作后面题名时署上“宣南”两字。“宣南文化”是指清代在宣南这一地区形成的各种文化现象。宣武区是北京城的肇始之地，也是北京建都的肇始之地。3000多年的悠久历史造就了宣武区丰厚的文化底蕴和文化资源。早在明清两朝“北京文化”形成的重要时期，当以皇城为中心的内城成为宫廷文化集中区时，处于外城的宣南日益成为士文化与市井文化的衍生地。清乾隆年间，朝廷修《四库全书》，天下文人聚集北京，《四库全书》总编修纪昀、编修程晋芳等人均住在宣南，他们以琉璃厂为中心，交换书籍、探讨学问，形成了最初以士文化为代表的“宣南文化”。伴随着宣南文化的兴起，各种商业、娱乐业应运而生，大栅栏、天桥等地也因之繁荣，而在这里的由外省住京官员和商家建起的众多会馆，在把众多进京举子、商家引到宣南的同时，也把各具特色的外省文化融入了这方土地。

经过多年的繁衍，宣南文化已集通俗、儒雅和华丽于一身，成为北京文化的精华和缩影，成为北京各族人民共同构筑的文化宝库。她包括了众多各具特色的文化系列，主要有以大栅栏为代表的商业文化、以天桥为代表的老北京民俗文化、以琉璃厂为代表的京城士文化、以京剧为代表的戏曲文化、以各地会馆和名人故居为代表的会馆宅邸文化、以牛街为代表的回族文化、以法源寺和先农坛为代表的坛庙文化、以鲁菜和回民小吃为代表的饮食文化、以大观园为代表的红楼文化九个文化系列。

基于以上这些，我们就如何对宣南地区的文化经济进行开发提出了我们并不成熟的规划。

设想1：设立文化提示牌。

由于我们不可能也没有必要把所有的文化遗迹都进行修复，所以我们可以在一些街区或者文化遗迹的附近设立文化提示牌。在文化提示牌上，我们可写上：文化遗迹的名称、修建的时间、文化遗迹的相关简介、与此文化遗迹有关的历史事件、文化遗迹的保护单位、设立提示牌的时间等。也可以在文化遗迹比较集中的街区设立较为完整的文化提示牌，在上面写上此地所有的文化遗迹的名称。

优点：1. 投入的资金较其他形式的修复与保护少；

2. 增加本地区的文化氛围，提高本地区的文化品位。

设想2：建立会馆微缩景观公园。

宣南地区是京城会馆的聚集地，在这里的胡同中分布着许多的会馆，我们并不用把所有的会馆都进行修复。我们可以在宣南地区的某地建立一个以会馆微缩景观为主的主题公园。

优点：1. 可供城市居民休闲、娱乐，使本区多一个“城市绿洲”；

2. 可供人们研究会馆文化及建筑艺术等；

3. 可带来一定的经济收入；

4. 增强北京市区的文化氛围。

设想3：会馆、故居的修复与多种功能的开发。

对一些有着研究价值与重大历史意义的会馆与故居进行修复与多种功能的开发。我们可以把一些会馆改建为博物馆、艺术馆、纪念馆、书店、画廊等一些文化气息较浓的公共设施，也可以把一些会馆改建为复古的民居。

优点：1. 保护了会馆和故居；

2. 带来一定的经济收入；

3. 发展了更多的文化产业单位；

4. 解决了部分居民的居住问题；

5. 增加本地区的文化氛围，提高本地区的文化品位。

设想4：政府加大宣传力度。

只有大力宣传我们的优势，才会有更多的人了解我们、关注我们。我们可以举办旅游文化节，通过媒体大力宣传宣南文化，打造“国际品牌”的宣南文化……

优点：1. 可以让更多的人了解我们；

2. 吸引更多的投资商；

3. 增加本地区的文化氛围，提高本地区的文化品位，带动本地区经济的发展。

五、五彩纷呈的特色校本课程

我校的“任选”校本课程是为学生发展个性特色而设。我校的“必修”与“必选”课程提供了学生发展的共同基础，并使学生具有了一定“群体特色”，但是，上述两类课程在促进学生个性发展方面存在明显不足。首先，缺乏选择性，学生“自主选择”意愿表达不够；其次，大部分课程以“基础”为主，不能满足某些学生对课程深度和宽度的个性需求；最后，课程以“分科课程”为主，缺乏“综合融合课程”与“活动课程”，使学生的学习与自身经验缺乏紧密联系、易于与生活和社会脱节，不利于学生生成体验、提高解决实际、综合性问题的能力。为了实现“全人格、高素质”的育人目标，我校设置了拓展学科知识、提升学科能力的“拓展延伸类”课程、提高专项技能的“专项精深类”课程、为研究综合课题的“学科融合类”课程，以及增加体验、解决实际问题的“活动类”课程，分为“语言文学”“数理科学”“历史文化”“经济”“健身技能”“艺术技能”“信息电子技术”，以及德育的“塑造人格类”八个学科群。具体如表3－6。

表3－6 特色技术课程

领域	课程名称	类型	开设部门
语言文学类	文学作品的美学解读	拓展延伸类	语文
	古典诗词鉴赏	拓展延伸类	语文
	千年东坡	拓展延伸类	语文
	宋词鉴赏	拓展延伸类	语文
	古籍经典阅读	拓展延伸类	语文
	现当代散文名家鉴赏	拓展延伸类	语文
	小说鉴赏	拓展延伸类	语文
	走进尘封的岁月	拓展延伸类	语文
	青春读书课	拓展延伸类	语文
	古典作家巡礼	拓展延伸类	语文
	比较文学	拓展延伸类	语文
	诗性写作	拓展延伸类	语文
	英语语法	拓展延伸类	英语
	英语口语	拓展延伸类	英语
	英语视听说	拓展延伸类	英语
	英语辩论	拓展延伸类	英语
	新闻英语	拓展延伸类	英语
	看电影学英语	拓展延伸类	英语
	英文学欣赏入门	拓展延伸类	英语
	外国文学名著导读	拓展延伸类	英语
	英美文学	拓展延伸类	英语

领域	课程名称	类型	开设部门
语言文学类	希腊神话故事选读	拓展延伸类	英语
	快乐日语	拓展延伸类	专长教师
	故宫中英文双语讲解	拓展延伸类	
	新闻采访	拓展延伸类	外请
健身技能类	篮球实践与鉴赏	专项精深类	体育
	足球	专项精深类	体育
	乒乓球	专项精深类	体育
	排球	专项精深类	体育
	健美操	专项精深类	体育
	武术	专项精深类	体育
	瑜伽	专项精深类	外请
	桥牌	专项精深类	专长
艺术技能类	素描技法	专项精深类	美术
	服装设计效果技法	专项精深类	美术
	动漫技法	专项精深类	美术
	陶艺制作	专项精深类	美术
	走进老手艺	专项精深类	美术
	声乐表演	专项精深类	音乐
	合唱艺术	专项精深类	音乐

续表

领域	课程名称	类　型	开设部门
数理科学类	初等数论初步	拓展延伸类	数学
	数列与差分	拓展延伸类	数学
	不等式选讲	拓展延伸类	数学
	数学竞赛	拓展延伸类	数学
	物理竞赛	拓展延伸类	物理
	化学竞赛	拓展延伸类	化学
	生物竞赛	拓展延伸类	生物
	物理拓展实验	拓展延伸类	物理
	化学实验探究	拓展延伸类	化学
	生命科学前沿	拓展延伸类	生物
	数学史	学科融合类	数学
	物理实验与物理学史	学科融合类	物理
	物理学史	学科融合类	物理
	生物科学与社会	学科融合类	生物
信息电子技术类	程序设计	专项精深类	信息
	网络技术	专项精深类	信息
	数据库技术	专项精深类	信息
	算法与程序设计	专项精深类	信息
	数据库技术应用	专项精深类	信息
	Unix	专项精深类	信息
	多媒体技术应用	专项精深类	信息
	摄影及图片处理	专项精深类	信息
	初级网络工程师	专项精深类	信息

领域	课程名称	类　型	开设部门
信息电子技术类	简易机器人制作	专项精深类	科技
	电子控制技术	专项精深类	科技
	AVR 单片计算机	专项精深类	科技
	地理信息系统	专项精深类	地理
	趣味 GIS	专项精深类	地理
	电子技术	专项精深类	外请
	汽车兴趣小组	专项精深类	外请
历史文化类	世界历史的进程	拓展延伸类	历史
	大国的崛起	拓展延伸类	历史
	昨日的世界	拓展延伸类	历史
	中国动画中的传统精神	学科融合类	语文
	大众文化	学科融合类	语文
	西方文化	学科融合类	外请
	汉字与文化	学科融合类	语文
经济类	企业经营模拟	职业活动课	政治
	学生公司	职业活动课	政治
	保险伴我一生	活动类	政治
塑造人格类	突破	自我认知	心理
	生涯规划	自我认知	心理
	生命伦理学	学科融合类	多科
	模拟联合国	活动类	多科
	《100 个附中人》的采访与写作	活动类	教导处

下面是我校构建的几门特色课程。

（一）生命的凝视——“中学生命伦理学”课程

教室里，在凄美的《丁香花》乐曲中，屏幕上呈现：“如果你父母是晚期癌症患者或你是晚期癌症患者，你是否愿意告知或被告知实情，为什么?”

学生分组讨论

教师在黑板上统计学生观点，小组派代表陈述观点及理由。

……

教师向学生讲解晚期癌症患者一般会经历的完全不知情、怀疑、装作不知情、完全公开四个心理阶段，讲述《死亡日记》《感动中国2006》等故事，列举告知和不告知实情引发的案例。

学生结合上述四个心理阶段继续分组讨论：如果一直隐瞒病情可能会导致的结果；如果告知可能引起的结果。

教师听取学生汇报，从临终病人的心理、生理、安全需求等几方面引导归纳结果。

……

“如果你还仅有6个月的生命，你将如何安排自己剩下的时光？你有哪些心愿希望实现?”请学生写下遗书，写后与同学交流。

……

临终关怀：重在关怀、而非治疗。播放台湾临终关怀公益广告“生命的尽头你可以选择不要仪器的陪伴”。

“最后的死去和最初的诞生一样，都是温馨的时光。最后的晚霞和最初的晨曦一样，都是太阳的辉煌……”

一周后，师生一起参观了北京朝阳门医院临终关怀病区，与病人和医护人员交流，聆听了郭院长所作的报告并提出疑问。

正如阿尔贝特·史怀泽所说的那样，“受制于盲目的利己主义的世界，就像一条漆黑的峡谷，光明仅仅停留在山峰之上。所有的生命都必然生存于黑暗之中，只有一种生命能够摆脱黑暗，看到光明。这种生命是最高的生命——人”。毫无疑问，人类赖以摆脱黑暗的重要工具之一是伦理智慧。

生命伦理学是20世纪60年代在美国兴起的，迄今为止世界上发展最为迅速、最有生命力的交叉学科。生命伦理学中的生命主要是指人类生命，但有时也涉及动物生命、植物生命以至生态；而伦理学是对人类行为的规范性研究。简言之，生命科学是解决能够或不能够，而生命伦理学所解决的是应该或不应该的问题。

1997年联合国教科文组织在《人类基因与人权普遍宣言》中指出，各个成员国应当采取适当的方式，通过教育和其他相关手段，通过跨学科领域的研究和培训，通过促进各种层面的生命伦理教育来促进这一宣言中所提出基本原则的实现，这些原则包括：不伤害、有利、尊重和公正。

我校于2003年率先从国外引进生命伦理学课程，同时，生物教研组与日本筑波大学Darryl Macer教授合作，参加了由他主持的一项国际课题“跨文化信息时代公民的生命伦理学教育”（Bioethics education for informed citizens across cultures）。我校成为中国大陆第一所开设生命伦理学课程的中学。

我校开设的“中学生命伦理学”是一门德育智育交融、文理科交叉的校本课程。它是对国家课程的补充和拓展，也是对我校“全人格、高素质”教育理念的探索和实践。生命伦理学课程以其独特的内容和教学方式，对学习者有效地进行尊重生命、呵护生命、崇尚道德的教育。

由于没有现成经验可参考，我们只能在实践中不断摸索，逐步完善这门课程。授课教师根据个人专长自愿选题，每人承担一到两个自己感兴趣的课题，涉及的教师不仅有生物教师，还有政治教师、英语教师，校外专家也积极参与。多学科教师参与不仅提升了本课程的学术品位，更使学生感受了不同教师的特色。目前我们基本确定了如表3－7的教学内容。

表 3－7 “中学生命伦理学”课程教学内容

专题	名 称	专题	名 称	专题	名 称
1	生命伦理学介绍	7	人类干细胞研究中的伦理问题	12	使用动物过程中的伦理思考
2	医学伦理学				
3	基因隐私权与信息	8	人类瘟疫	13	脑死亡
4	辅助生殖技术	9	艾滋病与伦理	14	安乐死
5	克隆人来了怎么办	10	珍爱生命拒绝毒品	15	可持续发展
6	器官捐献	11	转基因食品的安全性	16	保护世界文化遗产

“中学生命伦理学”选修课进一步拓展了学生的生物科技视野，帮助学生从生命伦理角度理解生物科技与社会的关系。在教学中，主要采用教师讲解启发、学生交流研讨、课下调查与实践相结合的方式进行教学。课堂上教师提供素材，并讲解与专题内容有关的生物学知识，然后让学生们对上述问题发表见解，学生在讨论交流的过程中思考有关伦理问题，作出自己的价值判断。有的专题，教师还利用课余时间组织学生参观、服务，如参观朝阳门医院并为临终关怀病区老人服务，参观北师大猛禽救助中心。有的专题组织学生调查，如调查公众对转基因食品的接受程度、公众对克隆人的认识程度等。

“中学生命伦理学”使学生了解到科学技术在造福人类的同时，也带来了一系列前所未有的伦理问题。课程在科学教育中融入对人类命运终极关怀的思想，使学生的“人的权利和尊严”“人类的整体和长远利益”“社会正义”等价值观念得到提升。课程引导学生就“什么是生命，什么是死亡，什么是人，什么是人的尊严”等问题进行思考；让学生在具体的伦理实践和特定的伦理冲突中去体会和把握伦理问题，使他们逐渐成为具有高度社会责任感的人。

“中学生命伦理学”课程在我校已连续开展六年，选修人数连年增长，深受学生欢迎。每次课程结束后，学生表达出来的理性思考、真情实感，都充分证明该课程的教育价值。下面是学生的课后体会：

“源于对生物的热爱，对伦理问题的迷茫，生物伦理学为我们呈现了一个新的层面、新的平台，去研讨和探究生命的神秘图景。作为21世纪的建设者，我们理应掌握更多的科学知识，生物技术作为一门新兴的热门科学，对人类、对社会有着不可磨灭的贡献。感觉这门课新奇而有趣，充满了思考的探索与猎奇。我很喜欢老师的授课方式，希望更多交流与图片展示。”

“在一次又一次课程的洗礼下，我的思想一次又一次地受到了冲击。一种无以言表的东西震撼着我的心灵，它的名字叫——生命!”（原高二某同学课后感言）

生命的存在是人类一切活动的前提，生命的质量是人类进步的基础。生命伦理教育是从根本上关心青少年的成长和发展，是为他们的人生夯实基础，是为他们的终身发展负责。为此，我校不断完善优化此课程，并扩大其影响。目前，已正式出版校本教材《中学生命伦理学》，该课程也成为宣武区跨校选修课程。经过我校多年精心打造，这门创新课程获得了“第三届北京市基础教育教学成果”一等奖。

（二）我的情绪我做主——“初中情绪胜任力”课程

情绪是指个体受到某种刺激后所产生的一种身心激动状态。每个人都会有情绪，心理学上把情绪分为四大类：喜、怒、哀、惧。如何体察并管理好情绪是每个人都必须面对的主题。

下面是情绪胜任力之“情绪变色龙”专题教学设计。

问题菜单：

1. 大家知道变色龙为什么会变色吗?

2. 人的情绪可以改变吗?

3. 当你**不高兴**的时候，你会想办法改变一下自己的心情吗?（有没有同学情绪低落的状况会持续很长时间，不知道怎样才能让自己快乐起来?）

当你紧张的时候，你会想办法让自己放松一些吗？（考试中、体育比赛前、当众发言前如何调整紧张的情绪?）

行动指南：

1. 很多同学都有调整情绪的方法，请把自己改变这两种情绪（不高兴、紧张）的方法分别写在两张纸上，和大家一起分享。

2. 把学生写的纸条收上来，打乱，然后再让学生来抽签读别人写的方法。

归纳总结：

变色龙变色是为了让自己适应环境，更好地生存；同样，我们及时地改变和调整情绪也是为了让我们自己更好地适应生活中的各种情境，保持心理健康。

写下你学到的改变情绪的好方法，找到你不高兴的时候调整心情的最好方法，找到你紧张的时候调整心情的最好方法。

情绪胜任力课程采用团体辅导的方式对青少年的情绪胜任力进行干预，促进青少年在团体环境中认识自我并获得相互支持，在安全的环境中学习情绪识别、情绪表达方式和情绪处理方式等，演练各种相关社会技能、实践沟通和合作，并能控制和悦纳自己的情绪，培养他们的“共处人格”与“乐观人格”，从而提高人际交往能力、学习能力和面对挫折的能力，实现身心全面、和谐发展。

2007 年，我校心理教师与专门从事青少年心理发展研究的北京师范大学心理学院教授合作，在初一年级学生中开展了以情绪的体验和表达活动为主要内容的“情绪胜任力”课程。之前，很多教师都会遇到情绪极端的学生，不仅不理解而且束手无策，有时去做思想工作，但以说教为主，收效不大。开设此课，有助于师生正确认识“人的情绪变化”，了解管理情绪的一些方法，使学生健康、和谐发展，塑造全人格。

情绪胜任力课程的教学方式既包括讲授式的指导，也包括角色扮演、小组讨论、教师和同伴示范等，课程注重科学性，有理论基础，体验代替说教，活动有趣，在游戏中学习，不刻板，深受学生欢迎。

为了更好地观察每位学生的课堂表现，为每位同学都创造尽可能多的体验和表达机会，该课程采用团体辅导的方式进行课堂教学，每个自然班（36—37 人）分为三个小组，每个小组 12—13 人，分别在三个不同的教室进行团体辅导，每个小组固定由一位教师负责。该课程共包含 8 个课时，每周 1 课时，持续半个学期。在每次团体辅导后，学生需完成自制作业本“互动小先锋”上相关的作业。

表 3-8 8 次团体辅导的内容

主 题	内 容
热身	松树和大树，通过活动，学生和教师互相熟悉，目的是建立良好的、活泼、有趣和互动学习的氛围。
察言观色	学生抽签并用面部表情和肢体动作表演各种情绪（如高兴、悲伤），其他成员猜测他表演的是哪种情绪。目标是帮助学生掌握更丰富的情绪词汇，提高情绪分化能力，增强准确认识自己和他人情绪的能力。
情绪反斗棋	学生掷骰子走棋盘，按棋盘上各步的规定，抽签并表演各种情绪的引发事件和伴随行为。目标是帮助学生认识情绪的由来和走向，增强对“事件—情绪—行为”序列的理解，促进情绪—认知之间的联结。
情绪侦察兵	学生抽签表演两个互相对应的剧本，体验在同样情境下不同的想法导致不同的行为以及行为后果的过程。目的是帮助学生认识到“事件—想法—情绪—行为”之间的关系，尤其是“想法”在此过程中的重要作用。
情绪大魔方	学生观看电影《我的兄弟姐妹》中的两个片段（过年、分离），感受影片中人物的情绪体验，分别判断他们表达和隐藏的情绪。目标是帮助学生了解情绪表达规则，认识使用情绪表达规则的原因和结果。
情绪变色龙	引导学生写出缓解或消除“不高兴”和“紧张”这两种消极情绪的方法，并在团体中分享彼此的方法。目标是帮助学生认识情绪的可变性，学会提升心境和缓解紧张的方法。

续表

主 题	内 容
情绪遥控器	通过假设挑衅情境（别人故意把“你”的水彩画弄脏了），引导学生说出愤怒产生时的想法、行为反应和结果，讨论如何控制和消除愤怒情绪。目标是帮助学生认识情绪的可控性，增强对“愤怒”情绪的认知和生理反应的自我监控，掌握积极、有效控制愤怒的方法。
情绪减压阀	让学生画出自己感到有压力时的样子并把画解释给同学听，说出自己在压力下的状态和感受，讨论应对压力的方法。目标是了解压力的来源、压力引发的情绪以及压力对身心健康的影响，掌握有效应对和缓解压力的方法。

在这个课堂上，孩子们学会了辨别自己和他人的情绪，学会了如何更加恰当地表达自己的情绪，变得更加容易接纳自己和同伴的情绪，也能更好地调节自己的消极情绪，更好地应对学习和生活中的各种问题；在这个课堂上，他们可以自由地抒发自己的意见和感受，不用担心问题回答错误，不用怕没有机会表现自己，这是一个属于他们自己的课堂。当课程结束时，孩子们这样写道：

“真遗憾……活动课结束了！我非常喜欢这门课，活动课让我对情绪有了更深一步的理解，也能够更好地控制自己的情绪了。如果要我对课堂提建议的话，只有一个，那就是请老师以后多多组织这种活动课！Because I like it very much！谢谢老师给我们这样一个机会，用轻松活泼的方式来了解和掌握情绪。在这个课堂上，每个人都有发言的机会，都能展现出与众不同的风采来。”

“我觉得这种以游戏的方式让我们懂得什么是情绪、怎样改善情绪等，能让同学融入其中……以前那个情绪多变的我，现在有了很大的改变，我开始能更好地处理好令自己不开心的事情，变得更开朗了。”

“我喜欢活动课，可以让我和老师拉近距离。同学们一起以游戏、表演等方式上课，使每个同学都参与其中，亲身体会。自从上了活动课之后，我学会了调解心态、控制情绪。我收获了心理知识，也学会了和同学们合作，共同进退。”

情绪胜任力课程充分体现了北京师大附中“全人格、高素质”的育人目标。情绪管理是提高个人生活质量和人际沟通能力的重要基础，在青少年阶段进行情绪胜任力的训练，对学生来说，不仅受益于今日，更是对他们日后个人发展以及成为“社会人”、具有“亲社会”品质具有重大意义。

（三）给人生一个方向——“生涯规划”课程

假设度假途中，你所乘坐的轮船突然发生了意外故障，必须紧急靠岸。这时候，轮船正好处于下列6个岛屿的中间。你希望选择哪一个岛屿靠岸？要知道，这些岛屿只能通过轮船与外界联系。而由于天气原因，今后至少半年内船只都无法出航，而且你还要等待境外的轮船运送人员和器材前来维修你所乘坐的轮船。因此一旦靠岸，你可能需要在这个岛上待很长一段时间（至少一年）。请按一、二、三的顺序挑出3个岛屿。

岛屿R：自然原始的岛屿。岛上保留有原始森林，自然生态保持得很好，有各种各样的野生动物。岛上居民生活状态还相当原始，他们以手工见长，自己种植花果蔬菜、修缮房屋、打造器物、制作工具，喜欢户外运动。

岛屿I：深思冥想的岛屿。岛上人迹较少，建筑物多僻处一隅，平畴绿野，适合夜观星象。岛上有多处天文馆、科技博览馆以及科学图书馆等。岛上居民喜好观察、学习、探究、分析，崇尚和追求真知，常有机会和来自各地的哲学家、科学家、心理学家等交换心得。

岛屿A：美丽浪漫的岛屿。岛上充满了美术馆、音乐厅，街头雕塑和街边艺人，弥漫着浓厚的艺术文化气息。当地的居民很有艺术、创新和直觉能力，他们保留了传统的舞蹈、音乐与绘画，许多文艺界的朋友都喜欢来这里找寻灵感。

岛屿S：友善亲切的岛屿。岛上居民个性温和、十分友善、乐于助人，社区均自成一个密切互动的服务网络，人们重视互助合作，重视教育，关怀他人，充满人文气息。

岛屿E：显赫富庶的岛屿。岛上的居民善于企业经营和贸易，能言善道，以口才见长。岛上的经济高度发展，处处是高级饭店、俱乐部、高尔夫球场。来往者多是企业家、经理人、政治家、律师等，曾数次在这里召开财富论坛和其他行业巅峰会议。

岛屿C：现代、井然的岛屿。岛上建筑十分现代化，是进步的都市形态，以完善的户政管理、地政管理、金融管理见长。岛民个性冷静保守，处事有条不紊，善于组织规划，细心高效。

1. 请每位学生在5分钟之内完成自己的选择。

2. 完成选择后，请第一选择相同的同学组成一个小组，组内同学互相交流：自己为什么选择这个岛屿？每个人的兴趣爱好有哪些相同的地方？

3. 根据大家的交流给自己的小组命名并选取一个标志物，在大白纸上制作一张本小组的宣传图。

4. 每个小组请一位同学展示自己小组的图并在全班分享一下自己小组成员共同的特点，从中总结出6个类型最突出的特点。

这是我校职业生涯规划课程中“职业兴趣”课的一个片段。

职业生涯规划，简单说，就是你打算从事什么样的行业、想达到什么样的成就、想过一种什么样的生活、如何通过你的学习与工作达到你的目标。职业生涯规划不仅仅帮助个体了解自我、选择学习和从事何种专业，更深层次的目的是为了帮助学生选择一种适合自己的生活风格和生活方式。

现在的学生从小到大一直都被灌输这样的思想：好好学习，考个好成绩，考个好大学，找个好工作！可什么是好工作呢？真的到了工作那一天，却发现找不到工作的乐趣、得不到价值感和成就感，于是不断地跳槽、换工作，浪费了一年又一年的光阴。在这个时候，那些对自己的专业和工作方向都非常确定的人，已经在自己的工作岗位上获得了一个又一个成就，体现着自身的工作价值和成就感，快乐充实地开创着自己的新生活。

开设此门课目的是让学生认识到：自己喜欢的，才是最好的。兴趣是人们获得工作满意度、职业稳定性和职业成就感的重要影响因素，因此，认识自己、规划自己是职业生涯规划的核心内容。课程的主要内容分为三大部分，学生通过回答“我是谁?”“我要去哪里?”和“我如何到那里?”三个问题而达到规划自己职业生涯的目的。“我是谁?”包含了对自我性格、职业兴趣、职业能力、职业价值观、职业理想等的探索；“我要去哪里?”则包含了对工作世界的探索，主要包括工作环境和工作内容的探索，及建立工作和现在学习之间的联系；“我如何到那里?”则是对于决策方法的学习和应用。通过这几个步骤，学生可以对自己职业生涯方向作出基本的判断。在这里要强调的是，职业生涯规划课程内容包括对职业规划方法和步骤的学习，更重要的则是学习之后的结果，也就是通过这门课程的学习，能够对自己有更多的了解，从而找到实现职业生涯目标的有效途径。

2008 年起，我校在高一年级开始开设职业生涯规划选修课，高一末学生将会面临文理分科，在此之前对自己的职业生涯进行规划，可以帮助学生作出更适合自己的选择。职业生涯课采用教师指导、分组讨论、实践调查相结合的方式进行授课，针对不同内容，采用不同方法。在探索自我阶段，多采用活动或问卷调查来引导学生探索自己各个方面的特点，认识到这些特点对自己职业生涯选择的影响，扬长避短以顺利实现自己的职业生涯目标；在探索工作世界上，则鼓励和要求学生接触真实的工作世界，采访调查该工作岗位需要何种资历、发展前景如何以及相应的生活方式，等等，并将采访调查到的资料与全班分享；在最后的决策阶段，则着重于方法讲授与决策练习。

通过学习职业生涯规划课程，许多学生都发生了变化：

“这门选修课对我的影响是不容忽视的。我原本是一个做事没有什么目的性的人，总认为只要学习成绩好，没有什么目标也是可以的。然而在课堂学习中，我发现这种想法是十分错误的，我开始懂得一个正确的目标有多么的重要。这为我将来的职业生涯奠定了基础。”

“通过学习，我慢慢地认识了自己，了解了自己的兴趣、喜好、价值观，等等，心中的目标渐渐变得清晰起来，我不敢说确定就是它了，但是我会向这个方向努力。我了解了自己本身的不足以及和目标的差距，在平时就会有意识地去选择做一些对自己职业目标有益处的事情，比如说，上课争取多发言，学习在大家面前展示自己。其实，这堂课上学到的不仅仅是职业生涯规划，还有更多有关人生的认识，比如，思考的方式等，每一节课我都受益匪浅，不管是同学的分享、老师的讲授，还是自己的思考。”

“这门选修课的气氛轻松愉快，同学们可以畅所欲言，充分发挥自己的个性，就像在一个大家庭中一样。课程内容也丰富多彩，不单学习理论，还经常讨论交流、做测试、访问调查、做PPT展示，等等。通过这门选修课，我更加了解自己的各个方面，优势、劣势，对未来的职业有了较为理性的认识，不再像以前那样模糊不清了。我也深刻地体会到了职业规划的重要性，它可以让我们拥有更加有意义的人生。”

人什么时候会感到最为愉快和满足？并非是在人们很放松、什么事也不做的时候（比如看电视），而是当人们在专心致志地、积极地从事某种活动、忘记了时空和自己的时候。所以，要认识自己，知道自己要到哪里去，如何到达那里，那么当你走到那里，投入进去，你便可以享受自己的幸福与快乐。

（四）纵横捭阖的外交舞台——“模拟联合国”课程

“今天，我们模拟世界，改变自己！
明天，我们纵横捭阖，改变世界！”

——某模联学生的话

2007 年 11 月，北京市首届中学生模拟联合国大会，北京师大附中获得了最佳代表（1 名，吴天群同学）、最佳立场文件（3 名）、最佳地球村三项大奖。

2008 年在全国最高级别的北京大学全国中学生模拟联合国大会中，北京师大附中又获得了最佳组织奖，何晓桦同学获得最佳风采奖，樊思伊同学获得最佳演说奖，田甜、董芮、陈开元和张霓同学获得最佳立场文件奖。

2009 年 3 月在第五届北京大学中学生模拟联合国大会上，樊思伊以极为出色的表现众望所归地获得该委员会唯一的最佳代表奖。我校还获得了最佳立场把握奖、最佳阐述奖、最佳立场文件奖、最专业媒体人奖。

2010 年，我校在北京大学全国中学生模拟联合国会议获得最佳阐述奖 3 名、最佳立场文件奖 1 名、最佳报道奖 2 名、最佳代表奖 1 名。为何师大附中学子能够在“模拟联合国”的舞台上取得如此骄人成绩，这要从“模拟联合国”课程讲起。

在全球国家利益的激烈博弈中，联合国这个伟大的合作平台出现了。与联合国同时出现的是哈佛等美国大学校园中的模拟联合国（Model United Nations）。在这项活动中，青年人扮演各国外交官，就具有全球意义的各种问题按照联合国议事规则进行讨论。模拟联合国活动致力于培养学生团队合作、洽谈能力等领袖素质。这项活动不是通过试图调动人类争夺、竞争的欲望而组织起来的，而是要让学生在外交官的角色扮演中学会从全人类福祉出发求同存异解决问题。2004 年，北大启动了首届全国中学生模拟联合国大会，也就是这一年，北京师大附中成为北京最早探索通过模拟联合国培养学生的学校之一。模拟联合国对学生“家事、国事、天下事，事事关心”的要求和百年来附中人“忧国忧民，求真求善”胸怀天下的情怀形成了强烈的共鸣。模拟联合国自然而然地在致力于素质教育的北京师大附中生根发芽并茁壮成长起来。

1. “责任、理性、博弈、团队”是模拟联合国课程的核心价值

北京师大附中开设的模拟联合国是一门以多元智能为培养目标，融德育与智育于一体，理论与实践并重，多学科交叉的校本课程。我们试图通过模拟联合国这一课程，让我们的学生以“天下为公”的心态，用积极合作的态度“Heal the world，make a better world”，“为天地立命，为往圣继绝学，为万世开太平”。我们也试图通过模拟联合国这个课程，让我们的学生在锻炼自己非凡口才的同时，体悟现实世界各种政治力量的博弈，感受民主化进程中的成果和困境，学会开始用理性的目光审视这个还并不完美的世界，更尝试以主人的角色为人类描摹更加美好的明天。我们也试图通过模拟联合国这个课程，让我们的学生在研思世界性问题的过程中，感受个人与社会之间的微妙的联系，认识到个体的孱弱、团队的强大。

2. “模拟联合国”要“让领袖人物脱颖而出”

（1）严格的学生遴选机制选出“优秀的种子”

谁都可以成为我们的学生吗？不是。模拟联合国是培养未来领袖人才的，而且参加模拟联合国的活动要倾注大量的时间和精力，不是所有的附中学生都可以胜任活动的要求。为了挑选“热情勤勉、才智过人、善于沟通”的学生，我们形成了招新宣传→笔试→面试的三部曲学生遴选机制。既保证面向全体高一高二学生，自由参加，同时通过笔试、面试公平地挑选合适的学生。我们的学生每年基本维持在30人左右。由于入口把关了，选拔出来的学生对模联有热情，勇于付出，少有中途退出的（模联有规定：模联的门永远敞开着，随时可以退出），也因为学生一以贯之的坚持，学生个体的成长非常显著（参见图3-2）。

（2）“选修课+模联协会”的组织模式促使“模联人”自治

模拟联合国实行教师指导下的自我管理。成立模拟联合国协会，通过民主选举的方式产生主席、副主席、学术总监、外联总监等负责人，负责模拟联合国日常活动（主要是模联会议）。附中学生是善于自治的

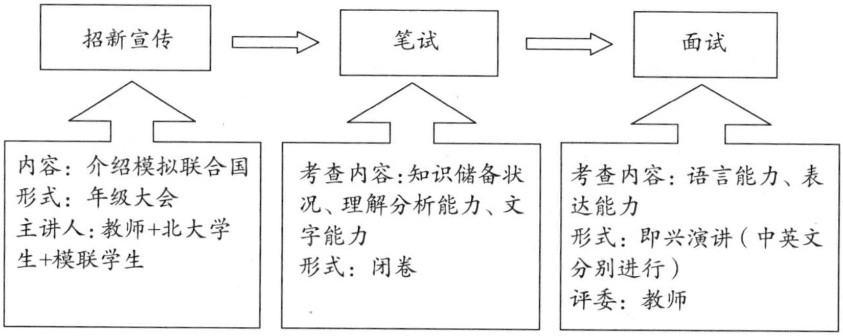

图 3－2 “模拟联合国”选拔学生步骤图

学生，在模拟联合国中充分表现出张扬个性、各显神通的特点。目前，我们的模联协会有完整的社团运作机制，形成了高二带高一，老模联人带新人的格局。协会有畅达的信息交流平台，建有自己的网站（www. mun. bjsdfz. com），通过公邮、论坛进行信息交流（参见图 3－3）。

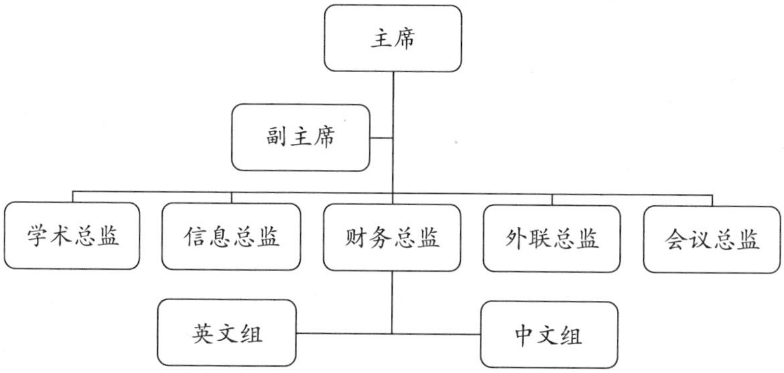

图 3－3 模拟联合国协会组织机构图

（3）多学科教师保障“模联人”获得高水平、专业化指导

在推进模拟联合国这一校本课程的过程中，模联多学科交叉的特性显现出来。目前，模联会议的主要工作语言是英语，需要有英语语言和写作指导。就整体而言，在联合国这个平台上的国别对话和较量是政治博弈问题，需要政治学、经济学方面的指点。但是每一个会议的主题往往需要其他学科的专业指导，譬如艾滋病问题、全球变暖、非物质文化

遗产、全球传染病防控，等等。同时，会议进程中，要撰写文件，演说辩论。一言蔽之，一个老师实在是很难做全面到位的指导。为此，我们成立了一支多学科的教师队伍，由英语、政治、语文、生物、历史等学科的老师组成，各尽所能，就自己擅长的方面开展指导。为提高学生英语听说读写的能力，讲原汁原味的英文，我们邀请学校的外教为我们指导英语演讲和写作。另外，为给学生更多的实战技巧，我们邀请北大模拟联合国协会的北大学子来作专题讲座。多学科教师队伍的形成为模联的顺利开展提供了良好的智力支持。

（4）教学模式引领“模联人”能力稳步提升

模联的教学是围绕学会举办推进有效的模联会议展开的，教学着力于“从做中学”，强调在体验中获得“生成性”知识和“实用性”能力。我们采取教师讲授、学生小组研讨、学生活动、会议模拟的方式展开教学。教师扮演的是中介，通过示范、辅导、搭骨架、引导探究等方式让学生进行指导下的发现学习。

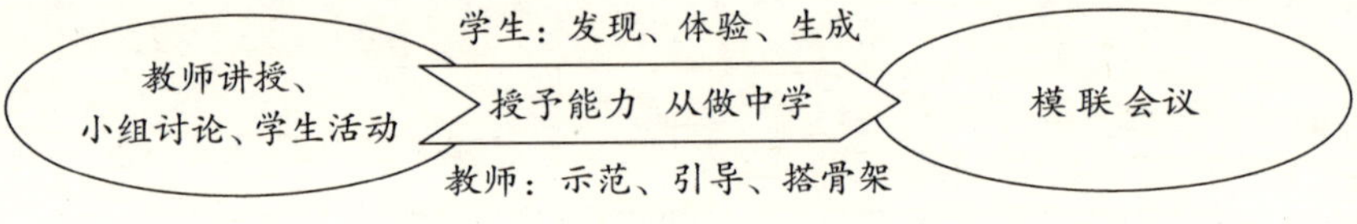

图 3－4 模拟联合国的教学模式

目前，模联课程的**模式进程包括理论学习与实战演练两部分。**

理论学习部分包括联合国历史、杰出外交官、模联规则、文件写作、会议技巧、社交礼仪、演讲与口才、国际政治、时事解读、专题讲座等课程。这些课程内容都是为了让学生能够在模联会议的实战中懂得如何寻找立场，懂得如何在竞争—冲突—妥协—合作的会议过程中进行恰当的辩论、磋商、协作。因此，整个课程内容体系是以实践为目的的。教师讲授时，无论是理论的传授，还是技巧的培训，我们坚持问题导向，强调教师置疑、学生探究。在杰出外交官、演讲与口才等内容版块上，我们充分利用影像资料；有些内容，譬如会议流程、会议技巧等，目前基本上由同学自行讲授。

“纸上谈兵”或“茶壶下饺子”是不行的，要在硝烟弥漫的模联会场上成功地进行角色扮演方是学有所成。因此，我们把“模联会议”作为本课程的“实战演练”环节。我们结合时事热点和各类模联会议的主题，设计了科索沃独立、全球变暖、艾滋危机、印度洋海啸等一系列会议，让学生将所学运用于实战，学会有效处理信息，懂得如何竞争、妥协，练就现场写作的本领。在一次次会议的组织和推进中，学生在组织管理、沟通协商、演讲辩论等各方面都实现了质的飞跃。

表3-9　模拟联合国会议流程

<table>
<tr><th>步骤</th><th>教师活动</th><th>学生活动</th><th>备　注</th></tr>
<tr><td rowspan="7">筹备会议</td><td>1. 确定议题</td><td>1. 分配会议国家</td><td rowspan="7">该工作大概需要一个星期的时间</td></tr>
<tr><td>2. 布置学生筹备会议</td><td>2. 撰写议题的背景文件</td></tr>
<tr><td>3. 确定会议主席团成员</td><td>3. 会议代表提交立场文件</td></tr>
<tr><td rowspan="4">4. 议题指导（进行学术指导和文件修改）</td><td>4. 汇编立场文件集</td></tr>
<tr><td>5. 准备国家牌、胸牌、意象条、法槌等</td></tr>
<tr><td>6. 布置会场</td></tr>
<tr><td>7. 安排志愿者、观察员</td></tr>
<tr><td rowspan="4">会议过程</td><td>1. 观察学生表现</td><td>1. 主席团主持会议</td><td rowspan="4">会议的实际进程由代表共同推进，常常需要进行4个小时，需要分成2—3次，方可完成</td></tr>
<tr><td>2. 场外指导会议</td><td>2. 会议代表按照模联规则推进会议，形成工作文件、决议草案，并进行表决</td></tr>
<tr><td rowspan="2">3. 点评（包括现场点评和会后公邮上的文字点评）</td><td>3. 观察员观察会议并点评</td></tr>
<tr><td>4. 志愿者传递意象条，负责打印等会务工作</td></tr>
</table>

在摸索中，模拟联合国在北京师大附中走过了六年多。我们的学生由最初的十多人，扩大到累计近两百人，学生都称自己是“模联人”，说“I love MUN”。作为老师，我们见证了他们的成长：从羞于表达到慷慨陈词，从不知所措到合纵连横，从无从下笔到行云流水，从参会者到组会者，从孤胆英雄到回归团队，从国别利益到我为天下。

模联人都非常珍视他们的模联经历，回首自己在北京师大附中的点滴生活时，总要骄傲地谈起自己的模联情结。

“模联是一个各种信息集合的综合体——演讲和仪态，眼界和文笔，思路和胆量——它的综合度之强，以至于你若非亲身经历，绝对无法体会到其中的奥妙；同样的，经历过的人对其他人讲述所见所闻，纵有再高的口才，也决然不能把参与其中的感受说得明白透彻。所以参加完模联后回到学校，我与周围几位代表无一不感觉：前夜恍如隔世，妙处难与君说。……秋原本让人感到浪漫，或者伤感，原本是浓浓的书卷气蔓延在整个京城。但是那两天，这些个人情怀被我们忘却了。我们始终用一种超出平时的精神面貌做事情，进行一场博弈。我以为大会的细节不重要，重要的是模联传达的那份和平、人道以及平衡的精神。”（张霓，参加北京市首届中学生模联会议后感言）

前不久，高二年级潘冬阳同学告别模联时，赋藏头诗一首：“纵步政坛颠，横眉群侠间。天地任我游，下野不知回。模八方贤明，联世界和平。为天下兴亡，家非此何惶？”“纵横天下，模联为家”，这就是模拟联合国的学生的感受！“3 天很短，如果不参加模联会议的话；3 天很长，这之前和之中的点点滴滴会是你一生珍藏的记忆……”这就是模拟联合国学生的心声！我们以为，这是模拟联合国在北京师大附中有效开展的一些有力的注脚。

（五）创建未来企业家的精神家园——“企业经营模拟”“学生公司”课程

教室中，几组未来的“企业家”，正面对一沓企业报表，小声交流、猜测报表项目及数据的含义。经过几分钟的预热，教师开始讲解规范的企业报表，几家企业的模拟经营者认真学习、记忆企业报表的相关内容。

……

模拟经营正式开始。

每家企业讨论生产的投入，进而根据方案进行数据申报，教师将几组数据输入计算机，计算机模拟软件立即计算出几家企业的经营状况，教师公布市场状态，表扬获胜企业。每家企业针对企业经营状况进行数据分析，研究下一步经营的对策，调整数据，再次申报。

通过计算，教师再次公布市场状态，表扬新的获胜企业，经营不善的企业得到了教师的单独指导。

获胜的企业，总想采取新的策略获得更大效益；没有取得成功的企业，认真研究经营中存在的问题，提出解决这些问题的措施。所有企业一轮又一轮输入新的申报数据，希望在新的市场竞争中获得成功。在这个过程中，教师总结企业报表中反映出的企业经营的问题，帮助学生了解企业经营中的规律性知识，引导学生讨论如何进行有效的经营。

这是我校企业经营模拟课程的“企业报表”专题活动。

企业经营模拟课程是通过一个计算机模拟软件 MESE，让学生组成“企业”，通过虚拟生产和销售“记忆笔”在市场上进行竞争。多家企业参与竞争，学生们必须使自己的企业在企业盈利水平、销售规模和市场占有率等方面取得优势，因此，他们在模拟运营中，必须根据计算机给出的各类报表，认真分析企业自身和市场状态，不断调整策略，采取措施，改变运营初始数据，以期取得成功。在学习过程中，学生们不仅加深了对基本经济学原理的理解，而且切身感受到了企业家的效益观念。

学生公司课程是让学生在商业志愿者的指导下通过组建和运营一家真正的公司，学生们发售股票，竞选管理人，生产和营销真正的产品和服务，登记财务，召开股东大会，清算公司。学生将不仅学到公司各部门的作用，还将了解到市场经济体系和它所带来的益处。该课程使学生真正做了一回“企业家”。

这两门课是由美国非营利教育组织 Junior Achievement（JA）在高中设置的课程，我校政治教研组于 2003 年初引进了这个项目，并把它作为一门校本选修课。此课程实践性强，具有强烈的时代色彩，能使学生对市场经济有正确、全面的认识和理解。学生通过实际经营活动及其他市场行为，锻炼企业经营能力，树立合作—竞争意识，明确商业道德，感悟“企业家精神”。那些有志于在未来经济社会从事经济工作或企业运作的学生，可以通过修习课程，提前实践“企业家行为”，学习“企业家精神”。

为何要培养“企业家精神”?

德国社会学家马克斯·韦伯（Marx Weber）、美国学者彼得·伯格（Peter Berger）将企业家精神对经济和社会发展的重要作用归结为以下几个方面。

（1）企业家精神使创业成为一件光荣的事情，激发了经济活动的动力；另外，它所提供的敬业精神、创新精神等直接成为企业家创业的精神动力。

（2）企业家精神为企业家提供了一套从事经济活动的伦理规范，如重契约、诚信、公平交易、以正当手段获取财富等。与现有的经济法律制度相辅相成，成为对企业家经济行为的软性约束，对于减少交易成本、完善市场规则起着不可替代的维护作用。

（3）企业家精神为企业家提供个人生活的伦理原则，保证了企业家有饱满的情绪、顽强的斗志和足够的财力进一步创业。

企业经营模拟和学生公司在师大附中开设中成为了塑造企业家精神的课堂。理论和实践是人类文明的两个翅膀，少了任何一个，人类文明都无法自由地飞翔。

首先，树立企业家意识。走进课堂的第一天，学生就要明确：我就是一名企业家，是经营管理企业的专家。他必须在学习中体会企业家在经营管理企业的特殊环境中所形成的体现其职业特点的独特思想意识、思维方式和心理状态，亦即企业家精神。具体应包括：创新精神、拼搏精神、合作精神、人才意识、效益观念、忧患意识和奉献精神。中国的企业家不仅要为本企业的生存和发展而竭尽全力，还应将个人的命运、企业的兴衰与国家的前途、民族的振兴相联系。同时，企业家应具有服务于社会、造福于人民的奉献精神，富了不忘国家、人民，有为国家和人民排忧解难的心愿的行动。

其次，把“企业家”推入市场，在模拟经营与实际经营中培养企业家精神。

（1）让数字说话，感受“效益”。通过在实战中理解分析市场、分析竞争对手、控制投资、合理安排产能、有效利用资金。模拟经营时，各企业要根据市场信息与市场规则制定公司策略，依据制定的策略进入市场演练。作决策的时候如何依靠现有的数据分析出本公司现有的状况，如何预测出下一期公司该如何运营。充分了解公司经营管理和战略决策制定的运作流程；同时从市场占有率、企业核心竞争力等关键指标去综合评介各企业的经营状况，让学生充分体验企业经营中数字说话的效率。

（2）引入竞争机制，培养拼搏精神。在企业经营模拟的课堂上，我们以学期为单位，在企业之间展开竞争，通过每一期的评比，及时发现自己企业经营中的问题，制定相关的措施；通过阶段评比，让企业明确自己在市场中的地位，查找自己的差距，调整企业策略；学期结束时进行优秀企业颁奖，请他们介绍经验，推荐优秀企业参加市里的竞赛。

在整个学期的企业运作中，学生要学会面对竞争对手，学会面对企业发展出现的困难，学会战胜自己，走出低谷。学生在整个过程中学会的不仅是解决问题的办法，更重要的是培养自己的竞争意识、拼搏精神。

（3）加强小组合作，学会掌控人力资源。企业的建立需要由小组成员的协商合作，企业的名称、宣传、发展策略、具体措施等都需要小组成员的共同参与。同时我们倡导学生实行换岗制，要求学生不定期地进行岗位轮换，使每个学生熟悉企业中的不同岗位，学会站在不同的角度思考问题，学会合作，给他人平等地展示自己的机会；企业领导者的角色转换有助于帮助学生学会处理人际关系，学会如何调动和发挥企业人才的作用，培养正确的人才观。

（4）学习传统文化，以大气成大器。在课程结束时要求每一个企业完成一份企业文化的宣传稿，其中必须的内容是要有企业推荐的中国传统文化，传统文化中的“乐以天下、优以天下”的社会责任感，“自强不息”“敬业乐群”的对事业的执著精神，“厚德载物”“推己及人”的仁爱之心，“见利思义”“致富有道”的义利观，“与朋友交、言而有信”的人际关系观等，对于构建企业家精神有着极其重要的作用。对这些素材的搜集有利于帮助学生培养大气如虹的企业家心态，学会以企业的发展为己任的奉献精神，学会把企业发展和国家、社会的发展相联系，学会为自己、为企业、为国家社稷而不断拼搏、不断创新。

学生对这两门课的学习十分感兴趣，他们学到了很多书本上没有的知识。

同学一：除了死的知识，学生公司给我们提供了很大的空间和大量的实践机会，它带给我的更多的还是精神文明方面的建设。

作为我们“公司”的“总裁”，我应该是感受最深的了。在这个过程中，我学到的不仅是随处可以查找到的经济学理论，还有团队合作、风险规避、坚持不懈等从书本里学不来的东西。在实践中，我们亲身验证了学到的知识，也确切地认识到了市场的变化多端，根本没有现成的东西以供借鉴，这就要求我们自己探索自己研究，当然受益匪浅。

我感触最深的地方尤其在于团队合作方面。“做生意”是个跟人打交道的活儿，这过程中少不了与人沟通，包括与老师、与“同事”、与“客户”等。学生公司的任务给了我更多与别人交流的机会来实践学到的沟通技巧，而这些，即使是在生活中也是用得到的。

总而言之，这门课对我的商业素质培养以至综合素质的提高都有很大帮助，是门不可多得的优质选修课。

同学二：远见。这是一个成功的企业家应该具有的能力，这也是企业家与企业经营者的区别之所在。学生公司也是如此，要能预见到市场的需求和可能遇到风险。

团队。事实上在生活工作中 $1\times9>9$，作为一个领导者，你可能拥有比其他人更强的能力，但是你没有时间和精力去亲手操办每一件事，因此，要学会把一些事情交给其他人去做。

经验。不管是前期的筹备还是最终的运营，得到的最重要的东西我想还是经验，比赛的经验、沟通的经验、运营的经验，等等。如果日后真的创办公司，这些东西可能会成为我战胜别人的利器；即使从事其他行业，也会成为人生中一笔宝贵的财富。

同学三：我不觉得当时放弃物理竞赛来参加这个是什么损失，因为公司教会我与人相处，与人合作，真的，都是一生的财富。

同学四：我们小组争取到了参加市里比赛的名额。在比赛中，因为时间有限，我们必须在有限的 7 分钟内分析自己公司的报表并作出下一步决策；因为不知道决策的期数，我们必须进行长远的决策，以不变应万变；因为来参加比赛的各个“公司”在自己的学校都非常的优秀，我们学会了如何在失败中迅速调整自己的情绪，以应对下面的比赛。虽然最后我们并没有取得去参加全球总决赛的名额，但我相信我们在这次比赛以及这个课程中所学到的会使我们以后更加从容地面对自己的人生。

“企业经营模拟”与“学生公司”课程不仅让那些有志于成为未来“企业家”的孩子在中学阶段树立企业家意识、模拟企业家行为，生成优秀企业家的价值观。更重要的是让参与学习的学生理解企业家精神，并将这种精神内化为他们“为人”与“做事”的准则，使得他们能够自信而从容地面对未来。

（六）学写地道的英语文章——外教“英文写作”课程

Have a look at this passage.

It was a nice day yesterday. I got a haircut. It was expensive. The barber was good though. He did a very good job. I think I will go to his shop again.

There isn't anything wrong with this passage, but it is really boring, and it seems like a small child wrote it. Why? Well, for one thing, it is made entirely of simple sentences.

Let's look at a better version.

It was a nice day yesterday, so I decided to go and get a haircut. Although the price was expensive, the barber was really good. I am really happy with the way he cut my hair; I think I will go to his shop again in the future.

Notice that the information in the passage is the same, but the way I have written is very different. The passage is much higher lever, and it is more mature.

…

…sentence patterns create certain effects when they are read by native speakers. I will explain that to you now.

The simple sentence is usually easy to read, and it goes by very quickly. As a result, when we use too many simple sentences the native reader can get bored and begin to feel that you are writing for a simple-minded person. Therefore, it is not a good idea to use too many simple sentences in a passage…

I recently found out that my friend is a bank robber although I had known him for many years.

…We can understand the main idea by the middle of the sentence. …However, if we choose to use DC, IC instead, our reader will be forced to focus and read the entire sentence carefully.

Although I had known him for many years, I recently found out that my friend is a bank robber.

I want you to notice that in the above sentence, we can't understand the full meaning until we get all the way to the very last word.

It is important for you to remember, however, that if we write all of our sentences in this way, our readers will become tired of paying so much attention and stop reading.

摘自外教任教的选修课英文写作中“修辞”部分的讲义。

北京师大附中要培养具有国际视野与国际交往能力的优秀人才，因此附中学生要有出色的英语听、说、读、写技能。听和读是理解的技能，说和写是表达的技能；这四种技能在语言学习和交际中相辅相成、相互促进。但是，“表达”比“理解”难于提高，而“写得地道”比“说得地道”又更难一些。由于是“非母语”写作，词汇贫乏、句式单一、段落本身不够起伏流畅，段落之间缺乏内在的联系，加之“母语思维”的干扰，学生的文章总是不够“地道”，久而久之，学生缺乏自信，形成“英文写作障碍心理”，不愿动笔写，写了不愿改，写作能力得不到提高，没有成就感，形成“恶性循环”。我们的教师虽有扎实的语言基本功，但因其自身语言学习方法和文化背景的限制，很难自如地使用英语进行思维，因此无法使写作指导“原汁原味”。基于对这些问题的充分认识，我校外语组从七年前就开始尝试聘请外教开设英文写作课，目的就是有效指导学生去体会并吸收英美人士写作时的思维习惯，理解英美文化，力图写出“地道”的英语文章。如今，该课已日趋完善并深受学生喜爱，而且也是全体必修的特色校本课程。

北京师大附中的外教英文写作由美籍教师杜大伟（David Quentin Dauthier）主讲，外语组部分教师参与了教学内容的探讨和研究。迄今已形成目标明确、内容稳定、讲练结合、难易适中的课程模式，并取得了良好效果。该课程面向本校全体高中学生开设一学年，于高一年级下学期开始，至高二年级上学期末结束，每周一学时。

本课程是对现有高中英语教学的补充。课程中涵盖的英语写作技能要高于高中英语课程标准在写作方面提出的要求，将使学生充分领略清晰、简练、有理有据的英文表达方式。

课程按照“词—句子—段落—篇章”的顺序进行写作教学，篇章的写作特别强调“观点”与“论据”的内容与结构。每节课围绕一个专题，教师讲解后就布置任务，学生进行片段习作，教师会对学生作品进行分析、讲解，并提出修改建议，学生进一步修改。学生会有很强烈的“收获感”和“成就感”，激发了学习的动力。课程以学生书写一篇500字的论文收尾。课程还涉及诸如修改校订（editing）之类关于写作的附属技能。主要教学内容如下：

句子建构（sentence construction），主语（subject）、谓语（predicate），单句（independent clause）、从句（dependent clauses）

句子类型（sentence patterns），并列连词（coordinating conjunctions）

连接副词（conjunctive adverbs）：therefore、consequently、as a result、however、nevertheless，从属连词（subordinate conjunctions）

修辞（rhetoric）

段落（paragraph）：topic sentence、supporting topic sentence

信（letter）

邮件（email）

文章（essay）简介

文章开头（introductory paragraph）

文章主体（body）

文章结尾（conclusion）

议论文（argumentative essay）

北京师大附中的外教英文写作具有以下显而易见的优点。

（1）一度流行的“外教口语课”或“专题讲座课”，往往与正常英语教学缺少联系，内容缺乏厚度，因此，学生新鲜感一旦过去，这些课程就会收效甚微，从而失去存在的价值。而外教英文写作课以正常教学内容为出发点，但又超越了教材内容；同时，由外教担纲主讲，本校教师起辅助作用，确保学生感受到了纯真的语言及语言中所蕴涵的文化，避免课堂流于形式。

（2）本课程的主讲教师杜大伟具有较强的教学优势：他在中国多年，非常了解中国教育现状和中国学生的特点；他具有教学方面的专业资格，很具学士风范，有较深厚的语言和文学功底；他热衷于教学，乐于与本校教师合作，不断完善本课程的内容。

（3）为了应对因学校特殊安排（如考试、节假日等）而导致不同班级间的进度不一致，课程中还添加了一些补充材料（enrichment material），这些材料多以英语文学为主，使本课程内容既实用，又丰富多彩。学生在经过一年的系统训练后，完全能写出符合英美文化，比较地道的英语文章。

以讲解“句子类型”（sentence patterns）和“并列连词”（coordinating conjunctions）的课堂为实例，见表3－10。

表3－10　句子类型、并列连词的教学目标及过程

教学目标：帮助学生了解单句、从句、复合句的特点 帮助学生了解下列并列连词的用法：for，and，nor，but，or，yet，so		
教学过程		
学习内容	教师活动	学生活动
提出单句、从句的概念；逐项介绍几种句子类型	教师采用幽默的例句，配以丰富的肢体语言，深入浅出地介绍各类句子结构	用心聆听、回答问题
介绍7个常用并列连词	教师用自创的短语“Fan Boys”，巧妙地将常用并列连词联系在一起，使学生过目不忘	用心聆听、回答问题
练习使用7个常用并列连词	教师带领学生一起编造不同类型的句式，帮助学生熟练掌握并列连词的用法及句子建构	用心聆听、回答问题
复习回顾	教师总结所学内容，给出更多例句	用心聆听、回答问题
提问	教师回答学生提出的疑问	积极提问、讨论
学生模仿写句子	组织学生限时用所学句子类型及并列连词写出一些句子	小组讨论并展示

在当今社会，随着国际交往的日益发展，作为世界通用语的英语，在我们的生活中扮演着越来越重要的角色。基础教育的课程改革已经开始，北京师大附中的外教英文写作的开设，是在新课改的背景下对校本课程的一次成功的探索与尝试，相信这门课程会有更好的发展前景。希望有一天，我们的学生能够在国际交流的平台上，用地道的英文表达着中国的文化与中国人的观点。

第四章 在继承中不断创新的课堂教学

课堂教学作为教育主渠道，是培养学生的重要阵地。在历史上，师大附中的课堂教学就一贯注重“以生为本”，尊重学生的主体地位，使学生在掌握学科知识的基础上学会学习方法，提高学生学习的自主性、主动性和创造性，使他们的中学学习获得最大收益。分阶段来看，20世纪20年代，师大附中在老校长林砺儒的指引下，以“全人格”的教育理念影响和指导课堂教学，丰富多彩的课程设置和教师极高的教学水准使每个学生在人文、科学、艺术等方面的素养都获得了提升；新中国成立初期，我们又积极学习苏联的先进教学模式，大胆“放手”，致力于培养学生的自主学习能力，学生的实操占据课堂的绝大部分时间；“文革”时期，我们将教学与生产劳动相结合；“文革”后，师大附中侧重于通过课堂教学培养学生的思维能力；90年代，我们更加关注学生在课堂教学中的主体地位，更加注重培养学生在学习方面的自我管理能力和创新精神。随着时代的变化，教师、学生、教育理念、教学内容、教学方式等都在发生改变，但北京师大附中的课堂教学必须对全体学生的终身发展负责，这是始终没有动摇的。

为了更好地对学生负责，进入21世纪后，在社会发展和教育改革的大背景下，我们的课堂教学也必须进行改革，并有所创新。改革之后的课堂教学与我们历史上的课堂教学是什么关系？课堂教学改革的目标是什么？课堂教学改革的抓手是什么，或者说创新点在哪里？这些都是我们无法回避且要深入思考的问题。

结合学校的办学目标和育人目标，并联系学校的实际，我们将课堂教学改革的目标确定为：“提升学生的学习品质，拓宽学生的发展维度，关注学生个体差异并追求学生相对提高的最大化。”在实践中我们感受到，要更好地实现这一目标，就需要继承和发扬历史上我校课堂教学的“闪光点”（主要是以生为本、教师引领、注重能力），在以下几个方面加强研究与探索。（1）以科学、发展的观念整合教学内容。经整合后的教学内容，要贴近学生的现实生活和既有经验，便于学生对知识的理解与把握，从而有效提升学生的能力。（2）实施多样的发展性教学策略，为学生的自主学习创造良好条件。引导学生通过参与、合作、探究，体验多样化的学习方式，促进学生主动地、富有个性地学习。（3）渗透学习方法的指导，提升学生的“学习力”，也就是使学生学会如何去“自主学习。”（4）创造性地合理使用现代教育技术手段，在教学过程中彰显现代教育的“新特征”。（5）运用合理的、多样的创新评价手段，引导学生更加科学地学习。

以下就是我们在这几个方面的实践。

一、教学内容整合

高中新课改以来，各个学科的教材内容都发生了很大的变化。在课时有限的情况下，为了在教学中更好地贯彻新课程的理念，就势必要对教学内容进行重新整合。这种整合必须是合理有效的，合理指的是不能割裂学科知识间的内在联系，更不能出现科学性方面的错误；有效则是便于学生对知识的理解与把握，以及能力的提升。在实践中，语文教研组将必修教材之间、必修与选修教材之间、必修教材与教辅资料之间的内容重新组织；信息教研组重新安排每个知识点的顺序和位置；政治教研组则利用图片和教学内容的结合，提高学生的学习兴趣，降低问题理解的难度。

（一）多本教材内容的重新组织

语文组整合教学内容主要采用以下几种途径。

1. 必修教材根据学科基本知识与能力要求进行整合。针对课改教材单元多过大纲版，教学板块内容繁杂，教学要求多样，而课时严重不足的问题，对模块一、二教学资源进行适度取舍，最终确定以语文学科基本知识与能力目标为指导，将教材篇目分为精读与泛读两大类别进行划分和筛选，确定精读和泛读篇目。如将古文、诗歌单元作为重点，严格保证课时，讲精讲细，注重培养学生阅读浅易文言文的能力和初步的诗歌鉴赏能力；重点篇日保证基本知识的识记与背诵。现代散文单元涉及学生独立阅读能力的培养，所以基本保证课时；模块一的新闻单元、模块二的演讲词单元，内容相对简单，更侧重于拓展视野，培养人文精神，语文基本能力点比较容易掌握，则作为泛读材料快速处理，以堂上泛读、课下自读、作文中能扩展联系为主。又如，高二年级学习《中国文化经典研读》一册时，选取“入门四问”“儒道互补”“春秋笔法”“修齐治平”“家国天下”“人文心声”认真学习，舍弃了“佛理禅趣”“天理人欲”“科学之光”“经世致用”四个单元。

作文教学历来被视为语文教学的“半壁江山”。高一备课组通过比较人教版与北京版两套教材的作文设计体系，发现人教版过于重视作文知识的内在体系，却一直忽略对学生实际生活的把握、对学生内在情感的触动、对学生写作欲求的激发，理性知识分析重，感性启发引领轻。相比之下，北京版教材则更贴近学生生活，注重引发共鸣，激发兴趣，触发灵性，调动内需。于是高一备课组作出这样的选择：布置作文内容以北京版教材为主，讲评作文知识以人教版为参考指导。各择其优，灵活使用，突出实效。

2. 必修教材与选修教材通盘考虑，打通设计。根据本校所特有的文化历史资源和社区文化资源，以及相关硬件设施，着眼于学生的终身发展，在市区选修教材《中国现代诗歌和散文》中穿插校本特色选修——“鲁迅专题探究”。编写教材“鲁迅与我校”“鲁迅与琉璃厂”“鲁迅与宣南”“大家论鲁迅”“鲁迅作品选读”。课时安排上，将必修五个模块中的所有鲁迅作品放入高二选修模块“中国现代诗歌散文阅读”中，设计“鲁迅专题探究”教学活动集中、统一学习。系统深入地进行专题性学习与探究。使必修模块教学内容更加紧凑，使“鲁迅专题探究”学习真正成为师大附中特色选修课程之一。又如，高一假期“经典诗词积累”作业布置与高二诗歌选修篇目结合。

3. 必修教材与“高中生必备文学文化基础知识”结合，增加教材“人文性”特征。高一印发《论语》名句选读，增添“每日经典记诵”（论语篇）材料，每周记诵一句，每节课前重复记诵。力求拓展学生视野，使其逐步了解、熟悉民族文化经典（对本校德育部门组织的“中国优秀传统文化的系列演讲活动”是一个有力支撑）。定期编印古文课外阅读文章，一则配合课内教学，培养阅读浅易文言文能力；一则积累文化知识，培育学生的文化底蕴。已经印发《〈世说新语〉选读》《古代寓言故事选读》《古代读书故事选读》（有题目）。期中期末考试中增加相关知识检测，促进学生掌握、落实。

4. 必修教材与“高中生必备语文基础知识”结合，增强教材“工具性”特征。针对高中教材“语文基础知识”积累的不足，从高一开学印发高考成语，分阶段、有层次地让学生掌握音、形、义，定期组织年级统一考查，并在期中期末考试中增加相关知识检测。鉴于初高中文言知识的断层问题，高一讲授文言之前统一补充文言语法知识。

（二）学科知识点的重新安排

信息组的“教学内容整合”侧重于重新安排学科知识点。

由于信息技术课改新教材带给教师一种前所未有的困惑，其发散性的授课内容令全组教师感到毫无头绪，因此，信息组从研究学生信息素养水平为切入点，毅然重整教材授课内容，在保留原有章节结构的基础上，进行教材二次开发，完全重新安排每个具体知识细节，其主要体现在下面三个方面。

1. 略去。学生接受困难或无法如教材中要求仅用有限课时即完成的知识，我们一般将这些内容转至选修模块中细致学习，做到知识学而能用。比如 Flash 动画处理的内容，必修教材中仅仅简单介绍了一些片段式的技术样例，学生根本无法在短时间内掌握，如强行讲授，水平高的同学或许勉强接受，但也会出现一知半解的情况，而水平相对低的同学只能是一头雾水。在这种情况下，我们索性去掉这部分内容而将其转为选修模块内容，使有兴趣的同学能得到系统深入的学习。

2. 替换。由于信息技术发展日新月异，虽为新课改的教材中也经常出现一些不够人性化的陈旧的应用软件教学，针对这种情况，这些已被淘汰的软件一律被替换为体现当今软件特色的学生易于接受掌握的软件。完成同样教学目标，使得学生在更短更有限的课时中快速掌握知识。比如，在音频处理方面，CoolEdit 软件处理繁冗，界面陈旧，而我们换用 Audition 软件，更具进取精神，代表了时代特点。

3. 提升。教材中不够深入的关键性学习内容，我们通过各种方式尽量加以完善，形成特色。比如，在网络技术的选修模块中，教材对学生要求比较模糊，很多重要的内容一笔带过，如讲授局域网的内容，教材只是介绍了一下局域网的概念，但是我们经过讨论，认为这是一个极好的提高学生动手能力的机会，于是利用现有设备及一些并不多的经费给每位学习网络技术模块的学生提供了搭建简单局域网的机会，让学生切身走进实验室，接触设备，体会到看似深不可及的网络原来也可以经过学习实践而搭建成功。

通过以上三个方面，在未改变新教材结构的前提下，最大限度地形成更加符合我校学生信息技术水平、更加易于激发学生学习兴趣、提升学生个人信息技术应用能力，同时也更加契合课改规范的授课内容。

（三）整合各种资源，激发兴趣、培养能力

图 4-1 教学图片①

图 4-1 是我校政治组在教学过程中所使用的一张图片，您一定充满了好奇，究竟是怎么用的呢？我们一起来看一下……

① 图片来源：http：//www.3x7.cn/hsnv/2006/0819/content_512.htm.

“内因是事物变化发展的根本原因，外因是事物变化发展的重要条件”，老师话音刚落，有的学生就提出，并不完全认同这一久经考验的“定论”，并且举例说，在炎热的夏季，米饭放在冰箱里不会坏掉，但放在外面会变馊，可见，冰箱是食物变化发展的根本原因。老师没有立刻反驳，而是微笑着出示了上幅图片，让学生分析图中反映的场景。学生认真地分析：如果锄草工定力很强，就能经得住美丽女性的“诱惑”，事故也不会发生；如果定力不强，一心向往美丽女性，惨剧就会发生。您看，没有老师的解释，学生已经领悟了……

正所谓“兴趣是最好的老师”，我们政治教研组把激发兴趣作为第一突破口，用呈现图片或照片的方式，将这个资源与教学内容有机结合，来激发学生学习政治的兴趣。哲学的本意是爱智慧，教学的重要目的就在于鼓励学生积极思考，激发学生的智慧，增强其思维力度。

1. 用图说话，生动活泼。有专家指出，看文字，有50%的可信度，而看图片，则有90%的可信度。图片特别是摄影图片具有真实性、直观性、典型性的特点，能给人以视觉的冲击力、思想的震撼力，能够引起人的特别关注。数字化、网络化使得摄影图片资源空前丰富，当今社会已经进入读图时代。政治课要为学生搭建学科与生活的桥梁，理所当然地要充分利用这一手段。在这方面，我们的经验是：加强积累，重视选择，恰到好处，陶冶审美，合作共享。如今我们的政治课，无论哪个年级，无论师生，所制作的课件都有相当数量具有较高说服力的摄影图片，这也成为深受学生欢迎的一个亮点和特色。

2. 拉近距离，贴近生活。我们的思政课以学生生活为基础，面向生活，亲近生活，回归生活。以学生生活为切入点，搭建学科与生活的桥梁。思政课所选取的照片都具有新颖性和时代性的特点。教师在教学过程中所选取的照片除了与教学内容紧密相连之外，更重要的是联系当今建设有中国特色社会主义事业的新形势，联系国际形势的新发展、新变化。教材总是落后于时代的发展，缺乏最新的事例。作为一名教师，要善于从网络、报刊和杂志、电视等各种媒体中汲取最新的教学材料。

我们的教师还通过自己拍照片的方式提供教学中所需的背景知识，充实到课堂中，引发学生的兴趣，使政治课充满活力。例如，关于北京奥运会的相关图片就成了政治课中讲授“失败与成功的辩证关系”“运动是相对的”等相关知识点的教学用图。在高一的经济生活和政治生活教学，高二的文化生活、生活与哲学教学，甚至初中的政治课教学都可以在教学时运用相关的图片，让学生关注政治、经济、文化形势热点，提高其分析问题、解决问题的能力。

3. 质疑解惑，学有所得。图片的选取只是第一步，为达到有效教学的目标，更重要的是如何恰到好处地使用所选取的图片。为此，我们统一了一个坚定不移的教学思想，就是要做到“心中有学生，带着问题教”。教师不仅要求学生提问，而且想方设法运用图片激励学生提问，鼓励高水平的问题，创造质疑的氛围，并且通过各种途径了解学生的问题，特别是关注学生情感、态度与价值观方面的问题。

“学习的目的在于运用”，学生能够运用所学知识分析和解决实际问题，才称得上学有收获。通过图片的选取与分析，提高学生运用所学知识分析和解决实际问题的能力，才是根本。

二、多样、科学的教学策略

我校的教学策略定位于教学方式的变革，侧重对学生学习动机的激发以及将课堂真正地交还给学生。其中，“问题启发策略”旨在激发学生的求知欲，“任务驱动策略”旨在激发学生任务完成动机，“实验探究策略”突出“实验”在学生学习中的作用；“创设意境策略”使学生置身于学科氛围之中……虽各有侧重，但目的都是引发学生的学习兴趣，让学生体验多样的学习过程。

（一）问题启发策略

“清晨6点，太阳刚刚跃出海平面，你乘船出发，沿纬线自东向西环球旅行，你们的航速与地球自转速度大小相同。航行中，你会发现腕上的手表告诉你已经正午12点，而你却看到太阳始终停在空中，一动不动，天光也依旧是微亮……现在到底是几点呢？”

同学们一下子兴奋了，各抒己见，试图说服对手，得到老师的支持……

这是高一年级地理“时区”一课开始的场景。

俗话说：万事开头难。一个良好的开端，是成功的一半，对于教学也是如此。教师通过具有特点的设问，一则可以使学生注意力高度集中，二则可以使学生产生强烈的求知欲望。

1. 巧设问题，激发学生学习的欲望。课堂中，教师可以通过问题使学生对进一步学习产生一种急于知道的心理，这样能够激起学生学习的欲望。例如，在信息学科“天气选定奥运吉日——数据分析”一课中，教师一句提问“谁知道2008年北京奥运会原定的开幕时间？”引起学生的思考，进而提出“为什么由7月改为8月？”从当下社会的热点问题出发，引起兴趣，不仅使学生学习了数据处理中的排序、筛选、分类汇总，更重要的是渗透了科学的分析方法。再如，在信息学科“认识HTML语言”教学中，让学生修改自己网页中的滚动字幕的方向，由原来的从左到右改为从下到上的滚动方向。这个任务通过原有的经验是修改不了的，由此也就起到了推动学生继续学习的目的。

2. 引发认知冲突，调动学生的学习积极性。认知冲突是人的已有知识和经验与所面临的情境之间的冲突或差异。实际上就是学生头脑中的自认为正确的“意义知识”（一种前概念）受到了挑战，学生会产生强烈的欲望去找寻缘由。例如，物理课上，老师问道：甲、乙两位同学手拉手拔河，结果甲胜乙负，那么是甲拉乙的力大呢，还是乙拉甲的力大呢？认为“甲拉乙力大”的同学会遭到“牛顿第三定律”的挑战——作用力与反作用力永远等大；而认为两力一样大的同学又无法解释为何“甲能赢”。这样的认知冲突令学生全心投入到学习当中，并随时准备用已有的经验去争论，结果自然是“真理愈辩愈明”。

（二）任务驱动策略

一则教师手记：

下学期就要给初二的理科实验班上课了，这些学生的信息技术基础较好，如何来讲授《IF 函数的应用》呢？结合学生的实际，我设计了“体重指数速查工具”这个综合实例，有 3 个单元格需要学生完成，但 3 个任务逐层深入，环环相扣。

……

没想到，我设计的最后一个嵌套函数的联系相对较难，在教学过程中不少学生都出了些小错。我及时引导同学互相讲解，并作了点评，大部分学生很快完成了这项基础必做练习。

虽然这个班的总体实力还不错，但还是存在着些许差异。针对这种情况，我又另外准备了 3 个选做练习，是让学有余力的学生在完成基本任务的前提下，自主探索，挖掘潜力。那个徐昌斌还真是不错，通过增加数据有效性和 IF 函数的嵌套，让这个小工具更友好更完善，这让我很有成就感与满足感。

“任务驱动”是我校信息技术教研组在教学中广泛采用的一种教学策略。这种教学策略依据建构主义的学习理论和教学模式，结合课程标准、教材和学生的实际情况，在课堂教学中形成以“在问题解决中学习”为指导思想，让学生在具体、明确的任务中学习新知识、新技术，并根据已有的知识、技能，重新建构自己的知识体系。在问题解决中学习，最关键的部分是提出要解决的任务，把它作为贯穿整个教学过程的主线。任务能否提出也是教学能否顺利进行，能否达到好的教学效果的体现。

1. 从实际出发，设计贴近学生生活、学习的任务

任务不仅要体现教学内容，而且要能够联系学生的实际。这样，不

仅可以引发兴趣，唤醒已有经验，便于“意义学习”，同时，还可以使学生在解决问题的过程中，增强“学以致用”的意识。比如，“拥有我的计算机——计算机系统组成”一课，以制订“购机方案”为任务，激发学生学习计算机系统组成的相关知识，同时学会根据个人的需求，合理地配置个人的计算机。计算机系统组成是信息技术教学中理论性比较强的课，学生学习的主动性不强，只是停留在能记、能背，应付考试。通过制订“购机方案”，把学和用有效地结合在一起。

2. 针对学生不同的实际能力，设计多层次、开放性的任务

（1）设计多层次的任务。根据教学的需要，把任务分为基本任务、拓展任务。基本任务是所有学生都要完成的任务，它体现的是本节课的教学目标。拓展任务是基本任务之上的，在知识、技术、能力层面上的加深或综合，是为学有余力的学生提高扩展设置的。这样可以使各层次学生都有所提高，不仅每个人易于获得成就感，而且使群体中获得良好学习效果的人数比例增高。

比如，前面提到的“体重指数速查工具——IF 函数的应用”一课中，基本任务是根据身高、体重，计算体重指数（BMI）和根据 BMI，得出“过轻”“标准”“超重”评定，而拓展任务是优化“体重指数速查工具”，如，避免在计算体重指数时，出现“#DIV/0!”（分母为零）的错误。

在“信息与信息特征”一课中，利用教师提供的案例，识别信息的特征是基本任务，而列举其他的信息特征（至少一个），并结合实际举出一个实例作为拓展任务，提升学生对信息的认识。

（2）设计开放性的任务。对于综合性的开放性任务，如，电子板报、主题网站、演示文稿，教师要对任务制作过程（规划→获取资料→制作→评价）加以引导，及时反馈。

开放性任务不一定都是综合性的任务，也可以针对本节课的教学内容来提出。比如，在进行“图片合成”的教学时，教师以“遨游天空”为主题，利用四张原有图片，合成一幅包括有地球、天安门和三个宇航飞行员的海报为教学范例。学生的任务是为自己喜欢的书、电影、产品或自己关心的社会热点问题，如科技、环境污染、节约用水等制作一幅宣传海报。教师同时对主题、画面的美观和海报的内容作详细的要求。学生根据自己的爱好确定主题，在网上下载图片，利用所学技能合成自己的海报。此时，教师可以重点辅导技术能力较弱的同学。

（三）实验探究的策略

中午十二点半，学生刚刚用过饭，陆续来到实验室。他们两两一组从恒温箱中取出含有肉汤的试管，滴一滴在载玻片上，做成临时装片，放在显微镜下观察。显微镜下可见一个个的小亮球，那就是培养在肉汤中的酵母菌（一种微生物，常用于发面和酿酒）。学生们手拿计数器，眼盯显微镜，在连续计数，不时有学生停下来揉揉眼再低头观察，生怕漏掉一个酵母菌。这是高二年级的学生正在进行“探究酵母菌种群数量的变化规律”的实验，这个实验将持续 10 天。实验结束后，学生将汇总收集到的数据，绘制成坐标图，由此来发现 10 天内酵母菌种群数量的变化规律。

这个实验来自美国高中生物 BSCS 教材。从 1999 年 9 月至 2002 年 7 月的三年里，我校生物组参与了北京市“九五”重点课题“美国 BSCS《生物科学》教材试教”的研究工作。我们克服了课时少、实验条件有限的困难，共完成了 24 个实验，并完成了三年的试教工作，这在当时的北京市乃至全国中学生物教学领域都是首屈一指的。

通过试教，我们发现美国教材提供的实验与我国教材有着本质上的不同，不仅实验数量多而且类型丰富，室内的和室外的实验、短时间（1—2 课时）的和长时间（数天）的实验都有；实验方法也多种多样，如观察性实验、模拟性实验、定量分析实验、定性分析实验等，而且突出科学方法的介绍和训练。最为关键之处是，实验指导的呈现方式遵循探究规律。教材内容的安排往往是让学生先做实验后学知识。实验常常要求学生针对研究问题提出假说，并用在实验中收集的证据对假说作出评价；实验步骤中不断引导学生观察思考，不时要求学生记录现象、收集和整理数据；最后是引导学生分析现象数据和误差原因、得出结论、理解生物学概念等。对于学有余力的学生，可以完成“进一步实验”，要求学生必须自己设计实验步骤。

通过这些实验的教学，我们深刻领会了“做中学”的教学理念，而且对于如何有效地开展实验探究，积累了一些经验。（1）有效的实验探究，首先要强化预习环节。这样做不仅能够促进学生养成主动学习的习惯，而且有利于学生全面了解实验方案，做到分工协作，保证实验取得结果。对预习情况的检查可采用师生相互质疑的方式，以帮助学生扫清实验过程中的障碍。（2）有效的实验探究，要注重实验情景的创设。通过联系生活，拉近研究问题与学生的距离，以激发学生探究的兴趣和愿望。（3）有效的实验教学，要引导学生关注探究过程和探究方法。通过教师跟踪实验、亲临指导、加强小组合作、加强对实验记录的评价、充分总结等环节，使学生在方法和技能上获得实实在在的提高。

直至今日，这些经验在我校高中新课程实施中仍然发挥着重要的指导作用。三年的试教经验不仅为我校高中生物新课程的改革奠定了扎实的基础，而且在推动我国的教材改革方面也作出了我们的贡献。目前高中生物新课程教材中的众多实验都来源于美国 BSCS 教材，我们的试教体会为这些实验的选编提供了实践依据。

除了生物教研组，我校物理、化学等教研组也非常重视实验探究在教学中的重要性。比如，物理组的马桂君老师、周玮老师，化学组的刘松伟老师在新教材的教学中，采用新课实验教学法，在深入研究教材内容、总体设计和教学大纲及新课改理念的基础上，开发了很多高中物理、化学演示和分组实验，特别是数字化实验系统的运用，增加了很多过去不能做的实验，也使很多定性的实验改进为定量实验。新课教学几乎都有实验做支撑，充分利用附中优良的实验室条件，不仅使得课堂教学内容更丰富，学科味儿更浓，更重要的是培养了学生的动手实验能力及良好的学习习惯和方法。这一教学方式深受学生欢迎，也受到来我校听课研讨的专家、同行们的热情赞扬，并且对市、区里很多学校的高中理化教学起到了引领作用。

(四)“创设意境”策略

走过地理教室的长廊，首先映入眼帘的是两排橱窗，位于南边的有各种美轮美奂的自然带景观，代表性人文景观以及重要地区的图片，而位于北边则有充满神秘色彩的天文照片。这里展现出了两个地理教室的六大主题，自然之韵，人文之工，鸟瞰地球村，天灾乎、人祸乎，道法自然，宇宙之魅。

走进地理多媒体教室，抬头仰望，是可以控制变化的“电子四季星空”，低头俯看，是金光闪闪的经纬线镶嵌于地面上。散落在整个教室的是七个造型别致的学生活动桌，自动升降的计算机屏幕，让人惊叹不已。来到地理演示教室，这里摆满了各种各样的活动道具。在沙盘区，你可以任意堆塑出各种地形；在中心体验区，你可以使用橡皮泥体会到等高线的真正奥秘；在月相演示区，你可以揭开月相变化的神奇面纱……

我校于2005年建成了两个地理专用教室，一个是多媒体地理教室，另一个是地理活动教室。地理教室凸现了教学的实用功能和意境的创设功能。在“创设意境”方面做了如下设计：为了使学生对地理位置概念、地理学习中经常使用的各种面积单位有更贴近实际的感知，在地理教室地面做了经纬线，两者相交于教室的中心；结合墙面做了一平方米装饰内容的精心设计：其中包括表示地理教室中心地理位置的经纬度；一系列关于“面积”的形象化解释，使得地理学习和日常生活中经常使用的地理概念更贴近学生。再比如，地理景观图是实用功能和意境创设功能结合最好的载体，几乎是每个地理教室必须含有的内容。我们以兼顾两种功能为原则，在数以万计的图片海洋中，精心筛选地理景观图，为两个地理教室组合成六个主题：自然之韵——各种美轮美奂的自然带景观；人文之工——各种代表性人文景观；鸟瞰地球村——重要地区的图片，其中包括我校的图片；天灾乎、人祸乎——各类环境问题，包括自然灾害、污染、生态问题；道法自然——千姿百态的地貌景观；宇宙之魅——充满神秘色彩的天文照片。而且在多媒体教室的天花板上，装置了可以控制变化的“电子四季星空”……在各种愉悦的心理体验中，呼唤出学生发问求知的欲望，这种情感是探究式学习的最佳起点。

在地理多媒体教室里，布置了可供七个学习小组使用的桌椅组合。每个小组的桌子里，都装有一台可以自动升降的计算机屏幕，各计算机之间是联网的，同时都与互联网相连。学生可以利用计算机网络技术进行小组内的合作学习，可以随时从互联网下载相关信息，也可随时进行组间的信息交流。我们在这里开设了高二 GIS 选修课，整个课程是以任务驱动、小组合作学习方式进行的。在初中以“北京发展与古都保护”为题的一课中，以小组学习的方式，根据主题在网上查阅资料，讨论问题。

为了突破地理学习中的“永恒”重难点——等高线地形图学习，在地理活动室中，为学生开发了等高线地形图学习系列教具。这个教具系列主要包括：等高线地形图模型、橡皮泥、活动沙盘等。活动沙盘，完全不同于传统意义上仅供展示的沙盘，是给学生提供几个可用沙土任意堆塑各种地形的沙盘。开发这个系列教具的主导思想就是，真正改变学生等高线的学习“过程和方法”。让学生在动手“做”的过程中，缩短“从脑子到手的心路历程”。

月相是与学生生活联系最为密切的天象。因其变化规律比较复杂，一直是学生有理解欲望而又难以理解的内容。为让学生在游戏般的模拟环境中，理解月相的复杂变化规律，我们开发了原创的教具——月相仪。在月相仪所模拟的日、地、月三者的空间关系中，学习者通过“身临其境”般的观察，来回答月相出没的时间和方位、形状和名称等问题。这个过程对学生的空间感有很好的训练。身临其境将妙趣横生，也会激发学生的探索欲望。

我们在以改变地理学习方式为出发点，而设计、研制、开发的地理专用教室里，正在为学生“终身有用的地理素养”的逐步形成进行着教学实践探索。我们通过地理教室的开发和使用，验证了这一教育格言：你告诉我，我忘记了；你演示给我，我记住了；你让我参与，我理解了。

三、自主性的学习策略

师大附中在提倡以学生为中心的课堂教学中，除了探寻多样教学策略，还致力于探索培养学生的学习能力，有意识地使学生学会自主学习的方法。

“学”的策略中的“英语自学策略”，教师设计了掌握单词拼读拼写规律、记忆单词、阅读段落、自学文章全班讲授和课外英语实践活动系列学习环节，引导学生按规律学习英语，环环紧扣，“意义学习”顺畅，学习成果稳固，学生易于获得成就感，乐于继续投入学习，形成良性循环；历史学科通过课堂教学的“点—线—面”层层推进的方式，依次提高学生的个别技能、系列技能、综合技能，最终使学生掌握“获取信息、解决问题”的策略，学会了方法，提高了能力；生物学科“绘制概念图”呈现了概念之间的内在联系，不仅便于学生牢固掌握知识体系，而且教会了学生寻找概念内在联系的方法。

（一）促使学生建立和发展自学策略

窗外阳光明媚，（初一）教室内孩子们热情洋溢……他们在做什么？原来是（英语）老师布置了一项任务：“我先说出一个名词，请各组学生逐一添加一些冠词、形容词等组成一个短语或一句话，看哪一组组合得最长最好，而且最正确。第一组先来，car——”第一组的孩子们绞尽脑汁……

a car

a black car

a black toy car

I have a black toy car.

I have a black toy car in my room.

I have a black toy car in my small room.

……

第二组，第三组……孩子们的脸蛋红红的，谁都不甘落后，时而谨小慎微，时而欢声笑语。孩子们在不经意间一点一滴地积累着单词，更重要的是，他们在丰富单词的过程中，不断地形成着自我掌握单词的方法与能力。

记忆与掌握单词只是促使学生建立和发展自学策略的一个方面，我校外语组还作了许多积极尝试。

1. 引导学生在拼读上快速入门，为建立自学策略打下基础

我们在课前进行快速背诵和拼读单词比赛；在学习新的单词的时候，请学生利用拼读规则或音标独立拼读，教师只给予一定的指导；给学生创造用英语表达的机会，从而促使他们借助词典来查找和学习有用的内容；以及让学生交流背诵单词的方法，等等。这样就为学生自学策略的建立打下了基础，使他们感到自学英语已经不再是可望而不可即的事情了。如此一来，使学生不仅牢牢掌握了英语词汇的拼读和拼写规律，而且从中也领悟到了一些有效的学习和记忆方法，使他们摒弃了死记硬背的陋习，奠定了主动探求适合自己的学习方法的基础和兴趣。

2. 鼓励学生提前背诵没有学习过的单词表，找到最有效而又适合自身的记忆方法，扩大词汇量，坚定建立自学策略的信心

在学生掌握了一定的拼读方法之后，为了鼓励学生自学并扩大词汇量，我们动员学生在刚开始学习教材的时候就提前背诵完教材后面的单词表（每学期学习两套教材），而自学单词的时间由他们自行掌握。在开学的一个月后他们就可以申请进行词汇过关测试。一次测试通不过，可以申请第二次、第三次……直到过关为止，测试的时间也可以一直延续到期末。由于这种时间和机会完全由学生自己把握，这样就给程度不同的学生留出了一定的回旋余地和时间，使这种活动成为非强迫性的自我挑战活动，从而减轻了学生的心理压力，提高了背诵兴趣。词汇过关的学生，尤其是最早过关的学生，他们的名单不仅要向全体学生公布，而且在学习任务和作业的布置等方面都有一些相应的调整以示奖励。例如，减写或不写巩固词汇作业，帮助教师进行听写或听写的批改，帮助其他同学记忆单词，等等。从而使这些学生在提前自学完成本书的单词的基础上有了更多的发展空间和时间。

3. 给学生提供阅读时间和材料，鼓励学生进行广泛阅读，扩大视野，寻找发展自学策略的有效途径

培养学生的英语阅读兴趣，养成良好的阅读习惯和方法是我校制定教学机制的一个重要组成部分。为此，我们为学生提供了尽可能多的机会让他们实践并进行交流。比较固定的做法是：每周的周末都不留固定的作业，而是让学生们自己找各种感兴趣的英文资料进行阅读，并作阅读笔记。阅读笔记的量和形式都有一定的要求，例如，必须要摘抄出好词好句，并写出如何将这些词句应用于实际生活和交流中，等等。为了使学生能够坚持阅读，养成阅读习惯，除了教师定期检查之外，我们还请家长利用签字的方式配合教师进行监督和督促。教师也及时给学生提供一些阅读源。

为了达到资源共享、提高学生的阅读兴趣和阅读成就感，我校为学生提供了定期出墙报的机会。教师首先根据学生的阅读方式和阅读种类将墙报分成几大板块，例如，好词好句、记忆方法、推荐书目、帮帮我、众说纷纭，等等。然后将分好板块的空白墙报贴于教室的墙上，学生可以随时填写和粘贴内容。每个月末当墙报写满时，教师请学生评出最受欢迎的稿件加以表扬和奖励，同时将各班完成的墙报交换贴在其他班级中，以达到更广泛的交流目的。此外，针对大多数学生在学校吃午饭的现象，我们建议学生将中午很好地利用起来。在各班的英语角中，学生不仅可以互相用英语进行交流，还可以借阅同学们奉献的各种英语阅读材料。此外，播放由老师或学生提供的英文名著、歌曲或英文大片的光盘和影碟还可以使学生在欣赏的同时，形成一个良好的英语听说氛围。

4. 请学生体验教师教学活动，独立计划自学过程并讲授自学内容，检验自学策略的成效

鉴于我校现在并行教授两套教材（人教版的实验教材《新目标英语》和北京版的英语教材），且这两套教材在内容上有极大的交叉性和互补性，故我们安排以教授《新目标英语》为主，将另一套教材作为学生的自学材料，让学生用周一至周四的业余时间自行作出学习计划进行自学，周五的课都由学生来讲。学生自愿报名讲课，而且每名学生每学期只有一次讲课的机会，这样就可以让更多的学生有机会得到锻炼。学生报名讲课异常踊跃，常常在刚一开学的时候就争抢着将讲课名额占满。不少讲课的学生为了使他们的课堂精彩，大量查阅资料，旁征博引，还尝试各种新的教学方法，令人耳目一新。他们也从中学到了更多知识，锻炼了自己。

但是，每学期讲课的机会毕竟有限，为了激发起他们自觉自学的兴趣，从而力争取得良好的自学效果，我们又让学生自己出自学试卷：在每周学生自学完北京版教材中的一个单元后，让学生根据自学中所掌握的重点和难点出一张试卷，而且每张试卷至少要有五种题型。然后，学生交换试卷互相测试。测试完毕后，出卷人进行批阅。最后，再将试卷返还到做卷人手中，出卷人和做卷人对相关问题进行探讨。学生在经过自学—出卷—做卷—阅卷—评卷后，将整个单元的自学内容全部学会、并巩固了下来。

5. 提供课外学习和实践的机会，享受自学策略的乐趣

我校除了减少周末作业量甚至不留作业给他们让出时间和精力外，

还利用选修课等时间开设学生需要的英语课程，例如，导游英语、奥运英语等。此外，不定期地请外教来和他们进行交流或带他们参加一些导游、英语竞赛等实践活动，激发他们的学习兴趣，也使他们从中得到了很多交际技巧，总结出了有效的交际策略，享受到了自学英语带来的乐趣。

简而言之，我们既侧重于对学生学习动机、兴趣、意志等情意策略的培养，也倾向于指导学生掌握知识技能策略，例如，了解学习过程和学习规律、学会有效的学习方法等。同时，我们还帮助学生掌握一定的计划、组织、调节、自我管理等策略。显然，这些策略是互相联系、互相促进、多层次递进的，它们的外显行为也是多层面的。因此，我们在制定如上的教学策略和教学机制的时候，力求使它们具体、全面而又紧密相关，并有助于学生进行成功体验。

（二）获取信息、解决问题的策略

听说这是一次不完全按照课本内容来学习的课，同学们都特别期待。果然，老师一上课就在 PPT 中展示出两个人物的照片，并问学生“哪个是霍元甲?”学生们尽管距离那个时代很遥远，却都能答出“左边的那个是”。“为什么呢?”老师接着问道，学生七嘴八舌地说：“右边那个穿着官服，而左边的人穿着平民百姓的衣服，符合霍元甲的身份。”老师在赞许学生的同时指出，封建时代的服饰等级色彩很浓厚，而到了民国时期，这种情况逐渐发生了改变。

这是历史组张文燕老师探索的学法指导课——如何运用历史图片来提取信息、分析解决问题的导入片段。这节课选取的历史图片都是有关清末和民国初年服饰的照片，教师通过引导学生分析，得出与之相关的社会变化的结论。

历史教研组在指导学生自主获取信息、解决问题方面作了系统的、深入的研究和探索。

（1）**确定历史资料的类型。**历史资料（史料）浩如烟海，如果不加以区别和分类，就无法让学生真正地学会分析史料，获取历史信息。历史资料就其呈现形式来看，大致可分为文字、地图、图像、统计数据四大类。其中图像又可细分为图画、照片、漫画等；而统计数据又有表格、柱状图、饼图等。不同形式的资料，获取和分析信息的方法有一定的差异；而同一类型的资料，方法则是有规律可循的。

（2）**研究各类资料的规律。**对规律的发现和概括是培养、提高学生技能的前提。这项工作显然首先需要由教师来完成。以地图型的历史资料为例，通过研究我们发现，利用历史地图获取信息、解决问题的步骤一般如下。第一步，识认地图。方法是读懂图题，进行空间或时间定位，利用图例，利用注记，迁移地理知识（纬度、地形、地貌），运用历史知识（历史发展态势）。第二步，从众多的地理信息中提取与题目有关的有效历史信息。方法是由表及里，去伪存真（即选择有用的信息，避免无用信息的干扰）。第三步，也是运用地图的关键，是将获取的有效地理信息与特定的时间、史实或时代联系起来进行分析，揭示其本质，追溯其原因。

同样的，文字、图像、统计数据等历史资料的分析方法也有其特定的规律可循。

（3）**教会学生方法的运用。**从教师总结的规律方法转变为学生自觉地学习行为，是复杂而循序渐进的过程。这一过程需要通过课堂教学来实现。历史教研组教师采用的是“点—线—面”层层推进的方式。

首先是日常教学中“点”的方法渗透。历史教材中有大量的文献资料摘录、地图和照片等，这些材料蕴涵着丰富的历史信息。有意识地选择或补充资料，精心设计问题，对教学中的某一问题进行局部的探究性学习，完全可以使学生在获得知识的同时，感悟和学习技能。例如，鸦片战争对中国经济产生的影响是学习的重点和难点。教师授课时，运用《鸦片战争以后频繁来上海的外国商船》和《英国运茶快船“海上贵族”号》两幅图片，在引导学生观察图片，逐步得出鸦片战争促使中国自然经济解体的过程，通过设问和点拨，让学生发现获取和处理图片信息的方法。

其次是设计“线”型的技能总结课。在学生平时体验、感悟技能的基础上，选择具有可探究性、时代性和新颖性的主题，运用某种形式的资料创设新的情境，探究有关的历史问题。课堂教学除了完成知识、情感、态度与价值的教学目标外，教师主要对有关技能进行归纳，使学生平时对技能的感悟上升为规律，把单个规律系统化为分阶段有步骤的相对完整体系。例如，为了对研习历史地图的技能和方法进行总结提升，齐永茂老师设计了《上海：近代中国的缩影》一课。在教学过程中，教师不仅有目的地择取了有关的地图资料，而且根据学生的认知水平，精心地设计了由浅入深地获取处理地图信息方法的突破点。课堂教学以“列强侵略”“社会经济”“探索抗争”为主线，学生依托地图，在探究近代上海变化史实的过程中，经过探讨“你是怎么通过地图发现这些变化的”，进一步明确了利用图例、注记（文字和符号）结合图题，获取有效信息，以及将获取的信息放在特定历史背景中，结合所学知识分析说明信息的规律。

最后是全“面”进行多种类型资料技能的综合培养、提高。历史教材的每一课内容，涉及的都不只是一种类型的资料。我们把技能培养与教材进行了整合，根据教材内容将相关技能的培养有计划地落实在各年级的每一节课中。对每一节课用什么资料、解决什么问题、培养什么技能、如何达到目标等进行具体的设计。

由于长期坚持，学生的学习技能在潜移默化中得到了提高。考入大学的附中学生经常通过各种形式告诉我们历史课对他们成长的影响。比如，在大学的学习中，他们把学习历史的方法用在其他课程的学习中，起到了提高效率的作用。还有一些人在大学的探究活动中担任小组中组织者的工作。看到我们的努力有利于学生的可持续发展，是附中每一位教师深感欣慰的事情。

(三)"绘制概念图"策略

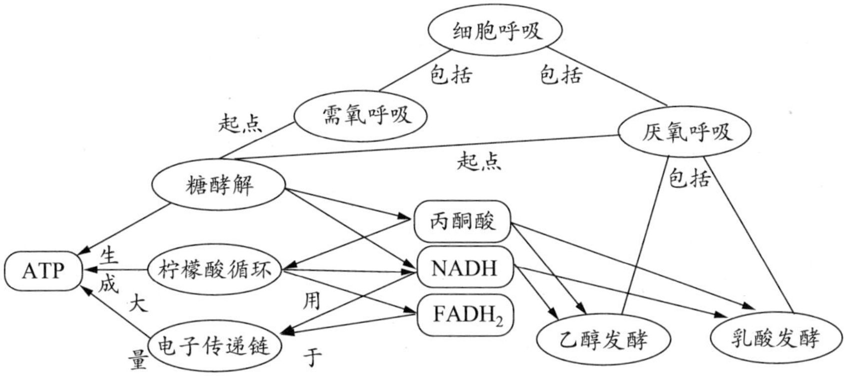

图 4－2　《细胞呼吸》概念图

图 4－2 是一张高二生物课《细胞呼吸》一节内容的概念图，图中不同图形代表不同层次的概念，有用圆圈表示的，有用方框表示的，连线、箭头及其上的简要文字表明相应概念之间的关系，层次清晰，错落有致。那么，它是如何绘制出来的呢？让我们跟随卢晓华老师，一起走进概念图的世界。

上课铃声响起，这是《细胞呼吸》一节内容的复习课。卢老师要求学生列举本节所学过的概念，"需氧呼吸""厌氧呼吸""糖酵解"……学生们积极踊跃，卢老师随机将相应的概念卡片贴到黑板上。卢老师接着指出，这些概念之间是有一定的层次关系的，有的概念是核心概念，有的是概括性概念，还有一些是具体概念，请同学确定这些概念的等级，将同一等级的概念归为一类，将不同等级的概念按照上下位的关系排列。然后要求学生用连线将有联系的概念连接起来，并在连线上用连接词标明两者之间的关系。

学生们在进行着各自的尝试，认真地描绘着，一幅幅概念图在学生的笔间逐渐画出，呈现出学生头脑中知识的构建过程。当概念图完成时，我们也看到了学生们在头脑中所建立起来的知识结构。之后，卢老师又引导学生对所绘制的概念图雏形进行分析和修正。

卢晓华老师在系统学习了概念图策略的理论后，根据新课标和新教材的要求，尝试在备课、上课、复习、考试等环节中运用概念图的策略。通过两年多的探索，他本人绘制了大量的概念图，几乎涵盖了高中生物新课程的三个必修模块和两个选修模块。他绘制的章概念图已成系列，被推广到全年级，在2010届高三生物的二轮复习中发挥了重要作用，大大提高了学生的复习效果。高中生物课程包含大量的概念与事实，学好生物离不开记忆这一基本环节。许多学生由于不能较好地建构概念体系，只好靠死记硬背。但这种单纯孤立的记忆是最不牢靠的，也是最低效的。当我们运用概念图来帮助学生进行系统复习时，学生们反映知识清晰了，能够牢固记忆了；而且他们能够顺利地进行概念“串联和移植”，概念的应用能力也提高了。

卢老师从自身绘制概念图的实践中也获得了不少的宝贵经验。他提出：（1）根据概念层次和章节内容绘制总概念图和分概念图，分别呈现整体和部分；（2）概念图的绘制形式不拘一格，一幅图中呈现多种形式的组合；（3）可以模仿或修饰、整合教材提供的知识框架图或示意图改编成概念图；（4）将功能概念图与结构模式图绘制在一起，便于直观认识结构和功能的统一。

他在课堂教学中还将绘制概念图的教学策略和其他策略如“讲授—演示”、探究活动等进行融合，并且尝试将其介绍给学生，鼓励其学会运用这种学习策略。一旦学生掌握这样一种学习策略，将能有效引导他们进行某个概念的意义建构，帮助他们突破概念认知上的难点，发现概念之间的联系，加深对概念的理解并初步建构小的知识体系。这样一来，学生就会卸下死记硬背的包袱，能更好地组织自己所学的概念，能较好地感知和理解概念在知识体系中的位置和意义。自主学习的能力提高了，主动学习的积极性加强了，那么课堂教学效率也就能明显提高。让学生掌握绘制概念图的策略，将成为我校生物学科概念教学的努力方向。

四、信息技术在教学中的应用

现代科学技术的发展和现代化教学手段的运用，给教学组织形式带来了新的变化。现代化的教学手段可以使课堂教学更加生动、直观和形象，有助于激发学生的学习兴趣和热情，提高学习的注意力和记忆力，从而收到良好的教学效果。

我校语文组借助网络环境，创设激情作文，不仅实现了学生的个性化学习，尊重学生在知识、智能、兴趣和个性等方面的差异性，试图实现“个别化”“个性化”与“集体化”的互补，满足同一群体中不同学生的共同提高，而且还能记录学生学习过程，便于教师适时指导；生物课“人体生殖”借助信息技术，能为学生提供丰富资源，便于他们快速获取知识，并有效地保证了学习环境的安全，使学生学习更加主动、开放；历史学科拓展教学空间，实现异地同课和同时进行师生、生生多通道交流，使课堂教学更加生动、直观和形象，有助于激发学生的学习兴趣和热情，提高注意力、增进理解力，提高班级学习整体效率。

（一）网络环境与“激”情作文

周末，语文组的邓虹老师照例先在“公告栏”版块上布置作业——

孩儿们：

累了吧？先放松一下，进入“基地”，自由浏览。你可以看看上次同学的作业；可以看看今天老邓为你们提供的新材料（重点是“今日焦点”“道德伦理”版块）；还可以各取所需。

然后，我们来做“游戏”：

从丰富多彩的汉语（咱们的母语呀！）词语中选择一个你最喜欢的词儿，任意、尽情联想和想象，写出它非凡独特的意蕴和鲜为人知的魅力，充分展示你的思想、你的情韵、你的胸怀、你的志趣，特别是你那或隽永、或深刻、或华美、或清丽、或犀利、或老练……的语言个性！

形式：或抒情、或议论、或讲故事、或诗歌、或杂文……随你啦！

有意思吧？行动！

……

不一会儿，同学们纷纷通过“评改快讯”版块递交作业，邓老师即收即评点。与此同时，一些有疑惑的学生则通过“给邓老师写信”板块给老师发求助信……

这是我校语文组利用学生网站开辟的作文实验基地，创设了多条师生交互渠道，共设置了九个专栏：参考模块、及时点拨、素材扩充、自我提升、T形展台、评改快讯、聊天室、给老师写信、公告栏。力图借助网络技术的优势，对高三学生进行作文辅导实验。

1. 利用网络建立贴近生活、扩展阅读的基地，使学生在高三特殊阶段尽量丰富知识、扩大视野

作文实验基地的开辟旨在帮助学生快速建立“写作资源库”，通过以下三个板块为学生及时储备、增添、更换写作题材，以防止资源匮乏造成的创作枯竭。

学以致用——充分利用已掌握的大量的教材资源，活学活用，一举多得。

今日焦点——“文章合为时而作。”每周更替热门话题、社会焦点，使写作始终与时代紧密相连，努力增强文章的现实意义。

世间万象——让写作从生活中来，到生活中去，生动鲜活，具体可感，避免闭门造车，凭空想象。

从素材整理、构思剪裁、审题立意、结构安排、表达方式到语言锤炼，网络实验基地为学生提供了近100万字阅读素材，启人心智，发人深省，对开阔学生视野、丰富学生生活感受、提高思想认识能力，起到了极其重要的促进作用。

2. 利用网络机会激发每个人的写作欲望，使学生能够在平等友好的环境中增强学习信心

网络作文着眼于每位学生，为每位学生创造自我发展的机会，提供自我发展的空间。网络作文所特有的机会均等性充分调动了学生写作的自觉意识与积极主动性，激发了学生的写作热情，培养了学生的写作兴趣，有效地提高了学生的写作水平，促进了学生的个性发展。

网络作文辅导给予学生自我选择发展和提升机会，从“要我读、要我写”到“我要读、我要写”，即从“学会”到“会学”，学生的阅读和写作积极性空前高涨。

3. 利用网络解决个性化的写作难题，使学生能够自主建构知识

学生在完成写作的过程中，有着不同的水平，不同的欠缺；不同的个性，不同的问题；不同的心理，不同的烦恼；不同的阶段，不同的疑惑。传统的作文课堂，难以针对每个学生的写作学习特点；解决学生写作方面的个性化问题和大部分学生的写作差异性问题，致使学生在写作过程中存在着不便于公开交流的写作情感、写作心理、能力差异等问题。网络恰恰解决了这一问题，教师辅导及时到位，生动活泼，针对不同学生的不同问题，因材施教。

4. 利用网络弥补课堂指导相对滞后的缺点，使教师的教学策略能够真正深入学生写作过程

相对学生写作过程而言，课堂作文教学的重点大多集中在对写作结果的评析上，教师很难深入学生的写作全程，而事实上，大多数学生的写作困难恰恰是遍布在过程当中。很显然，这里涉及对写作活动的本质性认识问题：长期以来，人们习惯上将写作视为结果。而我们认为，究其根本，写作应当是一个复杂的认识、思维及其表达过程。网络作文实验通过师生实时对话，实现了学生从完全封闭的静态单向写作过程转变成流变性的动态交互过程，有效地扭转了作文教学的滞后性，使作文教

学与学生写作得以同步。

简而言之，写作对于学生来说是一部作文成长史，是一本“写作档案”，教师通过网络深入学生写作过程，有利于将学生的写作知识传授与写作能力训练相结合，并且便于密切关注学生情感态度的发展。

（二）生物课运用网络平台保护学生隐私

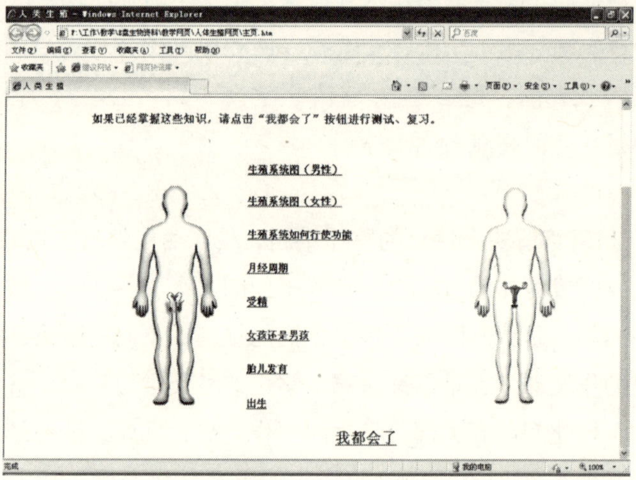

图4-3 学习网页

看到图4-3，如果您认为这是在网上搜索的某类生物知识，那么您就错了。这是我校生物组李磊老师自行开发设计的“飞梭校园网络系统”中的一个网页。高二学生可以使用老师授权的用户名和密码登录。这个网络系统由以下几个专题组成：

（1）本节应掌握的问题（作业题，请用电子邮件将答案发送给老师）；

（2）自由讨论区（同学们可就本课内容自由发言）；

（3）知识检索（与本课内容相关的基础知识）；

（4）学科探索（阅读材料）；

（5）挑战智力（请应用学到的知识解释问题，有难度）；

（6）避孕专题（避孕知识及观点）；

（7）与异性交往的困惑（请同学们踊跃发表个人观点）；

（8）做什么样的男生、女生（全班讨论）。

学生们不仅可以在“人类生殖资料库”中自主学习这部分内容，按照教师的设问，搜寻自己需要的信息，还可以在个人讨论区的交流区和“聊天室”内发言，对相关问题进行生生交流和师生交流。“人体生殖”对于中学生来说，属于难以启齿的问题，李老师巧妙地借助信息技术隐蔽性的特点，恰到好处地解决了这一难题。

信息技术隐蔽性的特点使学生将某些难于公开发表的话语直接与老师、同学交流。情境讨论题的设置极大地激发了学生交流的热情，整个教学过程通过分层教学实现了平等、和谐的师生、生生关系，与此同时，很好地体现了学生在网络学习环境中学习的能力。在此基础上，教师提供事件结局，组织学生在网上讨论自己对此事的看法，提供相关资料以及现实生活中人们面对这些问题时的应对措施。完成此任务的同学可以根据自己兴趣参加讨论区中关于试管婴儿、多胞胎的产生及社会影响、克隆人、艾滋病等问题的学习与讨论，使学生对于“人体生殖”这部分内容的认识与理解得到进一步拓展。

（三）紧跟IT技术发展的历史学科与信息技术整合

在计算机教室上的这节历史课开始10多分钟了。刚上课的时候老师说这节课要来一位神秘的客人，可是一直没有动静。正当大家边听课边瞅着教室门口的时候，投影上的PPT关闭了，随之打开的是MSN视频聊天工具。老师要在课上和别人聊天？不会吧?！学生们都疑惑不解。很快屏幕上出现了一位陌生的老师，很随和地说：“同学们好！我是汇文中学的历史老师丁丁。刚才咱们附中的老师介绍了附中建校的历史背景，下面我带大家来熟悉一下汇文中学成立时中国社会的状况。”

这是历史教研组冯健老师在探索信息技术与历史教学整合过程中，和汇文中学老师一道，进行的“异空间网络协作探究”的探索。两校的教师和学生在各自的教室里，通过网络教室和相应的软件工具，能够相互看到影像，听取声音，共同探究两所学校的建立和初步发展所反映的社会变迁。这项探索是受到视频会议的启发，当时具有很强的超前性，引发了中学历史教学界的热议。

20 世纪 90 年代以来，国际上出现了教育信息化现象，即运用现代化信息技术来促进教学改革和教育的发展。面对时代发展对教育提出的要求，根据学生素质好、学习热情高、思维非常活跃等特点，我们开始研究信息技术与历史学科教学整合、引导学生运用最新的信息技术进行历史学习。

1. 人机交互分层自主学习

历史组利用世界历史《美苏争霸》的内容设计了人机交互的分层自主学习模式，将信息技术的优势在课堂教学中发挥得淋漓尽致。

“人机交互”在教学中是指由计算机、教师、学生构成的人—机系统，它包括：教师—计算机交互，即教师根据不同层次学生的基础知识和技能，将对当前学习任务的指导编制在计算机程序中；学生—计算机交互，即学生与计算机之间进行选择性学习的交流活动；教师与学生借助局域网进行一对一的交互和一对多的讨论。

“分层自主学习”主要是指在学习过程中提供了自主学习和指导学习两种学习方式。自主学习建模为知识丰富或能力较强的学生设计，要求他们独立解决反映该课主要内容概括性的两大问题。比如，美苏争霸的局面是怎样形成的？美苏争霸三个阶段战略态势的演变、主要表现及其原因。指导学习的建模适应一般学生的水平，将复杂的学习任务分解为争霸局面的形成、争霸过程的三个阶段共四个子目，每个子目中又有层层设问，引导学生认识步步深入。为了认识和解决问题，学生可以选择阅读计算机提供的一些文字资料或影视资料，从资料中提取有效信息，并利用原有的认知结构对有效信息进行加工，经过思考，独立作出结论。完成必学部分后，学生可以根据自己的学习习惯、兴趣爱好，选择“建构图示”“综合练习”“拓展加深”等建模浏览、学习，开阔视野。

在人机交互的学习中，由于学生是与计算机进行个别交流，因而在学习内容、学习方式、学习进度上有一定的选择余地，在一定程度上实现了自主学习。从教学上看，由于课件采取了分层设计，有利于克服教学同步化、平均化的缺点。教师通过“电子监控”了解学生的学习状况，可以加强个别指导，使因材施教得以实现。

2. 网络交流探讨专题

建构主义学习理论认为，知识不是通过教师传授得到的，而是学习者在一定的情境下，借助于教师和学习伙伴的帮助，利用必要的学习资料，通过意义建构的方式获得的。如果说在“人机交互，分层自主学习”的模式中，学习者主要是借助于老师的帮助，那么，随着网络技术的进步，在网络上增加学生之间的交流成为可能，学习者可以借助伙伴的帮助进行意义建构。为了落实在课堂上，课题组进行了多次讨论和努力，最终推出了“洋务运动与近代化”一课。

教学过程如下：（1）布置任务，分组选择题。教师在进行了洋务运动概况教学后，暂不作评价，根据学生兴趣分成几个小组，分别从洋务运动的官办军工、民用工业、军事、教育、思想五个方面探究洋务运动与中国近代化的关系，各小组从五个子课题中选择其一。（2）小组分工，搜集资料。小组每个人都有任务，通过到网上查阅资料、共同研究资料，对资料进行处理后，把研究成果做成网页。教师同时也搜集资料制作相应的网页，待学生上交网页后，师生网页合成一体。（3）全班探讨。学生进入全班探究的校园网络系统下的论坛和“洋务运动与中国近代化”的学习网页进行交流，各组汇报研究成果，在此基础上学生进行自由发言，修改、丰富原有的结论。（4）教师引导，完成对洋务运动与近代化之间的关系的探究。

3. 主题开放探究学习

伴随探究性学习研究的深入，对探究的主题提出新的要求：探究的主题应是教学内容的拓展，具有开放性；需要大量资料的支撑才能完成探究。这样的探究需要学生有较高水平，比较适合附中的学生。因为近代铁路的修建在课本中涉及很少，更没有对其作出相应的评价，所以，我们选择"近代铁路的修建告诉了我们什么?"进行探究学习。

实施中分三个阶段。首先，创设情境、提出问题阶段。组织学生观看《中国火车》的资料片，要求学生提出自己认为值得研究的问题，最后汇总学生的问题，得出需要大家进一步探究的主题，即"近代铁路的修建告诉了我们什么"。根据历史学科的特点和研究需要，将全班分成五个小组，课下继续搜集资料。其次，分组初步探究阶段。各组同学利用自己和其他组的资料进行初步探究，并将探究成果制作成演示文稿。最后，小组汇报成果、集体探究。小组利用网络论坛汇报成果，全班讨论、质疑、整合，最终对探究的主题形成整体的认识。

这节课突出的特点是探究主题具有开放性，是教材内容的拓展。不但扩展了学生的知识面，也培养了其探究问题的能力。

4. 跟进式探究和形成性评价

网络技术日新月异，"知识论坛"（Knowledge Forum）即网上协作学习和知识建构的软件系统的出现，又把"信息技术与学科教学的整合"的研究带到一个新的天地。2005 年，是世界反法西斯战争胜利 60 周年，而关于第二次世界大战爆发的原因，教材没有具体的阐释。不了解战争爆发的原因，就无法借鉴历史，为此，我们利用"知识论坛"推出了"回首'二战'爆发的原因，企盼世界和平"的探究课。为了增加思想的碰撞，我们联合了汇文中学同年级的一个班，共同进行探究。

这次探究，与以往基于网络的探究课的最大不同是：在这节课中，利用网络教学平台提供的资源库，使学生获取了广泛的信息；利用网络教学平台提供的交流区，实现了生生交流和师生互动；学生利用“知识论坛”随时登陆网络，不断在解决旧问题的同时产生新的问题，使跟进式探究得以实现。另外，“知识论坛”还可以做到对学生的学习过程进行评价。它能自动跟踪记录每个人的参与情况，并且有一个专门的软件（ATK）来分析学生的学习情况。比如，他（她）发布了多少短文，总结和升华了多少别人的短文，自己的短文有多少被别人阅读和引用，等等，这就为评价学生在探究过程中的表现提供了客观依据。

我们紧跟信息技术发展的潮流、凝聚集体的力量和智慧，从人机交互自主学习、网络交流探讨专题、主题开放式探究学习到跟进式探究，步步推进，始终走在利用信息技术进行学习的最前列。

五、创新型的教学评价

评价不仅是一种“诊断”，更是一种“引导”，学生期望获得肯定与尊重。教学中可以根据要解决的问题建立评价系统，引导学生关注学习过程，采用正确的学习方式，形成良好的学习行为与态度。

（一）外语组的形成性评价

外语组利用形成性评价给学生提供详细而全面的评价细目以供学生参考，使学生具备了奋斗的目标和准则。

……

奖励贴画的标准

……

2. 课前活动中成果突出
3. 课上活动参与质量较高者，或有明显进步者
4. 课堂评价或小组合作活动中获胜的个人或小组
5. 主动承担并完成辅导自学课的授课
6. 听写全对

……

11. 竞赛中获奖者

这是外语组的杜志娴老师使用贴画奖励学生的一些标准。提到贴画，对于日渐成熟的初中学生来说，他们并不在意，但他们却关注得到贴画的多少。因为这不仅反映着他们的学习进展，更牵扯到他们是否可以得到相应的另一种舒心的奖励。这种奖励不是物质的，而是与他们的学习相关的作业。也就是说，贴画总数在前十五名，且期中和期末成绩在一定分数线上的学生，平时作业或假期作业就可以减半甚至免写。这就给学生一个暗示：紧张和轻松是密不可分的，只要平时多努力，最终就会有更多的轻松。学习的节奏，就掌握在自己手里。这样，学生的学习目标和学习态度就更加明确和端正，也因此养成了良好的学习习惯。

除了使用贴画，我校外语组在学生的形成性评价方面积累了非常丰厚的经验，下面逐一阐述。

1. 利用学习进展表随时记录各种学习情况的进展

教师仅凭一两次的期中或期末成绩来判定学生的学习水平和学习态度是不客观、不公正的，这也容易造成学生对这种评价方式的误解，从而导致一些负面效应。为了让学生端正学习态度，使学生养成良好的学习习惯，避免诸如仅为了考试而学习的消极学习态度的出现，我们设计了一个公开的英语学习进展表。这样，学生不仅能够及时了解自己的学习情况，也可以通过及时了解别人的学习进展来激励和鞭策自己，从而及时进行学习上的调整，以求不断得到提高。这个评价表虽然在一开始只有学生的姓名，没有既定的评价内容，但是这种评价内容却将随着学生学习过程中的各种因素而涌现和确定。它有很强的灵活性，也能做到评价有针对性，并且全面、公正、及时。它是以学生所得的贴画多少来记录的。例如，学生上课积极回答问题、参与教学活动和小组活动，教师就可以随时发给贴画予以奖励；学生有合作的意识和互助的意识，可以得到贴画；学生能够提供自己的学习资源与他人共享，也可以得到贴画；学生每攒到五次优秀作业就可以换一个贴画；学习能力较弱的学生有了点滴进步就能得到贴画。根据有些学生的表现，每次得到的贴画可以不止一个。例如，有的学生只要能够在开学后的一个月或两个月内自学完书后的单词表，并且测试过关，就可以一次得到两个贴画。这无疑给其他学生树立了一个榜样，激励其他学生也能努力学习来证明自己的实力。对于学习态度不认真的学生，也可以通过揭去贴画的方式予以警示。

2. 学习策略月评表

教师在课堂中渗透学习策略的时候，也有必要将一些学习策略明了化，使学生在学习中更加有的放矢地进行借鉴、应用和提高。而且对于学生学习策略的发展也应有定期的评价，以使师生都能够进行及时的调整。我校根据学生和教学的实际情况制定了一个学习策略月评表。表格中的内容基本上可以分成三大类别：认知策略、调控策略和情意策略。学生通过填写表格进行自评或者互评的时候，自然会了解一些学习策略并加以应用。在表格中，我们还将几个月的月评结果并列在一起，以使学生能够一目了然地将学习策略的应用情况加以对比。此外，在每个月的评价表中还有一个平均分值和一个与平均分值对应的分析参考，使这个表格更加具有科学性和参考性，从而为学生提供了明确的提示。为了鼓励学生创造出适合自身发展需要的学习策略，表格中还留出两行空白处，鼓励学生根据实际情况填写。家长和教师则通过签字的方式及时与学生沟通并了解情况，为学生学习策略的提高和改进提供必要的支持。

3. 通过合作学习开展自我评价

人教版的《新目标英语》主要是以任务型语言教学为主。这种教学为学生提供了十分广阔的自我发展空间。这样，以小组为单位采用研究性学习就成为课堂教学中必不可少的一部分。学生在集体合作完成一项任务的过程中，经常要涉及计划任务、分配任务、执行任务和总结任务几个步骤。学生会通过小组活动逐渐领悟到如何制订合理有效的学习和研究计划，为其独立制订适合自己的学习计划提供良好的方式和方法。在活动过程中，学生根据自身能力和学习水平的强弱接受不同等级的任务，在遇到难题时学生之间也可以进行知识互补，使学生又找到了除教师之外的另一些获得知识的途径，使合作学习充分发挥其应有的作用。为了出色地完成任务，学生在活动过程中也要随时调整既定的计划，并对每一个步骤进行有效监控。例如，进行作业互评、合作互评、小组互评和自评，等等，以达到最佳效果，这无疑会促使他们有效地发展调控策略。当然，学生在活动过程中所涉及的合作意识、情感体验、情感交流和克服困难的意志力等无疑会使他们发展有效的情意策略。

（二）历史学科制定评价量规，促进学生的学习

再有 5 分钟，这节历史观摩课就要结束了。老师精练准确的语言、条理清晰的教学设计和学生良好的表现给听课老师留下了深刻的印象。在简要的小结之后，老师布置了课后作业。剩下的 5 分钟做什么呢？听课老师发现每位同学拿出了一张纸，在上面已经打印好的表格里画起勾来。凑近一看，上面写着“分组讨论评价量规”，表格的左边把整个分组讨论过程划分了若干阶段，右侧用 ABC 的档次把每个阶段变现的优劣区分开来，如在“小组形成讨论成果”这个阶段，等级 A：“积极提出建设性意见，对小组成果形成作出重要贡献”；等级 B：“比较积极地提出建设性意见，对小组成果的形成作出贡献”；等级 C：“不能提出建设性意见，对小组成果的形成贡献不大”。对每一项内容，都有“学生自评”“小组互评”“教师评价”三个维度。

如此细致地对学生的学习进行形成性评价，是历史组在教研组长李静老师的带领下，参与“新课程背景下教学与评价一体化研究”课题，设计评价量规的一个片段。

评价量规（rubric）是一个真实性评价工具，它是对学生的作品、成果、成长记录袋或者表现进行评价或者等级评定的一套标准。同时，它也是一个有效的教学工具，是连接教学与评价之间的一个重要桥梁。

历史组的教师很早就意识到科学的评价手段对促进学生学习的重要性，但同时也深知，设计评价量规是很复杂的事情，必须有相关的理论进行指导。因此，我们先重点学习闫寒冰编著的《信息化教学评价——量规实用工具》、董奇主编的《等级评分——学习和评价的有效工具》等理论书籍，了解评价的分类、各种评价的含义、作用等。我们还请来了市教研员作了《如何编制评价量规》的讲座，就老师关心的、模糊不清的问题给予解答，如，什么是评价量规、对教学有何作用、如何编制评价量规等。

从 2007 年 9 月，我们开始进入评价量规在教学中的实践。先后做了 6 节研究课、编制了 6 套评价量规，涉及形成性评价、表现性评价，如初中讨论评价量规、高中讨论评价量规、辩论课评价量规、小组合作即时探究评价量规、小组合作学习评价量规、制作报纸评价量规等。

在实践中，我们逐渐摸索出了编制评价量规需要注意的一些原则，如量规一定要根据清晰地体现学习的程序、评价的内容要针对学生的实际情况、评价要有助于学生的各方面的提高和改善、编制过程要征求学生的意见。用通俗的话讲，就是要把学生的学习过程分解成彼此联系而又相对独立的环节，每个环节都用清晰的语言描述出学生该如何做才是最好的。如，“小组合作即时探究评价量规”清晰表示出探究的程序：明确问题/研读材料、小组交流/形成成果、汇报成果/质疑。在“小组合作学习评价量规”中，针对高二文科实验班的学生个性比较强的情况，我们在量规中特别强调合作的态度，如，从不挑剔任务或别人的工作，以非常恰当的态度、方式、语言表达自己的意见或建议等。在以前的辩论课中，全体学生的参与做得不是特别好，这次设想通过评价解决这个问题，于是编制了“历史辩论赛支持团队评价量规”。

在编制量规、运用量规进行评价的过程中，我们最深切的感受是：教学评价促使教师更加关注学生，认真思考进行自主学习的合理程序、方法；学生通过量规了解某一种学习方式如何进行，做到什么程度是最好，对自己有了期待；学生自主、协作学习的能力有了很大的提高。

第五章 班级建设

班集体是学校的基层单位，是学校教育与管理的“细胞”。在“全人格教育”思想的引领下，教师们以育人为本，尊重规律，尊重学生鲜活的个体生命，培育了民主、开放、自主、创新的班级文化。自由宽松、师生平等、关系和谐，成为毕业的学生们提起母校时使用频率最高的词语之一。

新时期，全球经济一体化、社会信息化、价值观多元化等对青少年学生的影响使学校德育和班级建设面临许多新的挑战。如何使在这样背景下成长起来的90后一代成长为人格健全、心理健康、素质全面的国家民族栋梁？北京师大附中坚持“引领、关怀、启发、激励”的班主任工作理念和“近、小、实、亲”的工作原则，充分发挥班集体的强大影响力，引导学生学会自主学习、自我管理、自我教育，培养学生健全人格和全方位的素质，为一生打下坚实的基础。

一、永远闪耀在前方的星斗

——正确的班级价值观

高一（5）班的同学第一次进班，就被班主任高流畔老师的一席话震惊了。高老师说：“此去三年，我们要办一份刊物，我们的班刊名字叫《水韵》。《水韵》设定为月刊，而且一直要坚持出版三年。这即将出版的三十多本刊物，将记录你们成长的印迹，让你们清纯的心灵，自由翱翔在思想与纯情的广袤云天。”

于是，同学们在唏嘘慨叹中，在大家的共同孕育中，一期期《水韵》如约而至。《水韵》的诞生，如同一个孩子，连接了高一（5）班这个大家庭的所有成员，大家共同用心呵护、培育他的成长。在（5）班的教室里，6盆种类不同的兰花预示着家长、老师对孩子们的期待——君子如兰。教室的墙面上书写着大大的四字班训：“净、敬、静、竞”。

老师解读说：绿色的“净”，我希望你们的教室因为你们而整洁常在。我希望你们的仪表卫生整肃，清新的气息，流溢。我希望你们的语言纯粹透明，儒雅的味道，弥漫。我希望你们的行为干脆简捷，青春的活力，迸射。我希望你们的心灵纤尘不染，纯洁的美好，绵延。我希望你们是新嫩的绿，装扮生命的春天，生机无限。

紫色的“敬”。我希望你们的灵魂里种植一种高贵的“紫”。那是对亲人、对师长、对同学、对朋友，甚至对陌生人谦逊的尊敬。那是对给予我们食物、水、氧气的自然的一份深深的感激与敬意。那是对滋养我们干渴心田的文化知识，也就是几千年来古圣先贤英豪才俊为我们创造的丰厚文明的敬畏与珍惜。因为尊敬，所以自尊。

蓝色的“静”。你们已经告别了扎堆聚群喧哗疯闹的过去，开始觉解“静”的内涵。静是暗夜孤灯平和的阅读书写；静是聚精会神地听讲思考与专心致志地埋头演算；静是排除纷乱的意念，清晰地知道自己应该做什么与怎样做的理智淡定；静是一个人面对一缕风一朵花一片雪一轮月的怀想冥思。

红色的“竞”。“物竞天择，适者生存。”人在降生时节，是一具空白的壳，后来一点一点地被填充，逐渐变得丰富深刻。我们做许许多多的积淀准备，本是为了在竞争中彰显自身的价值的。你具备了相应的能力，才有资格为亲人朋友以及他人社会甚至人类自然作出贡献。你也才会在这种交付里快乐幸福。焕发你们的红色激情，以“舍我其谁”“敢为天下先”的豪迈与自信迎对生命里的每一寸光阴，是你们别无选择的选择，因为你们的肩上，已经扛起了一种神圣的东西——责任。

同学回应说：我们要最早地到操场列队，安安静静、整整齐齐。我们要每节课的开始异口同声地说“老师好”，以及下课的“老师再见”。我们要课堂上关闭手机，桌面上不留任何食物饮品。我们要在课间停止一切打闹喧哗，静静地休憩或温和地交谈，以及轻松地演绎风趣。我们要懂得劳动的伟大，时时记得应该的义务：擦黑板、倒垃圾、扫地、搬花……在离开的时候，捡起自己课桌下的纸屑甚至发丝——在劳动的同时，尊重别人的付出。我们要坚持每晚固定的学习时间，以及做自己最忠实的监督者。我们要在一个更高的层面，守护自己——自尊、自爱、自控、自省、自强。

在共同追求的引领下，这个班很快形成了团结、和谐、向上的班风，在学习和学校各项活动中崭露头角。

石家庄机械化步兵学院军训先进集体

当前，我国社会价值观渐趋多元，一些基础的核心的价值观也发生严重迷失。我校把价值观教育作为当前学校育人的一个重点，以实现对学生健全完善之人格的培养。加强理解、尊重、责任、正义、关心、包容、信任、诚实、遵循伦理道德等公共价值观教育，着力培养学生实事求是、光明磊落、诚实正直、尊重他人、追求卓越、坚持真理、服从真理、团结合作、关心环境、好奇创新等良好的人格品质。在班级建设过程中，学校明确提出让正确的价值观成为班级成员共同追求的目标，成为班级文化的主流。

为此，我校制定了《北京师大附中各年级价值观教育重点及实施策略》，各年级各班都围绕该重点规划班级发展方向，有层次有计划地帮助班级成员体验、形成良好的价值观，这些经班级成员认可的、共同追求的价值观成为良好班级形成的重要保证。

北京师大附中各年级价值观教育重点

初一年级：

爱国、爱校、诚实、礼貌、关心、团队合作

初二年级：

理解、尊重、关心环境、乐于助人、友谊

初三年级：

公正、正直、包容与信任

高一年级：

爱国、诚实、团队合作、社会正义、创新与好奇

高二年级：

理解包容多样性、尊重伦理、审美、自尊、平等、自由

高三年级：

追求卓越、追求（坚持与服从）真理、责任、感恩

（一）涓涓细流成大爱——从爱校到爱国

每一位刚刚进入北京师大附中的学子，都会被她那古朴而现代的气质所吸引。看看灰砖的老校门，它静静矗立，浑朴而巍然；读读校训："诚、爱、勤、勇"，简单四个字却概括了做人的真谛；听听那飘然入耳的校歌"附中，正正堂堂本校风。我们莫忘了诚爱勤勇。你是个海涵真理无穷，你是个神愿人生大同。附中，太阳照着你笑容，我们，努力读书和做工"，一个气宇轩昂的北京师大附中印入心田；再到百年会堂去聆听一下《百年附中》的校史讲座，中国最早的公立中学，最早的男女合校，最早实行课间操制度，最早试行"三三学制"，赵世炎、钱学森、马大猷、张岱年、李健吾、于光远、于是之、李德伦……30 多位院士、6 位共和国正副教育部长、众多文化文艺界的大师，何其荣耀，何等骄傲！

我们把新生入学的这几件事简称为"三校教育"，即让学生会"唱校歌、学校训、知校史"。各年级的学生们还会开展"我亲爱的附中""我与校训"等以爱校为题的主题班会。北京师大附中在中国近现代教育史上的特殊地位，她的悠久历史和优良传统，她所培养的人才对我们民族的解放和国家的富强作出的贡献，是全校师生的共同骄傲，也成为了凝聚班级每位成员的重要力量。

自2001年百年校庆起，学校陆续整理编印了《100个附中人的故事》第一、二、三辑。《100个附中人的故事》成了同学们课余争相传看的读物。赵世炎、钱学森、张岱年、汪德昭、姜泗长、马大猷、于光远、于是之、李德伦，一个个如雷贯耳、在中国近百年的历史上留下了声音和烙印的名字。在附中人的故事中，70多年后的附中学子与前辈学长们完成了心灵的对话，接过了前辈的旗帜——以天下为己任！

每年的清明节，学生们都会自发地来到教学楼前的赵世炎烈士像前敬献花篮，行礼默哀，在心中追思这位伟大的老学长。1919年，正是这位英勇的附中少年，带领北京师大附中的同学勇敢地加入“五四”游行的队伍，发出了反帝反封建的强烈呐喊。每年的“一二·九合唱节”，同学们都要放声高歌，在歌声中重回当年附中学子英勇走上街头、参加抗日救亡运动的光辉岁月。

每年的开学，新年级的同学都会观看专题片《人民科学家钱学森》，参观校园内的钱学森纪念馆。一幅幅珍贵的图片、一个个动人的故事、一件件宝贵的实物，让同学们又看到了钱学森这位杰出的科学家不顾美国的重重阻挠，毅然回归祖国的动人场景，看到了在钱学森的带领下老一辈科学家白手起家，开创共和国两弹一星和航天事业的艰辛与辉煌，强烈感受到了老学长崇高的爱国主义情操和严谨治学、淡泊做人的高贵品质。爱国！把个人的命运同祖国、民族的命运紧密结合在一起！当今的附中人从老学长身上找到了方向。

2008年4月14日，针对藏独分子蓄意破坏奥运火炬传递、西方媒体歪曲报道，高一（11）班的同学写成了慷慨激昂的演讲稿，由孙辰朔同学代表全班作了国旗下的演讲：“奥运会是全世界的节日，奥运火炬是全世界的光芒，我们不允许他人对圣火的亵渎，我们不接受他人对我们的扭曲。无论面前是狂风骤雨，还是艰难险阻，全球的华人都是同一个名字，这就是——龙的子孙！我们都有一个共同的声音，那就是——一个中国！”2008年的“五四”这一天，全校同学身着盛装，在操场举行了隆重的纪念仪式。高二（1）班同学发表了热情洋溢的演讲：“五月的春风情深意暖，五月的花海流溢飘香，和着春潮，伴着夏韵，弹指一挥间，人类已昂首进入了二十一世纪。在这漫长的岁月里，中国战胜了衰落，走向振兴，挣脱了屈辱，走向奋起，中国正以崭新的姿态向世人展示着自己。然而，人们不会忘记那划时代的‘五四’爱国运动；更不会忘记那举起民族救亡旗帜，开创民族独立和民族振兴新纪元的先驱者；不会忘记革命战争的烽火硝烟；更不会忘记，为真理而抛头颅洒热血的英烈们。八十九年后的今天，我们生活在一个美好的时代，一个充满青春活力的季节，我们的祖国已经进入了一个新的历史时期，振兴中华的责任，已经落到我们肩上，‘五四’火炬已经光荣地传到我们手中。中学时代，是我们人生中的一个重要的里程碑，我们应当秉承民族精神，高举‘五四’火炬，肩负时代责任，让我们用知识加汗水，以满腔热情，去开拓、去创造、去拥抱新希望，不惧艰难困险，敢于拼搏，志比云天。”

2009 年 10 月 1 日，新中国迎来她的 60 华诞。北京师大附中师生参加了天安门广场庆典的背景表演，751 人汇入 8 万人的背景方阵，拼出“祖国万岁”，描画“长城、和平鸽”，组成“麦穗浪涛”，撑起“江山如此多娇”！平时崇尚个性自由、追求时尚娱乐的 90 后们却在庆典结束后纷纷写下了感人肺腑、充满责任感的文字：“这是第一次，我觉得自己和祖国如此地靠近，祖国对于我们不再是一个称谓，一个国徽，我不再单单分享她的光荣，而是为祖国付出自己的努力。”“我们原本是如此不同，但在这一天，我们因为有着一个同样的名字而变得格外熟悉。在这一天，我们内心深处的某种力量被同时唤醒。我们想起了日新月异的城市，我们想起了山清水秀的村庄，我们想起了奔腾不息的黄河，我们想起了广袤的土地。我们想起了，我们共同的家，中国！”

“这个夏天，同学们走出各自舒适的安乐窝，一起来到操场接受烈日的考验。我们穿着统一的服装，笔挺地站在操场上，迎接一天天的训练。在三个小时的训练里，我们渐渐熟悉一个个动作，直到把这些动作做到完美。这里的每个人都有一份为祖国奉献的激情，而在艰苦的训练中，这青春的激情渐渐转变成了一丝不苟的坚持。每每看到大家汗湿的后背，我注意到每个人的脊梁都依然挺得那么直。是什么支撑着我们坚持到最后呢？我想，是‘祖国’二字，是那份深深的情感让我们奋进，给了我们坚持的力量。虽然我们是一颗颗平凡的螺丝钉，但我们也要带动伟大机器的运转。每个人的心里都有一个坚定的声音——‘我与祖国共奋进！我要用青春为祖国的腾飞奉献力量！’”

（二）通过体验得到认同

班级价值观的形成不能靠空洞的说教，而要建立在尊重每一位班级成员的基础上，创设一些能够培养学生价值观的道德体验情景。让学生在平日的学习和班级生活中体验民主、平等，学会尊重他人和与人交往；在拓展训练里体验信任，在拔河比赛中体验团结就是力量，在运动会上体验拼搏和为班级争光的成就，在志愿者服务中体验奉献的快乐。

我们利用班校会时间播放《香港十年》《春暖2007》《感动中国》《大国崛起》《奥运中国》《奥运传奇》《辉煌六十年》等专题片，让学生在对热点问题的共同的关注中，完成心灵的交流、价值的判断，催生班级共同情感的形成。2008年，结合奥运的热点，组织全校各班观看了《奥运中国之金色突破》。当看到许海峰打破中国奥运金牌零的突破，刘翔身披国旗在世界面前奔跑，同学们不禁为祖国的强大而倍感骄傲自豪。特别是当看到2004年雅典奥运会上，中国女排姑娘顽强拼搏，在0∶2落后的情况下追成2∶2平，看到在比赛的赛点时，排球在双方场内飞了好几个回合，中国姑娘奋不顾身，飞身救球，利落扣球，拿下了金牌，同学们都禁不住内心的激动，热烈地鼓起掌来。为祖国而骄傲，为体育健儿的拼搏精神而喝彩，共同的情感在每个人心中流动。

刚做初一班主任的刘晓燕老师有一次发现班里一位女生因为朋友的误解而自残。在耐心地劝解了这位同学后，刘老师开始关注学生的友谊建立。她发现友谊在成人心中可能是一件小事，在孩子的心灵中却占据着非常大的空间，是极为重要的。班级的管理在很大程度上是学生和谐相处的引导，是建立正常的同学友谊的过程。友谊意味着接纳，意味着信任。失去友谊的孩子是失落和恐惧的，这样的孩子需要我们用爱去弥补他们的“损失”，安抚他们的心灵，并引导他们寻求新的伙伴。于是，利用同学们都非常喜欢的奥运内容，2008 年 4 月 15 日，刘晓燕老师精心准备了一次关于“友谊”的班会。老师播放了奥运歌曲《巴塞罗那》，并请同学讲述了这首歌的来历，让同学知道了墨秋里与卡巴耶的深厚友谊；还请同学们观看了在 1936 年柏林奥运会上，德国选手卢茨·朗在纳粹分子的眼皮底下帮助自己的竞争对手美国黑人选手杰西·欧文斯获得金牌的动人故事。看见同学们都无不为卢茨·朗的伟大而动容，班主任刘晓燕老师进一步总结说：“也许天生的区别我们无法改变，但后天的情感是不分国界，不论身份高低的。欧文斯是黑人，在那时，没有地位，处处受人欺凌，而卢茨·朗并不因为欧文斯是黑人便蔑视他，而是全心全意地帮助他、鼓励他。如此看来，朋友是永远没有界限的，他是心与心的交流、情与情的传递。”听完老师的话，同学们纷纷表示要尊重身边的人，珍惜同学之间的友谊，更要努力做好奥运小主人，有礼貌地迎接各国朋友。

不仅仅是班主任，所有的学科教师也都结合学科，帮助学生体验，引导他们形成良好的价值观。一次，初一年级的心理课上，老师出示了一张写有 15 种商品的列表，商品上没有标示价格。同学们被告知用手中的 60 元代币购买不超过 5 种商品，愿意出高价的商品写在前面，价格低一些的写在后面，60 元代币必须都花完。这些商品分别是金钱、助人、健康、快乐、自由、智慧、爱、诚实等，而 60 元代币则代表了 60 年时光。同学们看到自己写的答案，发出了阵阵惊呼，兴奋地和周围的同学交谈起来。一位平时被许多人认为是问题学生的女生，在自己的本子上写下了“助人：35 元”。老师看到了，悄悄地问她，为什么愿意花超过一半的钱来买“助人”，这位女生说：“因为有人很穷、很可怜，所以我要帮助他们，如果没有人帮助他们，他们就一直会这么可怜的。”

“那你会得到什么呢？”老师又问。

“他们需要我的帮助，我帮了他们，就很开心啦。”

“那你现在有没有在帮助别人呢？”

“现在还没有，因为我还没有能力，我没有很多钱。”

“其实，帮助别人的方式并不只有通过钱来实现，比如，在车上看见孕妇或老人让个座，或者同学身体不舒服的时候帮忙打杯水，都是帮助他人。”

女生心悦诚服地点点头。

在课接近结束的时候，老师请一些同学来分享自己的答案和这么选的原因，从各种各样的答案中，同学们对自己的了解又加深了，对于自己应该追求什么，应该怎么做，也有了更加清晰的认识。在一个看似游戏的活动中，每位同学都看到了什么对自己来说是最为重要的。良好的价值观无声地在大家心中滋生。

在北京师大附中教学楼门的墙上，镶嵌着一块1957届校友赠送的石匾，上刻四个大字：“人生基石”。正是在这里，无数学子奠定了一生的坚实基础。

二、聚多方智慧于一室之间
——学校、家庭、社会合力

家庭和社会在年轻一代的成长过程中发挥着重要的作用，家庭教育和社会教育越来越成为现代教育不可或缺的重要组成部分。学校和学校教育从来不是孤立于家庭与社会之外的，家庭和社会本身就是巨大的教育力量。因此，在努力做好学校教育教学工作的同时，附中人始终没有忘记，有效沟通协调家庭和社会的各种教育力量，充分利用其中的积极因素，克服消极因素，以求取得最大的教育效果，共同为培养高素质人才服务。

（一）沟通和协调家庭教育力量

1. 耐心细致地做好家长工作——构筑环绕学生心海的绿色围堰

家庭在青少年的成长过程中是重要的基础，家庭对青少年的健康成长起着不可替代的作用。作为孩子的第一任老师，家长的言谈举止、为人处世的方式等都会对孩子产生潜移默化的影响，甚至影响孩子的终生。而今，不少家庭的教育意识、教育观念、教子方法都存在着问题。我们深深认识到，如果没有家长的配合，学校教育很难取得好的效果。人们常说 5 +2 =0，意思是 5 天的学校教育加上 2 天负面的家庭影响，其结果为零。美国心理学家哈森说："帮助儿童的最佳途径就是帮助父母。"因此，班主任在日常工作中都非常重视对家长的指导，对家庭教育的引导，使其在方向上与学校教育协调一致，使 5 +2 等于或者大于 7，从而使学生获得最佳的成长和发展。

做好家长工作，很重要的一点就是帮助家长更新教育观念。很多家长认为把孩子送到学校就没事了，没有意识到自己在孩子成长过程中的重要性。他们更多关注的是孩子学习成绩的变化，而忽视了孩子内心的需求和身心的健康，更没意识到孩子学会做人比考高分重要得多。现代社会的飞速发展，对人才的素质提出了更高的要求，而家长们还普遍跟不上形势。过去家长只需要"管孩子"的简单策略就差不多了，而现在却不但失效，反而起到了反作用。老祖宗传下来的家庭教育理念和策略，不适用、不够用了，指导家长转变教育观念和教育方式显得十分必要。

初二年级有个十分调皮的孩子王鹏（化名），成绩非常棒，年级前五十。但不知为什么就是不会与人相处，不仅老跟同学发生摩擦、跟老师顶撞，还多次有不同程度的伤害同学的行为。班主任在与其母亲及家人的交谈接触过程中发现，其母亲就只关注学习，且容易激动，只要孩子的学习成绩一有下滑她就非常粗暴地打骂。孩子也因此遇事容易冲动，习惯对同学恶言相向，动不动就挑衅打骂周围同学。针对这样的情况，班主任和教导处寻找适当的时机，多次与其母亲进行交流、沟通，渐渐地王鹏的母亲开始认识到了自身行为对孩子的不良影响，并接受了学校的建议，带领孩子一同去接受心理医生的治疗。后来孩子和母亲的变化都非常大，看着孩子一天天的进步，母亲心里也充满了喜悦和感激。

家长在教育孩子的过程中，应该根据孩子的实际情况，根据社会发展的需要、结合家庭具体条件，科学、合理、有效、务实地确定教育目标，开展家庭教育。但是，现实情况是，家长在家庭教育中往往会根据自己的体会和愿望去要求孩子，去设计孩子未来的发展方向，制定培养目标。经常出现目标过高，要求过严，不考虑孩子的基础、爱好，不考虑孩子的意愿等情况，这样反而容易挫伤孩子的积极性。为此，我校教师主动、及时地了解学生的家庭教育情况，特别是培养目标，帮助家长纠正一些不切实际的想法，帮助家长坚持实事求是的教育原则。

进入高二后，徐莉芳老师发现秦川（化名）有些变化。班级的各项活动照旧热心参加，但就是不学习，并且明确表明就不学习。你让他做作业他偏不做，写东西偏不写。于是徐老师拨通了秦川母亲的电话。他妈妈说："有一天，他爸爸走进他房间，发现他正在玩 PSP，一气之下，他爸爸抢过他的 PSP 就往窗外扔出去了……"徐老师一听，知道大概问题出在哪里了。妈妈又说："周末他们哪叫补课啊，简直就叫打架，补多久，就吵多久……"徐老师更加确定问题所在了。原来，秦川的父亲是一位非常优秀的大学教授，他理所当然地觉得孩子就应该像自己这么出色，因此经常训斥孩子。已逐渐有了自我意识的儿子当然不吃这一套，于是就故意不学习气爸爸。考虑到父亲是名教授很讲面子，徐老师特意约了秦川的母亲面谈，指导她和孩子爸爸沟通——要想让孩子改变，家长必须改变，家长都改不了，如何要求孩子改变？之后，作为大学教授的爸爸俯下身来和儿子推心置腹地长谈了一次，并从此真的改变了对孩子的态度，孩子也真的感觉到了爸爸的改变，学习的积极主动性上来了。在学新课时，老师欣喜地发现原来老不及格的秦川测试时考出了 95 分的高分。

有一次，一个高三的女生因头发留得长一些，妈妈看不惯，母女俩争吵起来，在一旁的父亲的一句"你怎么着，你有本事你滚"促使女孩当晚离家出走，第二天也不愿意回家。朱敏老师听说后，认为这事主要问题不在学生，而在家长。于是老师拨通了正焦急等孩子回家的母亲的电话，指出是父母教育方式欠妥伤害了孩子的自尊心，并让母亲平复情绪，先让孩子心情平和地回到家里，不要指责打骂，然后再进行第二步——沟通。老师又安慰了害怕被打骂而不愿回家的女孩，劝她回到了家里。第二天，这个女孩急匆匆地找到老师，问老师用了什么灵丹妙药，她回去后父母跟什么事都没发生过一样。老师趁这个机会跟她说：“你妈非常虚心地跟老师交换意见，并且采纳了老师的意见，我觉得这一点上她是对的。等你冷静下来，你要不要跟你妈沟通，来检讨一下你那天的态度？”她欣然接受。后来，老师还专门把她妈妈请到学校来，跟她讲：“孩子大了以后，有她自己的审美观，有自己的一些看法，有自己对事物的评价。您既是她的妈妈，也应该是她的朋友。爱美之心，人皆有之。尤其女孩，外在的美也是对别人的一种尊重。您看得过于严重了，就脱离实际了，孩子接受起来就有一种抵触情绪。换一种语气，换一种口吻，并且一定要用心地去谈，孩子会接受的。”后来听孩子说母女俩关系又像从前一样亲了。

除了较为集中的家长会、书面通知、面谈等形式，班主任们经常做的就是利用现代通信工具——手机和网络，不断地与家长沟通。姜华老师在高三时遇到了一件非常棘手的事。班里一名男生由于喜欢同班一位女生但遭到拒绝而痛苦不已，不仅他自己根本无法静下心来学习，还经常扰乱班里的教学秩序，给周围同学造成很大的影响。怎么办？在高三这样的关键时期，既要保证每一个人的正常学习，还要及时舒缓他们本就紧张的心情，尤其是对这样一个受感情困扰的男孩，帮助他正确地走出迷沼，保持健康的心理尤为重要。简单的批评教育显然行不通。姜老师就在课余与孩子聊天谈心的同时，与其父母也仔细交流。为了给孩子营造一个轻松的氛围，不让他因感到父母、老师的过于关注而产生压力，姜老师采用了短信与其父母沟通的方式。从高三上学期期末直至最后高考前，每天3—5条短信交流孩子情况并商量对策。在父母、老师的悉心理解和呵护下，孩子较为顺利地度过了高三这一非常时期。在最后的毕业典礼上，这个平时桀骜不驯的男孩毕恭毕敬地向班主任姜老师深深鞠了一躬。

2. 开办家长学校——让围堰的绿色更加壮观

家长学校是为学生家长或其监护人举办的以提高家长素质和家庭教

育质量为宗旨的业余学校。它的主要任务是宣传党和国家的教育方针、政策和法规，向家长传授教育学、心理学的有关知识，组织家长学习和研究家庭教育的有关问题，探索科学的家庭教育方法，沟通家庭教育与其他教育的联系。

我们通过家长学校帮助家长提高对家庭教育重要性的认识，更新家长的教子观念，使家长们明白：①要教育孩子先成“人”，再成“才”，这里的“人”指的是思想健康、道德品质良好的人，只有成“人”，才能成“才”；②要做好孩子的第一任老师，用自己的一言一行教育和影响孩子，做孩子的表率；③不要过分地溺爱、娇惯孩子，对孩子要爱在心里，不要爱在脸上，也就是说家长要讲究爱子方式，懂得爱子艺术，要有意识地教育孩子懂得去爱别人，学会宽容，懂得礼让他人，不怕吃亏，为人忠厚等品质，还要对孩子进行必要的挫折教育，让孩子在逆境中磨炼意志；④帮助家长了解掌握孩子的成长特点，认识到良好的家庭教育是孩子成长的需要，而了解孩子是有效开展家庭教育的第一步。

每年的新初一、新高一入学大会，学校都要邀请家长陪同孩子一起参加。简短的欢迎仪式之后，学生们就进入各班开始活动，而家长们也在北京师大附中的百年会堂开始了他们的学习。学校主管德育的副校长会亲自与家长们交流，介绍北京师大附中关注学生一生发展的教育理念和“全人格、高素质”的育人目标，谈孩子的身心发展规律，讲学校教育与家庭教育的关系，以期家长们在对孩子的培养目标上与学校达成共识。我们还特别邀请上一年级做得很成功的学生家长现身说法，给新生的家长们讲讲孩子进入初中、高中后面临的身心变化、学习上的挑战、人际交往中的困惑以及自己是怎么处理的。年级组长也趁热打铁地讲讲北京师大附中的教育理念、对学生的要求、家长应该做好的准备，等等。这样，当孩子由于适应新环境、新阶段遇到一些挫折困难时，家长就不至于慌乱无策，而会较积极、理性地与学校商量对策一起来帮助孩子了。

我们曾召开了主题为《理解在于沟通，成功源于配合》《学会学习、学会生存、学会做人、学会生活》《出发之前，永远只是梦想，上路了，才是挑战》《先认同、后发展》《回首，是为了更好的前进》《今日练就有力翅膀，明日搏击长空!》《教育中的堵与赌》《回顾昨天，展望明天，把握今天》《审视、反思、行动》《决心、恒心、信心、平常心》的家长会，抓住机会，努力改变家长不正确的教育观念。不仅针对不同时期学生可能出现或已经出现的问题帮助家长正确对待，并多次希望家长能给学生以足够的空间，让学生通过自我的反思和审视获得经验，在成年人的帮助下完成自主教育过程。

我们会定期给学生家长发放学习材料：《让千万个孩子学会学习》《多关心高中生心理健康》及《关于共同加强对学生安全教育的家长信》等，并发出家长调查表，了解家长、学生的需求。我们还先后邀请了著名儿童教育心理学家孙云晓教授、开心妈妈工作室创始人屈开教授等来校给家长作讲座，受到广大家长的欢迎。通过这样的方式，向家长传递了知识，沟通了思想，形成了比较一致的教育力量。

3. 请家长参与班级活动——让心海与围堰阳光共沐、风雨共担

刚刚毕业的周晓明老师有一次遇到了一个难题。有一个学生课堂上经常发出怪叫，周老师很生气，对那个学生发了好几次火，还是不管用。无奈之下，她又来到班级家长的 QQ 群，想跟家长们说说这事。这时有一位家长说："周老师，您别急！简单地发火，孩子根本意识不到自己行为的错误，不如将错就错，让他来一段口技，或俄罗斯高音王子 Vitas 飙高音等这些小办法巧妙地解决。"周老师茅塞顿开！是啊，我怎么就没想到曲线救国，用幽默的方式解决问题呢？于是，当下堂课那名学生又发出怪叫时，周老师照计行事。这招果然高！那学生不好意思地笑了，低着头表示自己错了，以后发怪叫的声音也在减少。像周老师的班一样，许多班级都自发建立了家长 QQ 群，班主任们常常登录 QQ，与家长们共同交流班内大事。家长们的参与热情也很高，某个孩子出现什么问题时，他们纷纷献计献策。同时，当班里学生出现一些不好的现象和行为时，他们也会从家长的角度，提出很多合理建议。诸如设立值日班长制，座位的安排和更换等要多考虑学生的实际，而不是简单地看高矮，等等。

每年的毕业典礼与成人仪式，附中百年会堂的后面都坐着一群特殊的嘉宾——学校特意邀请的同学们的父母或爷爷奶奶。家长们在百忙中亲自来陪伴孩子共同度过人生的庄严时刻，见证孩子的成长。在开展主题班会、新年晚会、毕业典礼、成人仪式等活动时，学校都会邀请家长参与，共同分享孩子的喜怒哀乐，见证他们的成长。许多班集体在设计主题班会时，会背着孩子采访父母，或请父母为孩子写一封信。当班会深入主题把父母的礼物呈现给他们，许多孩子都会潸然泪下。那一刻这些平日里养尊处优的孩子对父母多了一份理解，两代人的心贴得更近了。

高一（5）班的家长们，认真阅读每一期班刊《水韵》，通过《水韵》了解班内大事，分享全班的成长体验。《水韵》每期也都会有家长的专栏《写给我们》。在这个专栏里，家长们写下自己对孩子的深情和期望，写下孩子成长过程中父母在背后不为人知的付出。《水韵》传递着家长和孩子的爱，交流着两代人的喜怒哀乐。孩子们和家长的心更近了，家长和家长之间也可以彼此分享教育孩子过程中的种种方法、感悟。此外，有不少家长为我校积极联系有关参观、学习基地，为广大同学提供了教育资源和机会。比如，参观鲁迅博物馆、中国科技馆、北京天文馆、国家博物馆、中国革命军事博物馆、首都博物馆、故宫博物院、《复兴之路》《抗震救灾》展览等。通过这些参观、学习活动，同学们都感到收获颇丰，不仅学习了不少教材上难以接触的东西，开阔了视野，拓展了思维，而且亲身接触了社会，了解了现实，拉近了与现实的距离，更增强了为国家和社会发展而奋发学习的决心。

（二）沟通和协调社会教育力量

“哎哟哎哟！”“您别着急，120 马上就来，我先帮您包扎一下。”上课的时间，附中的百年会堂里，只见同学们有的头、手缠着白纱布，有的正一脸严肃，用纱布一圈又一圈地把同学的手缠起来。这是怎么回事？难道出什么事了？“停！”只听前面主席台上一人说道：“下面，我们请一些同学上台来对着这个人体模型演示一下心肺复苏的方法与步骤。有哪些同学愿意上台来?”原来，这是学校所在大栅栏街道联系北京市红十字会为我校学生举办的急救培训活动，街道还免费给每位同学提供练习用的一次性绷带、口罩等物品。生动的讲解，现场实景模拟，使同学们在充实的活动中学会了紧急救护的本领，很受大家欢迎。

的确，在围墙外的大社会确实有培养现代人才的丰富的教育资源，学校教育需要社会力量的支持。充分利用这些资源来共同教育和培养学生，更好地实现教育目标，为国家培养更多、更优秀的人才已成为我们和社区及有关单位的共识。我们请北方昆曲剧院的表演艺术家们进行精彩的昆曲表演，请国旗护卫队官兵来校举行升旗仪式，请公安局的同志来进行法制教育，请保护动物基金会的工作人员来宣传保护动物。我们还请了爱岗敬业的先进典型、被誉为“北京最帅交警”的孟昆玉出席我校新学年开学典礼，请了我国著名水文地质学家、中国科学院陈梦熊院士作“保障饮水安全、维护生命健康”的科普讲座，请了中国奥委会前副主席、秘书长、2008 北京奥组委高级顾问魏纪中先生参加“北京师大附中迎奥运报告会”，请著名的民俗专家、灯谜大师翟鸿起先生讲北京的民俗，请泥人张第四代传人张昌教授为同学们讲“泥人张的传承历史和艺术特色”并现场即兴捏塑了“妙玉听琴”，请“阳光快车”来校免费给同学们放电影。同学们在校园内的生活也因此变得更加丰富多彩。

“两弹一星元勋”孙家栋、钱学森校友秘书涂元季、航天英雄杨利伟、北京师范大学教授于丹、北京“最帅交警”孟昆玉等纷纷受邀来校与师生作近距离交流，产生了极为热烈的反响，从多方面达到了良好的教育效果。

不仅“请进来”，我们还经常带领学生“走出去”。参观各大博物馆、展览馆，到科技馆，去植物园，观看各种演出，甚至还走出国门远赴欧美进行社会实践。学校的众多教育活动得到了方方面面的大力支持。同学们的视野从课堂延伸到课外，从书本延伸到广袤的社会生活，在欣赏中、在参与中感受各种优秀文化，学习做人做事。

三、驾驭航船的舵手
——优秀的班主任

班主任是班级工作的组织者和班级建设的指导者，是班级发展的核心和灵魂。就像航行离不开舵手，良好班级的形成离不开优秀的班主任。在继承传统的基础上，我校提出了“引领、关怀、启发、激励”的班主任工作核心理念。每年，我们都挑选最优秀的教师做班主任。北京师大附中的班主任们用爱和智慧指引着一批又一批学生从这里起航。

（一）真诚地热爱每一位学生

有人说：“爱和信任是一种伟大而神奇的力量。教师载有爱和信任的眼光，哪怕仅仅是投向学生的一瞥，幼小的心灵也会感光显影，映出美丽的图像……”

“没有爱心就没有教育。”（霍懋征老师语）教师的爱能营造出温暖而轻松的学习氛围，使学生无时无刻不感受到支持和帮助，教师的关爱更是对学生的人格健全发展起着重要的作用。北京师大附中的班主任们不仅爱学生，而且爱得理性、爱得科学、爱得智慧。对学生而言，他们既是朋友，又是严师，更是心里的一盏明灯。

1. 尊重学生，平等对待每一位学生

“敬人者，人恒敬之。”教师只有尊重学生，才能赢得学生的尊重，才能建立平等、民主的师生关系。每一个班集体都是一个温暖的大家庭，学生们是家庭中的兄弟姐妹，班主任也是家庭里平等的一员。一个好的班主任，不会给学生一种凌驾于他们之上的感觉。北京师大附中的班主任们总是在军训时与学生一同站在太阳底下，汗如雨下；总是在运动会上与学生一同出现在本班的入场表演中；总是在球场上不顾疲劳为学生加油助威，喊哑嗓子；总是在新年联欢会上为学生送上精心编排的节目，赢得“狂热的尖叫”。

尊重学生，平等对待每一位学生，这是北京师大附中班主任工作的传统。学生是活生生的人，他们有思想、有情感、有思维、有独立的人格，教师要学会尊重学生。特别是当学生犯错误时，教师要宽容一点，给学生一个台阶下，让学生的自我意识受到保护，这样的教育方式有时可以收到意想不到的效果。正如董长华老师在班主任工作总结中所言："如果你全心地爱孩子，那么孩子的行为就很好理解，也会宽容他们的错误。有宽容大量的气度，就有机会让自己与孩子更好地沟通，以利于对学生的教育。"

一天，年轻的董晖老师怒气冲冲地冲进初一（6）班的教室，想对全班学生进行责任感的教育，并撤销财保委员的职务。因为财保委员再一次把班级的钥匙弄丢了，之前他就是和同学嬉戏时把钥匙弄丢的。虽然已经在办公室批评过财保委员了，但现在一定要把他当做反面教材教育一下全班同学。同学们都在安静地自习，董老师环顾一周，看到的是一张张稚气而认真的脸，火气一下消了大半。她开始反思，我这么做对吗？他们始终还是孩子。真的大骂一通，就能教育这些孩子吗？那我们这个财保委员在班里还有面子吗？多伤他的自尊啊！她慢慢地走上讲台，开始思考接下来要怎么办。曾经老班主任们给她讲过的小故事在脑海中浮现出来，是不是应该用一颗更宽容的心去对待学生，给他们更多的信任和支持呢？

想到这，她慢慢地走下讲台，走到财保委员的位子边，示意他到教室外面去，没有惊动其他人。他一走出教室，董老师从他的眼里看出了警觉和一丝的胆怯，董老师才意识到原来自己已经对学生造成了伤害，他已经作好了再次挨批的准备。董老师赶紧把自己的状态调整好，把他拉近自己，把手放在他的肩膀上，亲切地对他说："我知道你也不是有意把班级的钥匙弄丢的，现在心里一定很难受，刚才老师批评你有点太重了，对不起。这件事情我不会和班里的同学说，老师相信你通过这一次已经接受教训了，一定能把咱们班的钥匙保管好，老师相信你。"边说边把自己的那把班里钥匙从钥匙扣上卸下来递到他的手里。董老师的语气很和缓但很坚定，财保委员还是没有说话，只是接过了老师递给他的钥匙，再抬起头时，董老师发现他哭了。

那晶莹的泪水给了董老师深深的震撼，那么严厉的批评都不能让一个男孩落泪，而只是这么简单的几句，他竟然落泪了。董老师没有多说什么，帮他擦干眼泪，就让他回教室了。

从那之后，董老师惊喜地发现，这个孩子的变化很大，工作特别积极，早来晚走开门锁门，从无怨言也从无差错，晚走时还经常主动帮值日生做值日。学习上劲头也足了，成绩开始稳步提高，在同学中的威信也越来越高。看到这一切，董老师从心底里高兴，但也暗自后怕，倘若自己当时简单粗暴地对待这一问题，真的在班里在所有同学面前把他再批一次，他会怎么样呢?

宽容是金，它来源于老师对学生的热爱。这种宽容之爱，让老师走进学生的心田，理解他们，爱护他们，能让孩子们走进老师，听之信之，身心健康地成长。给予学生更多的宽容和信任，他们所还给我们的往往远远超出我们的期待。

2. 关心学生，了解学生的需要

俄国教育家乌申斯基曾说过："如果教育家希望从一切方面去教育人，那么就首先从一切方面去了解人。"班主任们爱学生，真正关心每一个学生，不仅关心他们的学习、生活状况，更要关心他们的内心世界、情感、情绪和精神生活。许多班主任都把了解学生内心的需要作为自己做班主任的首要工作，按需施教使我们的班主任"得心应手"。

李静老师的班里有一个女生经常与同学发生冲突，对老师充满敌意。李老师第一次与她谈话，被她以"你们都看我不顺眼"、摔门而去宣告结束。面对这么一个摸不得、碰不得的"刺猬"，李老师没有放弃。经多方了解情况，得知她从外地转到北京读书，身份和成绩发生了很大变化：由班长变成普通同学，成绩由名列前茅到倒着数。这些变化没有及时得到家长的理解，又与家长产生了矛盾，再加上本身的性格，就变成了这个样子。凭着多年班主任经验和对学生的了解，李老师知道她需要什么。首先，分配她担任物理科代表工作，让她有被需要的感觉。她的工作非常认真负责，得到同学的认可。其次，班里制订活动计划时，班干部主动征求她的意见，她的意见得到了重视和信任。最后，李老师在学习上和生活上帮助她，同她一起探讨适合自己的学习方法，联系老师帮助她补课。因为家住大兴，路上耽误很多时间，李老师又与学校协商，解决了住宿问题。她慢慢地发生了变化：对同学友好了，对老师亲近了、信任了，可以和老师坐在一起心平气和地谈话了。这时，李老师毫不客气地指出她的问题，特别告诫她：到了社会上，没有人这么迁就你，要学会改变自己、适应环境，不能任性。到高三后，李老师成了她最信赖的朋友。学习成绩稳步提高，考上了理想的华中师大影视创作专业。她在给李老师的新年贺卡中写道：我最大的幸运是遇到了您。我爱您！

了解学生不能只成为一句空话，学生的需要并不是教师凭空想象的，观察学生、深入学生是了解学生的重要手段，加强沟通是老师与学生之间最好的桥梁，用自身素养感染孩子是有效的良方。关注细节，从孩子的角度出发，有时候就能改变一切。

赵明新老师发现自己班里一个女孩子比较特殊，每到课间，她总是离开这个刚刚建立的群体，趴到走廊的窗台上看书，很少与人交流。头发总是遮住眼睛，让人看不到她的目光。上课的时候，故意提问她，她声音很小，小到几乎听不到她说什么。每天早上她都是步履很匆忙地赶来。这让赵老师非常奇怪，因为这和在资料上了解到的完全不一样！她的初中老师对她评价很高，在初中她是班里的团支书，学习成绩优异！赵老师还特意把卫生委员这个工作交给她来干，她也答应了，那为什么会出现这种情况呢？赵老师赶快和家长联系才了解到，她初中是在一所普通校，成绩在当时比较突出，也深得老师的赏识，那时的她比较自信，也有很远大的理想。但就成绩而言，她也刚刚够师大附的分数线。她比较幸运地以刚到本校分数线的成绩拿到了北京师大附中的通知书，家长、老师、她自己都因此特别高兴。她觉得，自己可以更好，暑假里还参加了一个叫“北大英才”的辅导班，提前学了一些东西。那时的她充满了信心和希望，确定了自己的理想，那就是一定要上北大，她觉得自己能行，也相信自己在新的集体中，一定会大放光彩。带着这样的心情，她走入了高一（4）班。但在开学第一周，她就受到了莫大的打击。她突然觉得，上课好多东西她听不懂，小测验也离自己的预期很远。她很恐惧，突然觉得自己和他人差距很大，自己就是班里最差的，和班里的同学也很难找到共同语言。但她不甘心，所以每晚都学到很晚才睡觉，甚至不睡，但还是不行。就这样，身心很疲惫，找不到快乐。听到这些后，赵老师明白了。这个女孩有强烈的被自己和他人认可的需求，但一时还没有适应从初中到高中的转变，找到自己在新集体中的位置。于是，赵老师专门找了一个空闲的下午请她来诉说苦恼。听她讲完后，赵老师从多方面先肯定了她，比如说，她工作很认真，学习上也不是像她自己说的那样差，跟刚入学相比，她进步了很多。老师对她说，自己的群体变了，要有新的定位，但无论如何，要看到自己的优点，每天进步一点就是在前进，总有一天，你会很出色的。健康、快乐是最重要的，不能每天靠熬夜来减轻压力。赵老师还专门打印出自己比较喜欢的新东方创始人俞敏洪写的一些东西，给她看看一个名人在最初的时候怎么面对困境、怎么以乐观的心态面对一切、怎么对待自身的不足，等等。她读了这些资料后，说对自己的帮助很大。在她破天荒地去找到老师聊这个的时候，她笑了。每晚，10 点左右，赵老师都会给她发一条温馨的短信，给她一些鼓励，提醒她早点休息。这样坚持一个多月后，这个女孩可以很开心地和大家讨论问题，每晚能够按时睡觉，她很快乐地追求自己的目标，而不再是把这些当成包袱了。看到这些，赵老师由衷地感到欣慰。

3. 欣赏学生，鼓励学生

学生作为发展中的个体，固然存在这样那样的不足，但每一个学生都有长处和闪光点。附中的班主任们爱孩子，喜欢用欣赏者的眼光来看学生。他们不仅看到孩子们的独特气质，还帮助他们学会悦纳自己。班主任们信任的目光、鼓励的话语，让孩子们的自信之“帆”高扬。

张洋老师有一个班级档案，这种档案，并不是一般意义上的“学生基本情况表”，而是对学生美好的一言一行、一举一动的记录。比如学生“语录”，也就是记录学生日常生活中的幽默之言；还有“感动瞬间”等，记录学生特别是平常毛病比较多的学生在生活中美好的却又不经意的一瞬间。张洋老师能够发现每一个学生的闪光之处。高一军训时，班里有一位男生主动捡起了楼道里的纸片，这是他的一种习惯性举动，并非刻意为之。但就是这样一个在学生看来很自然的动作，被张老师捕捉到了，并在后来的总结会上对他提出表扬。会上，这名男生很惊讶，他没想到这样一个小小的动作竟被老师记在心里，因此受到很大鼓舞，其他学生也因他的影响而变得更加自觉。

每学期初，王德清老师都让学生准备一个极具个人特色的学生档案夹，之后把这半学期以来所做的事情，所得的哪怕是点滴的荣誉都放进去，到家长会时，展示给自己的父母看。结果家长都感到很有兴趣，原来自己的孩子是如此的能干，做了这么多的事情。学生也感到很惊讶，如果不把这些放在一起，每次总结自己的情况时，都觉得几乎没什么可说的，也没做什么，但现在一看档案夹，原来是如此的丰富，自信心一下就增强了，学习生活也更加有动力了。

董长华老师每次接新班以后，都会在班里面开展“才艺表演”的活动，吹拉弹唱，琴棋书画，孩子们各显神通。一方面让学生展示出学习以外的才智，增进相互了解；另一方面，抓住这个机会，树立自信，同时创造相互欣赏的条件。她班里曾有一个左眼睑塌陷的孩子小艺（化名），左右眼大小相差一倍。这个孩子内向，不善言谈，不合群。董老师想一定要找一个突破口，让孩子走出心理的阴霾。通过家访知道他围棋下得很好，于是就组织了一场棋艺赛。围棋、象棋、军旗、五子棋，你喜欢哪项就报名参加哪项。经过了近两周的比赛，这个孩子脱颖而出。在围棋、五子棋两项赛事中名列前茅。在发奖时，董老师首先罗列了很多棋艺精湛的大科学家的名字，又列举了棋艺精湛的人的特点：思维缜密、敏捷，性格比较成熟。听到这里孩子们都纷纷向他投去赞许的目光。董老师亲自把奖状送到小艺手里，并热情地拥抱了小艺，弄得他满脸通红。后来，孩子的妈妈说，长大以后从没有拥抱过自己的儿子，董老师给他的不仅是一个拥抱，而是照亮孩子心灵的阳光。

4. 为每个孩子点亮心灯

李凤老师刚一工作就做了高一（8）班的班主任。在她的精心策划和组织下，班集体很快形成，全班井然有序，同学亲如一家。可就是有一位同学喜欢独来独往，与大家格格不入。这位同学叫张颢（化名），他很快就引起了李老师的注意。李老师再次找出他的简历翻看，没看出有什么不同。谈话吧，也没发现什么问题。从此，张颢就成了李老师心头的一块病。直到有一天家长会，张颢的一个亲戚代他父母来了，李老师才从这位亲戚口中知道了原委。原来，张颢的父母早就离异，张颢一直跟着母亲过，母亲身体不好，把全部的希望寄托在了儿子身上，但张颢的表现又不像母亲期望的那样让她扬眉吐气。知道了症结所在，李老师专门找时间约来了张颢。面对平时对什么都不屑一顾的张颢，李老师一上来就说了一句："张颢，我觉得你不配做一个男子汉！"原本一脸漠然的张颢瞪大了眼睛望着李老师。"你家里的情况我都知道了，你现在是家里唯一的男人，但我认为你没有尽到一名男子汉的责任和义务。"面对一脸愕然的张颢，李老师坦诚地说出了自己的想法，还送给他一张精美的卡片，上面用潇洒的大字写着："五彩斑斓的天空，对你也不会是灰色！"接下来，李老师寻找一切机会赞扬他、鼓励他。学校足球比赛，知道他爱好足球，李老师不顾其他同学反对，硬要原本没入选班队的张颢踢前锋，还亲自带着一帮女生在球场边为他加油呐喊。在他不顾一切为班级踢进两球后，李老师发现这个孤僻的男孩终于绽放了灿烂的笑容，与同学们幸福地拥抱在一起。渐渐地，张颢变了，成绩上升了，越来越热心班级事务，越来越受同学欢迎。为了不让身体不好的母亲为他操心，他向班主任提出每次家长会自己来开。根据实际情况，李老师欣然允诺。于是，每次的家长会时教室里就多了一位小家长，张颢一本正经地端坐在那里，认认真真地听老师的分析和意见，还不时记下要点。后来，张颢的母亲生病住院，是张颢在手术书上签下的字，并把母亲推进了手术室。整个暑假，张颢都奔波于医院和家之间，为母亲洗衣送饭。这一切让年轻的班主任看在眼里，疼在心里，同时也深深地赞赏这一位小小男子汉。高考填报志愿，张颢自己和老师一起查看资料、分析情况，硬是没让生病的母亲为自己操一点心。高考结束，他以优异的成绩考取了理想的大学。在成人纪念卡上，李老师又一次写下了那句话："五彩斑斓的天空对你永远都不是灰色！"

刘莉娟老师在刚接了新高一的班主任工作后，发现班里有一个孩子是学校的住宿生，却没有在学校定早、中、晚饭，而是经常买些烙饼和咸菜解决一日三餐。刘老师找他谈话的时候他也只是说家里情况良好，自己没有任何困难。和其他住宿生聊天发现没有人知道他的具体情况，只知道他很少回家。刘老师想他一定有什么不愿意透露的事情，于是利用周末来到了这个在北京通州区边缘的村里，多次询问后才找到了他的家。第一眼看到他家，刘老师着实被房屋的破旧震惊了，从小长在北京的她一直不知道北京还有这样破旧的房屋。在与他母亲面对面的交流中，刘老师才了解到事实的真相。他父亲在3年前因病去世，给家里留下了很多债务，母亲身体也不好，家里人少地少，勉强维持生存。他曾要求不考高中留在家里照顾母亲，但母亲执意要求他继续上学，现在他上学的一切开销都是跟村里人借的。刘老师流泪了。在这个孩子沉默的外表下，隐藏着怎样倔强的性格和顽强的生存欲望，又承受了多少的压力？孩子有着强烈的自尊心，同时又有强烈的自卑感。这些是需要纠正的，但也更需要保护。于是刘老师和孩子母亲约定，不透露关于家访的事情，自己从侧面做通他的工作，并给他一些帮助。

回到学校后刘老师组织班委筹划了一次主题是"对待需要帮助的人，我该如何做"的班会，每个人都积极参与发言与讨论，并且要求大家都实际去实施了一项帮助行动。这个孩子选择了去帮助班里一位学习自主性较差的学生，并和他达成为期一学期的协议；刘老师则选择了帮助他，把在学校定了三餐的饭卡给他。

在被他断然拒绝后，刘老师和他进行了一次推心置腹的谈话。谈到他家庭情况的时候，他终于告诉了老师实情，于是刘老师就他的决定、举动给他进行理性的分析。刘老师肯定了他不怕困难、面对困难努力凭借自己的力量去解决的精神，但也指出并不是所有的问题都能依靠自己的力量就能解决，拒绝别人帮助的时候，还要考虑到自己的家人是否也在和自己承担着同样巨大的压力。刘老师提出了自尊和自卑这二者的区别和联系。第一，维持自尊是必要的，但不应被自卑控制了自己的行为，家庭生活困难不是丢人的事情，不能因为穷困就去做不该做的事情，来改变自己的生活现状，但因为怕别人笑话就隐瞒实情、拒绝帮助就是自卑感在作怪了；第二，自己这样处理问题，会影响自己的身体，无形中也给母亲增加了很大的压力，一定程度上伤害了母亲；第三，坦然接受必要的帮助不仅可以给自己提供更好的环境，同时也可以发动自己和周围人的力量去帮助更多的人，把自己得到的帮助继续传递、更广泛地传递不是更好吗？他听了之后半天没有说话，但是把饭卡收了起来。在以后将近三年的时间里，刘老师和班里的同学都发现了他的巨大转变。他和他帮助的同学将他们的互助组发展到 10 余人，互相监督、帮助，并在班里建立了交流角，把自己见到的好题、阅读资料、好的文章、新鲜的知识等不断地补充到交流角中供全班同学浏览；他们还动员班里一部分同学组成了志愿者小组，在学校组织的各种活动中起到了重要的作用，等等。在他们的带动下，班里组织去临终关怀医院做志愿者的活动，并且在那次活动后，他坚持每月至少去一天一直到高考前夕。在他的努力下，他得到了大家的认可、支持，还获得了可以持续到大学毕业的奖学金。在他每一次付出努力帮助别人后，刘老师都会找他交流并给予肯定，就出现的小问题提出意见和建议。在毕业纪念册中，刘老师给他写道："拒绝别人对自己的帮助并不能减轻别人的负担，将别人的帮助传递才使那份帮助更有价值，感谢你让更多的人得到了帮助。"

他在高中毕业后给班主任的信中写道："您对我无微不至却又适可而止的帮助让我认清了自尊和自卑，也给了我更多发展的空间。三年的谆谆教诲让我拥有了健康的心态，三年的免费三餐让我拥有了健康的身体，现在我在学习之余利用您给予我的这些东西去打工，不仅可以维持自己的学习和生活，还可以帮助大学中和我一样困难的同学，我还捐助了两个希望工程的儿童。我会继续努力，让所有给予我帮助的人的付出都能更有意义。”

班主任们就这样，在平凡的工作岗位上，用真诚的爱和教育的智慧，为一个个孩子点亮心灯，照亮他们前行的路。

(二) 专业、智慧、充满魅力的引路人

新时期，我校提出了班主任工作的八个字核心理念：引领、关怀、启发、激励。引领，就是帮助学生树立正确的人生观、价值观，形成科学坚定的信仰信念，确立崇高远大的理想目标；关怀，就是关注学生身心发展、品格塑造；启发，就是激发学生对科学的兴趣，对生活的热爱；激励，就是培养学生顽强进取的意志、持之以恒的决心、面对挫折的勇气和获取成功的自信。这是对学校优良传统的继承和弘扬，是学校“全人格、高素质”育人思想在班主任工作上的具体要求和体现。我们把人格教育作为我校德育工作的核心，班主任的任务就是做学生健康成长的引路人。

1. 对学生的一生负责

北京师大附中有一句响亮的口号：“对学生的中高考负责，对学生的一生负责。”班主任的工作从不仅仅局限于学习和秩序，更要始终关注学生健康身体、个性和健全人格的培养，为今后的人生打下良好的基础。

高二第一学期，周丽敏老师班上来了一位新同学，他叫小狼（化名），是因为成绩优秀从普通班调整到实验班的。可是自从他来到该班，老师同学都觉得这个同学很“怪”，很不和谐。他与各科老师都发生过摩擦，或是对老师的批评管理方式拍案而起，横加指责，或是抓住老师的一点言语的漏洞，不依不饶，纠缠不休。周老师找他谈话，他却非常抵触，说不想跟任何老师谈话，因为所有的老师都虚伪，他不相信老师。说这个世界太黑暗了，没有一个好人。周老师注意看他的表情，一脸的愤怒和怨恨。周老师看着他的愤怒，实际上也能感觉到他内心的痛苦，他活得很累。虽然学习好，但没有一个健康的心态，遇事偏执，这

样下去小狼的一生不会幸福啊！周老师心想，我坚决不能放弃，一定要想办法，调整好小狼的心态，让他看到生活的美好，让他感受到身边的老师和同学的爱，我们不虚伪，我们是真诚的。

周老师开始研究到底是什么导致他的偏执。经过各方了解和与家长的接触，周老师发现小狼在小学时确实受到过某位老师的伤害，后来又有一件事是他的良好用意没被发现却受到了很大的冤屈，当时老师也没有很好地解决这些，家长的教育方式也属于简单粗暴型，也没有给予合理疏导，以致给小狼的心灵造成了伤害，人格渐渐出现了偏执障碍。

周老师对症下药，想办法调适他的心理。首先安排他为班集体做事，更好地参与集体建设，更好地与同学们相处合作。当时，正好摆放自行车的同学有两个人，周老师想再加一人，大家好互相有个替换和照应。她先把该任务的艰难性、耗时性和可能会出现的一些困难重新说明一遍，比如期中期末考试摆车还要坚持等。同时说明这项任务因为要求到校早，且设在地下室，需要学习能力强、成绩较好又比较勇敢的男同学来完成。然后征求小狼的意见，小狼当众愉快接受。自此，他每天与另外的两名同学兢兢业业，任劳任怨。周老师上班经常经过地下室，每次都特意向忙碌的他们挥手以示敬意，经常在班里表扬他们的踏实肯干，精诚合作。后来他们多次拿到流动红旗，为班级争得了不少的荣誉。周老师在班里也多次表示赞扬和感谢，他们的奉献真正得到了同学们的欣赏和肯定，成为了老师和同学们的骄傲。班集体凝结了小狼的汗水，自然小狼开始维护他。偶尔自行车红旗流动到别的班，会听到小狼说“为什么?”颇不服气，周老师感到他是真正爱这个集体的。

同时，周老师理解他的需求，尊重他的个性，给他更多的自由和关爱。他智力水平很高，数理化学习效果很好，他每天中午都要去打篮球。每次他大摇大摆地回到班里时看见周老师总有点不自然，想躲。周老师不想增加他的压力，就给他说要玩就痛痛快快地玩。周老师看到他的后背总是湿的，就很担心他，怕他感冒，让他注意带替换衣服，有暖气的冬天还提醒他把运动后的湿衣服烤干再穿上。渐渐地，小狼不再躲周老师，一见她就主动地打招呼，周老师心里热乎乎的。

周老师一直坚持用真诚去捕捉他的优点，指出他的缺点。在期末评价手册上周老师给他写了这样的评语：心地善良，责任心强；脾气太大，叫人害怕；数理化成绩优异，语文成绩太差；运动能力强，运动会上表现顽强；学习能力强，潜力还很大。小狼看着给他的评语，说："老师，您太了解我了，真是，太像我了。"他不止说了一遍，还拿着评价手册不停地看，不停地点头。

学校"晨鸟杯"开始了，在赛前热身练习时因场地有限，小狼和对手班的同学扭打起来。周老师把小狼从教导处领出来，并当着他的面向对方同学道歉。看到周老师的举动，小狼也平静下来，当场和对方同学握手言和。教导处老师已经批评教育过小狼了，因此周老师没再批评他，反而让他立刻投入训练，心里却在盘算如何化解同学们因集体荣誉受损而可能会给他造成的过大的心理压力。周老师一直不提让他写检查的事，因为检查这种形式难免会让小狼觉得虚伪，她只想让他感觉到老师同学们都很真诚，大家真心在为他好。隔了一天，在正式比赛开始前，周老师利用早读，首先感谢同学们为了集体的荣誉而全力以赴的训练准备，同时再次提醒大家：安全第一，大家爱护集体的心是最可贵的，但要理智，要文明，做到这些，尽力而为即可，比赛虽然输了，你们也是老师和同学们心中的英雄。结果班级果然获得了"晨鸟杯"中很高的荣誉——精神文明奖。年级的同学纷纷夸我们班踢得顽强而文明，这是周老师亲耳听到的。班会时老师又进一步表扬同学们，表扬他们沉着的配合，顽强的防守，专门提到小狼勇猛地过人抢断，最重要的还是大家虽然处于劣势，却没有被各种叫喊声激怒，踢得文明，表现出了很高的素质。当然女生组织的文明拉拉队也立了大功。看到小狼和同学们自豪的表情，充满自信的眼神，周老师相信他还会有更大的进步。果然，真诚的回报是如此让人欣喜。本来因为小狼负责码车，没有给他排值日，近来周老师常看到他在帮助同学做值日；班里一旦有领发书本的任务，他肯定是主动贡献力气的。对于老师同学的批评也能心平气和了，虚心接受了。语文课轮到他备课讲古文时，他主动邀请班主任来听课，他准备得很充分，讲得很细致，很耐心。小狼的学习成绩也逐渐从年级100多名提高到了年级30名以内。他终于走出了心理的阴霾，对老师、对同学逐渐信任，遇事也不再偏执。

周老师说："他既然在我班上，我就要无条件地接纳他，理解他，并真正为他的益处着想，为他的成长和发展做点事情，这才是发自内心的爱。我真心希望小狼平安、健康地发展，希望他今后的人生幸福、快乐、有收获。"

从班主任与新同学见面的第一天起，刘美玲老师就给大家留下了"令人眼前一亮"的深刻印象。刚刚自我介绍完，她就用潇洒大气的字体在黑板上写下了"自在呼吸、坦荡生长"八个大字。这极富人文情怀的八个字，一直陪伴学生走过了两年的时光，最终深深扎根于每个人心中，逐渐形成了班级的精神品格，也映照着班级每个学生的成长。

作为语文老师，对学生进行培养人格、启迪情操的德化教育，具有得天独厚的条件。语言文学本身就是关于"人"、关于"生命"、关于"价值和意义"的学科。刘美玲老师具有很高的语文教学水平，尤善启发同学们对生命的思考，能站在人文主义的高度来引导青少年的人生观、价值观。这些启发性的思考拓宽了学生的思路，为学生日后的发展打下了一个"光明的底子"——不是知识和技能，而是品格和情怀——独立思考的精神、对真善美的追求以及对生命的领悟。

她要求每节语文课前全体起立背诵《论语》一条，两年来节节课前如此。高三，要求大家在语文练习本扉页上端正地写下宋代大儒张载的话——"为天地立心，为生民立命，为往圣继绝学，为万世开太平"。课上，古今中外，无所不谈；课下，小到一件班级琐事，大到国家时政热点，都可以为教育所用，抓住一切机会引发大家的思考和讨论。

刘美玲老师也重视培养学生的同情之心、感恩之心、善良之心。一次次班会、谈心会，总有动人的场面，一幅幅照片记录着泪水与欢笑。一次，刘美玲老师要求每位同学以"我感恩……因为……"的形式在纸条上写三句话并交上去。一天的语文课前，刘老师说给大家读一篇文章。听着听着，大家发现原来是所有同学纸条上的内容经过细心的整理后连缀而成的。这篇文章中写到了感谢亲人、朋友、老师，还有感谢自然、陌生人……在聆听的过程当中，同学们无不深受启发和感动。

温家宝总理说："惟有教师人格的高尚，才可能有学生心灵的纯洁。教书者必先强己，育人者必先律己。"① 北京师大附中的班主任以行动响应着总理的要求。

2. 尊重规律，科学育人

教育是科学，教育过程必须尊重教育规律，采用科学的教育方法，才能取得实效，班主任工作也不例外。特别是青春期的青少年反感说教，反感形式主义，喜欢亲自尝试，希望获得尊重和认可。班主任们不空洞说教，不居高临下，力求使自己的工作"近、小、实、亲"，符合中学生的身心发展规律。

现在的独生子女，生活条件优越，得到东西很容易，也失去了对物品的珍惜。张洋老师在教初二的时候发现班里有往墙上写字的苗头，她也没有"讲道理"，而是组织学生买了一桶墙漆和必要的刷墙工具，让学生亲自动手刷墙。这些孩子在家里从没干过这些活，新鲜感远远超出了对劳动的抵触，个个干得有滋有味。结果，不仅刷掉了自己写在墙上的文字，还把前一个班留下的陈迹也刷干净了。看着自己劳动后的成果，学生们格外珍惜，从此，再没有人往墙上涂抹了。

高三紧张的学习生活使一些同学产生了畏惧、迷茫、困惑、沮丧的情绪。李静老师并没有简单地"讲道理"，而是请往届毕业生到班里，和同学们就高三的生活和学习方法以及高考的感受等进行了交流，还建议班委会和团支部在板报上开辟一个"心情 BBS"专栏，准备了带有各种表情的即时贴，鼓励大家诉说自己的心情，互相交流感受。其中有这样一些帖子，"我觉得任何人都不可信，我心里矛盾极了，我快崩溃了"，"高考就是一种放弃和牺牲。放弃一种快乐来追求另一种快乐，牺牲一种幸福来追求另一种幸福。我虽不清楚牺牲掉的有哪些幸福，但

① 引自：温总理 2009 年 9 月 4 日在北京三十五中与教师代表座谈时的讲话。

我知道我追求的过程绝对是一种快乐，哪怕高考最终只是夜空里划过的一颗流星，而我心中已有过了快乐的感动。”还有一张帖子，画着一只戴着围巾、流着鼻涕的熊猫，旁边写着“小静，注意身体！我们需要你！”这是送给生病的李静老师的。“心情 BBS”为同学不仅提供了一个宣泄不良情绪、分享快乐、传递师生互相关心的场所，更重要的是使同学们认识到一些问题是大家共有的，知道自己的想法、感觉是正常的，不再慌张、恐惧，然后大家一起来分析产生问题的原因，寻找解决问题的办法，这里也被同学们称为“我们心灵的家园”。

赵明新老师组建新的班级后，发现班里的孩子大部分期中考试后情绪低落。针对这一情况，她和学习委员一起作了一份问卷调查。统计结果显示：在交上来的 31 份问卷中，绝大部分同学认为自己在新集体的名次应在前 20 名，只有两人认为自己是在 20 名后，但也分别为 20 名和 22 名；100% 的学生对自己的期中考试成绩不满意；有 81% 的同学认为考得不好的原因是考前复习不充分，似乎认为只要认真复习就可以取得好成绩；100% 的同学期望得到老师的各种帮助，包括心理方面的指导；有相当一部分同学没有自主的学习时间。

调查的结果使赵老师思考，学生刚入学时，一定是充满了期待，在新的集体中，他们也希望自己脱颖而出，但是他们忽略了一个很重要的因素，他们的群体变了，也可以说对手变了，所以在满怀信心等待答案时，却离自己的预期很远，所以出现失落、困惑、无奈等情绪。如何让学生尽快调整角色，这应该是入学时很有必要做的事。还有，我们现在经常倡导孩子要欣赏他人，这很重要，但我们忽视了，孩子也要悦纳自己。为什么 100% 的孩子都对自己的成绩不满呢？那成就感从何而来？还有，创新、自我提升，这些都应该大部分来源于自主学习（也就是自主能安排的时间），但竟然有 58% 的人只停留在完成作业上。于是，赵老师有针对性地制订了一份详尽的计划，帮助学生重新定位，尽快适应高中新生活。

在教育过程中班主任们不断积累经验、摸索规律、研究新问题新方法，提升教育效果。

3. “教是为了不教”——让学生学会自我教育、自我管理

班长：下面请课代表总结今天的情况。

地理课代表：今天课堂讨论问题时有的同学声音太大，不但干扰了其他组，连老师说话都听不见，还有的同学趁机聊天不参与教学活动，在此提醒同学注意。

政治课代表：上政治课有同学做数学作业。

班长：请同学们发言。

同学甲：干扰他人学习是不道德的。

同学乙：学习是自己的事，但更应尊重老师的劳动。

同学丙：这样做也是对其他同学的不尊重。

班长：上课做数学作业的同学请起立。

稍倾，有两个同学很尴尬地站起来。

班长：对刚才发言同学的观点持认同态度的同学请举手。

大部分同学举手。

班长：老师说过，做人要光明磊落，班主任的课与科任课老师的课一个样。

班主任：校训“诚、爱、勤、勇”，刚才总结的情况有的是要批评的，但又有要表扬的，请同学们分析一下。

同学男：诚、勇，他们犯错误勇于承认，诚实并有勇气。

同学女：班长及课代表批评是关爱，他们及时发现总结是勤。

班主任：对以上的发言大家的意见是什么？

全班响起掌声。

这是发生在初二（2）班的一个普通场景。从初一开始，他们班每天放学后都要进行总结工作。但总结不是班主任来做，而全由值班班长组织同学们自己进行，班主任王玲老师只是适时地参与讨论。

教育科学主要是一门指导和启发的科学，是引导学生进行自我教育

的科学。我们相信孩子有自我教育的能力；教育者的任务就是为孩子准备最能激发孩子潜能并适宜孩子成长的环境。

在班级管理的过程中，我们强调班主任的“无为而治”，要留给学生更广阔的自由发展和调节空间，事情尽量让学生自己去做，充分发挥他们的自主性，班主任适时加以引导，帮助学生学会自我教育、自我管理。

许多班主任都推行“全员管理”的班级管理模式，充分发挥学生的主体作用。首先在校规和班规管理中引入一定的社会规范，促进学生的自我管理和自省智能。在建立班规的过程中开展类似“我们的班规我们定”等各种形式的主题活动充分调动学生，让学生参与进来。这样制定的班规就是学生自我规范的守则。由于学生有为自己的目标负责的倾向，所以它容易使学生对自己的行为产生自我约束，极大地提高了教育管理的实效。同时根据学生特点，在新班级成立时，民主组建班委会，然后民主确定责任制，分工明确，责任到人，班干部在自己履行好班规的前提下进行班级管理，然后将管理人员的范围逐渐扩大，最终达到全员参与，全班同学都是管理者，只是每个人管理的方面有所不同。这样，学生的自我管理就达到了，在参与管理的过程中，每个学生首先要做好自己所管的事情，出现问题又要自我反思、总结，提高自己的管理水平。请同学参与管理，引导学生学会主动选择、主动发展，充分发挥主体性及自我教育能力。

刘晓杰老师在班主任工作总结中这样说：“初二（4）班每天都有一位值日班长，值日班长按座次轮流担任，负责记录当天的班内全面事务，尽职尽责、严格公正地做好班级当天的常规管理工作。全班同学对值日班长工作有监督、建议和检举的权利。设值日班长，旨在让每一位同学都有一个锻炼的机会，让每一位同学都有一种服务意识，让每一位同学都能在实践中尝试与同学沟通，最终达到素质拓展、自我锤炼的目的。我相信，只要我们班每个同学都努力为班级做一点事情，那么我们班肯定会更出色。

值日班长要将班内一天的生活记录到《班级日记》上，《班级日记》分为课堂、间操、课间、自习、考勤、值日、作业、要闻八个版块。《班级日记》是我们班集体成长和发展的见证，是集体弘扬正气的阵地，是集体良好舆论的导向，是师生交流的谈心亭，是联系师生情感的纽带和桥梁！可以说，《班级日记》更是我们全班同学的杰作，是我们大家智慧的结晶。通过学生的自我管理，实现了自我约束，进而达到了自我提高。学生得到了大家的认可和老师的赏识，有了成就感，也就产生了进步的内驱力。这样学生参与管理，老师提供服务，良好的师生关系也就自然而然形成了。”

刘莉娟老师在自己的班主任工作中发现很多人包括学生对待周围的事情非常冷漠，对于别人的付出认为是理所应当的而无动于衷。一提到“感动”，很多学生都觉得除了生死离别或忘我牺牲等大事情可以感动他们之外，生活中好像没什么可以让人感动的，总觉得生活乏味而无趣。于是刘老师策划组织了一次“感动细节”的主题活动。在活动准备初期，她给全班学生布置了个找感动自己的细节的工作。素材收集起来后，有阳光、水滴、文学、音乐、电影、图片、情感、身边小事等对自己的感动，还有学校老师、保洁工人、父母朋友、非典中被隔离的医生护士、足球赛进球后队员握手那一瞬、海啸后重建家园的人们那忙碌的身影对自己的感动，等等。班委会商讨后，按内容将全班分为几组，每小组可以任意选择自己认为最能表达自己的感动并能感动大家的形式与大家进行交流。在主题班会中大家积极地用朴实的语言、感人的图片、多样的形式交换感动的情景，在交流的过程中，大家都高度集中精神倾听、感受，而班主任也准备了发言，讲班中令她感动的一些细小的事，比如王晓谋同学在比赛中摔倒后同学向他投去关切的目光，唐博维同学每天第一个到校开门，等等。最后每个人在卡片上写下了当时心中最强烈的感受，然后互相交换卡片并阅读，再次和大家交流相互的感动，使活动达到了高潮，学生感到了心灵的触动。活动结束后，之前一直“教育”老师“理科生是冷血动物”的陈某写下了“对身边细节的感动真的可以使生活更生动，真的让我感到了心中那股暖流。我要做一个感性的理科生，从感动那些平凡的小事起，感谢生命、感谢感动着我的人和事。”那次活动之后，班里的气氛越来越和谐、温馨，家长也说孩子在家里对家长的态度也温和恭敬了很多，还有的主动帮家里干家务等。王某以前见了老师从来不抬头也不问好，活动后他见了老师总是积极地看着老师主动问好，问他为什么，他说以前自己总是把这种问候当成负担，但经过活动后他认真观察过人们互相问候时的情景，发现人们互相问候之后仍能保持问候时的笑容，说明问候能给彼此快乐和一种无形的支持，所以他不自觉地就做到了。

由于班主任平时“无为”的智慧，学生在班主任刘莉娟老师怀孕期间依然能认真完成各项工作，每一个人都精心做好自己分内的事情，尽量不让老师费心。从学校十项评比到课堂秩序、班级氛围、学生的精神状态等都得到了老师们的一致好评，充分调动了学生的自制、自律的积极性。刘老师也一直坚持工作到临产当天，她班的学生则在老师住院的这几天中出了一期墙报，不仅贴出了老师怀孕期间的照片和新生儿的照片，还写出了每个人对老师的祝福。王小博（化名）同学写道：“刘老师在临产前一周还在给我们上课，看着她挺着大肚子的身影，我们感动极了。刘老师，您不仅有了一个孩子，您更赢得了46颗心，您的47个孩子都围绕在您身边。愿您早日恢复，回到我们身边来。”这期墙报一直留到刘老师回来工作的那天，他们感动了所有看到了这墙报的老师，更感动了他们自己。可见学生们有充分的自我教育的潜力。

北京师大附中毕业的学生都十分感谢和怀念母校。宽松、自主，充分锻炼自我能力，北京师大附中让他们在大学乃至今后的一生都如鱼得水，受益匪浅。

四、在飞翔中练就雄鹰的翅膀

——高质量的班级活动

中学阶段是学生生理及心理发展的特殊阶段，是生理的激变期、心理上的过渡期、智力上的转变期、世界观的孕育期。一方面，这个时期学生自我意识明显增强，对于外界对其“自我”的态度反应十分敏感；

另一方面，学生的“成人感”日益增强，他们要求有社交活动，结交朋友，要别人像对待成人一样尊重自己；同时中学生也正处于人生观觉醒的初始阶段，随着学生接触社会范围的扩大，知识的丰富，抽象思维能力明显增强，他们对社会、人生的各种现象也开始有了自己的看法，但他们的社会经验仍然是比较幼稚的，这就使得学生内心矛盾更加复杂。因此，中学阶段是人生发展的关键时期，教育引导得法，可以使他们爆发出强大的青春活力，为其一生发展打下良好的基础。

开展丰富多彩的班级活动是学生身心发展的需求，有利于丰富学生的精神生活，让学生在活动创造的情景中体验、内省，个性自由、充分、和谐，正常地发展；有利于学生在活动中施展才华，发现潜能，锻炼能力。开展丰富多彩的班级活动，有利于班级成员的不断交流、碰撞，促进积极向上、凝聚力强的班集体的形成。

（一）涅槃重生——军训

学生进入高中接触的第一次班级活动应该是军训了。短短十天的军营生活却可以成为学生高中三年里最刻骨铭心的记忆。在共同经历日晒雨淋、摔爬滚打、欢笑哭泣后，一个团结向上的班集体也初步形成了。

我校有着光荣的军训传统，已经连续 21 年组织高一新生到石家庄机械化步兵学院——亚洲最大的陆军军事院校接受正规军训，体验真正的军营生活。

在石家庄机械化步兵学院那一望无垠的草坪上，烈日炙烤着从小生活在安乐窝的都市少年。站军姿，稍息，立正，向左转，向右转，齐步走，正步走……汗水雨滴般洒落脚底，身体开始不听指挥，酷热天气和超强度的训练考验他们的体质，磨炼着他们的意志。平日看来最简单的动作竟然都有了那么多的规则。一个人的动作做好是不够的，只有一个团体做得好才是胜利。每一个步伐，每一个口号，团队精神让它们发出一个单一的声音——整齐。要达到整齐，就必须不断纠正步伐的错误，一遍不行，再一遍，再不行，再一遍……原来那么整齐的队伍是需要付出汗水才能换来的。忍受皮肤变红变黑、蚊虫叮咬和各个部位的酸痛，迷彩服湿了又干、干了又湿，在背上画出一朵朵盐花。从清晨6点的集合哨，到晚上10点的熄灯哨，整理内务、出操、吃饭、训练、学习，有严明纪律和严格作息时间的军营生活严肃紧张、团结活泼。从没自己叠过被子的他们要把被子叠成豆腐块，吃腻了各种美食的他们争抢着吃馒头土豆，想家的夜晚写下对父母的想念与感激，为同学过生日时感受到了集体的温馨与力量。军歌的豪迈，拉歌的欢乐，激烈的竞争，赢得红旗的欢呼雀跃，失败时的相拥而泣，严厉英武的教官，友爱互助的同学，始终陪伴的老师，那漂亮的橄榄绿，那“流汗流血不流泪，掉皮掉肉不掉队”的铁汉三连精神，一点一滴都是年轻生命里不能忘怀的记忆。

回到北京，同学纷纷用笔记下军训的感受。

王蕊回忆说：“比赛开始了，首先是分列式，首长走过来，一排一排地问好，‘首长好！’我们班的同学像使出吃奶劲一般喊道。我站在其中感觉震耳欲聋，要知道已经第八天，大部分同学嗓子已经哑了，而我们又是全营人数最少的一个排，我们的声音却像百万雄师怒吼一般。下面是阅兵式，又令我为之一震，大家的步伐出奇得一致，本来我还担心正步大家踢不到一起，看来我的担心是多余的。此时此刻，我很欣慰自己能和他们成为同学，成为朋友。我在心里呐喊：‘战友们，让我们一起向着胜利迈进吧！’结果我们真得到了红旗，我们欢呼雀跃，大家脸上都浮现了内心最深的笑容，我感受到了：团结就是力量！”

熊英哲回忆说：“在军队中，有一个词是一定要提的，它就是‘纪律’。教官曾教我们唱过一首《严守纪律歌》，歌中唱道‘纪律中有我，纪律中有无穷的战斗力’。这说明纪律对于一个人，一个集体是有着巨大的凝聚力和推动力的。在军训中我们切实感受到纪律无处不在。要在5分钟之内站好队列，一切事都要为其让步，这是纪律。站军姿，队列训练时，绝不能说话、乱动，这是纪律。吃饭时不能说话还是纪律。平时行走时‘二人成列，三人成路，四人成方阵’。纪律能让人们的行为更加规范，纪律能让人们的活动统一有序，纪律也能提高人的素质品质。”

陈原芳菲说："平时我不是一个'追名逐利'的人，对表扬或是批评都看得很淡，但这次的军训教会我积极进取的精神。这要从争流动红旗开始说起，每个排的同志们都把红旗视为最高荣誉，都在不断争取，所以哪里有示弱的道理。在这种氛围的影响下所有的同志们都拿出最高涨的热情，最坚定的信心，向着红旗'冲'去。当真拿到红旗的时候，我在想：努力总会有收获！也突然发现只要去争取才有可能取得成功，这就是'爱拼才会赢'！其实这也是给我的人生上了一堂课，军训完美地诠释了奋斗的真谛，军训带给我的是一生有益的东西。"

李征夏说："自己穿上迷彩服，扎紧武装带站在宽阔的军训场上，心胸豁然开阔，心中有种莫名的激动，热血沸腾，竟把自己想象成了一名要远赴沙场保家卫国的战士。同时我也突然明白了为什么爸爸会在春节时放员工们回家而自己独自值班，为什么叔叔会在中秋佳节替别人做手术而放弃和家人团聚——是责任感，男人心中的精魂。

"潇潇风中我也突然明白一个男人的责任。为国家应义不容辞，为家庭应倾尽关怀，为他人应不辞辛苦，为荣誉应奋勇争先。曾经的我在家长的呵护，亲人的关怀，舒适的生活中养成了奢侈浪费等不好的习惯。而在这绿色的军营中我明白了一个男人应该心胸开阔，去包容身边的一切，回想过去，我为我曾经的幼稚行为感到可笑，也为我这么晚才明白男人的责任而遗憾。

"军训是劳累的，光是站军姿就让人两腿发酸，时间长了两腿难以弯曲，但我还是咬着牙坚持，因为我明白一个男人应该是永不言弃，有坚强的毅力的。

"夜深人静站岗时，我轻轻推开宿舍大门站在大门前环顾四周，周围一片漆黑，军营上下一片寂静。唯有一列列高大的白杨在点点星光下能看得清，耳边是呼呼的风声，寒气逼人，我裹紧衣服抬头仰望星空，心中默默地想念着家人。此时我深深地明白了军营的男儿也渴望回家和家人团聚。

"军中的男儿也有情，只因为肩负重担只好把爱先放下。这是军中的男儿们为了大家而舍弃小家的牺牲精神。

“想到此我不禁感到我们是何等幸福——我们既不必背井离乡，告别亲人；亦不必戎装成边，保卫国家；更不必奔赴沙场，出生入死。我们只需要好好学习，而我连这个都做不好，真的很惭愧。时光飞逝匆匆九天过去了，我告别了军营，但军训使我成熟了。我明白一个男人一定要有责任感、永不言弃的精神和牺牲精神。因为这是男儿魂，一个真正的男人应该具有的精魂。

“人生在世不容易，父母赋予我男儿身，我就一定要做一个真正的男人。”

石阳在《军训的收获》里深情地写道：“军营，这是一本有血有肉、有苦有甜的活生生的教科书。它教会了我如何去关心帮助他人，告诉了我集体的荣誉是至高无上的，使我明白了军令如山，服从命令听指挥的重要性，使我的灵魂和思想都得以升华，更让我学到了吃苦耐劳、无私奉献的精神，顽强拼搏、勇争第一的坚强意志，理解了团结就是力量……总之，它教给我许多书本上学不到的知识。有句歌词这样唱道：‘生命中有了当兵的历史一辈子也不会后悔！’这九天的军训生活使我改变了很多。我发现自己从闹钟响后再不恋床，立刻穿衣；起床后竟然去叠被子，不像从前似的放在床上等着父母来叠。即使回到了家也丝毫没有对自己放松要求；洗漱的时间比以前快多了，不再一个劲地在镜子前面照来照去；吃完饭后也知道主动去帮父母刷碗；袜子也知道自己洗了。用妈妈的话说我女儿真不容易，终于长大了，像换了个人似的。”

卢昊回想起军训，发现看似艰苦、枯燥的军训是如此的多彩，觉得军训给他的最好的东西，就是艰苦，就是枯燥。在《军训所感》里他如此写道：“我们是生长在新世纪的幸福一代，在父母小心翼翼的搀扶下，在温暖和无微不至的怀抱里，在严父的教诲和慈母的垂爱中，我们从天真烂漫的童年时代走过来。现在我们已踏入青年的行列，有了独特的思维，完整的性格和较稳定的人生观，然而恰恰缺乏一种对意志的考验。军训给我们困难，这困难正是磨炼坚强意志的一块磨刀石，坚强的意志就是在困难的磨砺中培养起来的。

“通过军训，我懂得了自制、自爱、自理和自强，我知道人生之路不会总是平坦大道，有时荆棘密布，有时泥泞不堪，有时崎岖坎坷，但即使如此也得让自己去踩、去踏、去探索、去行进，而不需要靠父母扶着走。我要让我所走过的每条路，都留下自己的足迹。因为我已经长大了，有必要经受风雨的洗礼，在今后的生活和学习中，认识自己，提高自己，完善自己。”

潘冬阳说：“这九天给予我最多的是集体生活的温暖，也就是大家在一起时的彼此照顾和真心的友谊。我们都是独自长大的一代，但九天之后，我们才发现，朋友与我们是多么的密不可分，吃饭时彼此盛饭，一起收拾碗筷，寝室中仅有的一点食物分享，互相叫早，配合值班，操场上为自己的班级刻苦训练，等等，都令我觉得我不只是孤单的一个人。在那次不理智的行为之后，班里的同志们都等在操场边来关心我，更令我感动。我在九天里庆幸自己可以遇到这么多的朋友，也同样告诉自己：‘要尽量为大家做得更多，更好！’”

军训让这些温室的花朵初经风雨，磨砺意志，培养了高度的集体主义精神和集体荣誉感。他们把军训精神带回学校，融入到高中三年的自我锻造之中。

（二）丰富多彩的主题班会

“迷信网站没头脑，网上暴力像魔爪，互联赌博是强盗，不良网站不得了，上来就停不了，生活工作被打扰，工作效率直线往下掉……”2009 年 3 月 2 日下午，学校演播室内，高二（1）班的董伯羊同学正在数来宝。在座的高二（1）班的全体同学和班主任郑媛老师，国务院新闻办公室网络局副局长刘正荣，团中央网络影视中心副主任郝向宏，中国青年网总裁欧阳向群，国务院新闻办互联网研究中心国内新闻处处长温革，共青团北京市宣武区委员会书记王干，北京市宣武区教工委副书记吴君楚，共青团北京市宣武区委员会副书记符宁，北京市网关办副主任李卓好，北京师大附中校长刘沪等听得津津有味。原来这是同学们为响应抵制网络低俗之风的号召，举办的《让网络褪尽俗装换雅装》主题班会。班会上，同学们通过自编自演的情景剧阐释了网络低俗之风的危害，大家畅所欲言，从个人、家庭、社会、法律、国外动态等多个角度讨论如何更好地遏制网络低俗之风。大家还向全市青少年发出了“争当绿色先锋”的倡议：创建绿色网络空间，营造先进网络文化是我们中学生应尽的责任。网络需要去糟粕取精华，需要去低俗存高雅，需要减少纷扰创建和谐。只有这样，网络才能真实展现当代优秀中学生的精神风貌。希望全市中学生们携起手来，树立健康和谐的网络文化氛围，抵制网上低俗之风的蔓延。与会领导、老师也热情参与讨论，并对同学们给予了高度的评价。中央电视台、中青网等多家权威媒体对我校的这场班会进行了报道。

主题班会是集体教育活动的一种重要形式，它是由班主任指导、全班同学参加，围绕某一主题，设计各种活动，以帮助学生体验、认识这一主题，从而改变态度，进而采取行动，促进学生内省过程的完成和升华。

我校各班针对班级管理中存在的问题、社会形势需要和学校工作安排，精心选择主题，开展了“我亲爱的附中”“我与校训”“责任”“感恩”“感动”“把握人生角色”“拼搏”“寻找春天，发现春天”“你好，高一”“高调与低调”“沟通”“学习钱学森学长”“百年奥运”“我和我的祖国”等丰富多彩的主题班会。由于班会的主体是学生，并且有着丰富的形式与内容，他们的积极性被充分调动起来了，都十分喜爱参与。在准备班会过程中，学生的能力得以锻炼；在班会过程中，学生的才华得以展示，情感得以沟通，自信心增强，班级凝聚力增加。

为使高一新生更好更快地养成行为规范，培养学生自我教育的能力，高一各班以“身边的文明礼仪”为主题，结合录像、小品等形式的活动，组织了一次主题班会。其中录像部分是由学生分别在学校、公共场所、家庭等地方偷偷拍摄的不文明现象和不规范的行为；小品则是以班级内部的真事为素材编排而成。无论是拍摄的素材还是小品素材都是学生选择的，是生活中常见的、容易被人忽略的一些不文明行为，在被刻意放大出来后，对学生的触动非常大。在主题班会后，学生私下里推举出了班内的文明礼仪标兵，大家都自觉克制自己的不文明行为，更是出现了互相提醒的情景。而后，有的班又公布了征求各小组意见制定的《文明礼仪公约》，并且很细心地修改成了比较押韵、好记的四字诀，更有喜欢音乐的学生给配了段音乐，方便大家记忆；在《文明礼仪公约》的旁边，又陆续贴出了同学投的关于班内风气转好现象的稿件，竟然还有家长投的关于孩子在礼仪方面明显进步的感言，等等。大家都很关注并主动推进这个活动，使之进行了将近一个学期，班内的不文明行为日渐减少。良好的班级氛围使学生在受益的同时更加注意进行行为规范的自我教育，让学生自觉地把外在道德要求转化为内在的自我道德需要。

为使同学懂得如何以一种积极向上、乐观的健康心态去面对未来的生活，懂得快乐不仅是一种内心的感受，它更是一种积极的人生态度，初二（1）班的班主任王瑾老师组织召开了“分享·快乐”的主题班会。班会结束后，有的学生说：“班会让我明白，生活中的困难与挫折都是不可避免的，我们应该保持一颗乐观向上的心去面对它。当我们面对失败，面对着压力，面对着不被理解时，我们不应该失望，而是去努力，去打败它！”有的同学谈道：“一班同学们乐观、团结、向上的精神和永远快乐的心情将不会终结，我们将学着与更多的人共享快乐，我们愿意用快乐去滋润初二（1）班的每个角落。”有的同学说：“在《光辉岁月》的录像中，我们回首那些激动人心的时刻，时光又仿佛回到过去，我们共同走过风风雨雨，一同分享胜利后的喜悦，一同承担失败后的沮丧……心中无限激动……从班会后我要好好珍惜与同学的友谊。”有的学生谈道：“在这个班会上，我不但体会到了快乐，也感受到了一个精彩的五味俱全的青春时代，在一班这个大家庭中，我不知不觉地学到了受益一生的东西——乐观、热情、团结、向上、拼搏……我想这会是我在少年时代一段最美好的回忆！”还有一位学生创作了一首打油诗，表现学生们对集体倾注的每一点热情：

智力百科初亮剑，才思敏捷实不凡。

万蚁堆石石成山，滴水入江江不干。
四十三人齐协力，何事能把一班难？
赛场飒爽影子显，考场挥笔几灿然。
上课发言齐踊跃，课外活动才艺展。
学期将至一评判，优秀班级属一班！

2007年的元旦在一场纷纷扬扬的飘雪中来临了。这天的高三（9）班教室里，格外温馨。黑板上那大大书写的几个字“你在、我在、我们在”，一下子让正在题海中摔爬滚打的同学们觉得不再孤独。轻柔的音乐声中，班主任李小飞老师亲手交给同学们一份特殊的礼物：事先让家长写好的表达孩子成长给自己带来喜悦的信。父母没给写信的同学，也都收到了来自老师的信。打开信件，读着来自于父母、老师的一句句温暖的话语，同学一片唏嘘。这时，李老师推出了更大的礼物——一个金灿灿的蛋糕，是一个“18”的造型，上边写着“你在我在我们在”。是啊，在昏天黑地的题海中挣扎，曾几何时已经淡忘，翻过年，我们就18岁了！18岁，成人了！

这时，只听李老师也无不动容地对大家说：“三年，对于不同的人这是一个不同的时间概念。对于一个教师，三年是一个时间的单元，不能重复的生活单元。我的生活就是由这样一个一个的三年组成。三年中我和我的学生一起喜、一起忧，一起苦过、乐过，共同努力、劳作、耕耘、收获，我伴着学生成长，看着学生们走向自己的生活、未来。

“三年中我们一起走过陆军学院的草坪，一起联欢迎来新年，一起登泰山‘会当凌绝顶，一览众山小’，和北京一起经历了、度过了‘非典’，一起……有着太多的一起，我们的故事在平淡中隽永着独特的韵味，我写不出，我只能想。

“且不说三年我做了多少物理题，讲了多少物理题，改了多少物理题，只说三年中，我听了多少歌：林志炫、伍佰、许巍、许志安……看了多少小说、杂书……这可都是在你们的教导、刺激和督导之下完成的，为此我感激你们：感激你们给予我的教育、生活经验、人生欢乐和生命的意义。

“三年的生活因为有了你们而忙碌充实，因为有了你们而劳碌快乐，更因为有了你们而丰盈满足，为此我感谢上天：感谢上天让我与你们相遇，让我能为你们出力。

“在你们即将步入 18 岁的这个新年，我想对你们说：现实与理想、外在与内在、个人与群体实际上永远不可能完全融合在一起，对于由此产生的矛盾与冲突，我们要作为生活的本来面目从容地接受。无论现实如何，我们总是要像哲人说的那样，做一个‘诗意地栖居在大地上’的人，因为我们心中的那一份简单、敦厚、温柔与坚韧，那天性中永远不可被剥夺的生命的尊严与快乐是独立于外部世界而存在的。”

“我衷心地希望你们：

“要保持对世界的好奇，不要莽撞，那样，走向成功的道路就会缩短；

“要保持年轻的心态，不要世故，那样，我们的生活中就会充满快乐；

“要保持奋进的斗志，不要颓废，那样，我们的生命中就会呈现光彩。

“祝福大家都能上自己理想的学校，但是要相信，对于你们现在的一切并不决定你的未来，相信有很多的事情是可以改变的，只要你还有梦想。”教师的精心设计让在题海中昏天黑地奋战的高三学生充满了力量。

（三）秀出我风采——各种特色活动

学校“全人格、高素质”的教育理念为丰富多彩的班级活动开展创造了有利条件。不仅上上下下观念一致，支持学生活动，时间上由于学校坚持不乱加课补课、班校会专时专用，使班级活动的时间有充足的保证。各班勇于创新，开展了异彩纷呈、各具特色的高质量的班级活动。篮球赛、足球赛、乒乓球赛等各种体育比赛，人才市场调研，个人才艺秀，曲阜、泰山、承德修学旅行，参观各类博物馆，话剧表演，合唱节，诗歌朗诵会，各种节日的纪念活动，新年联欢活动，各种活动数不胜数。既培养了学生的兴趣爱好，发展了其个性，又锻炼了学生的能力。北京师大附中的学生无不幸福地说："附中活动真多!"

张洋老师指导学生开了一次"武林大会"，形式上借鉴"感动中国"颁奖仪式，选出十位在班中有特长的学生，让学生自己撰写颁奖词，自己点评"风云人物"，突破了学习成绩的限制，发掘了文艺、体育、生活等各个方面的明星。"武林大会"中还穿插表演、游戏等节目，给人耳目一新之感。重要的是，在这样的活动中，很多平时成绩一般、并不起眼的学生被发掘出了特长，树立了自信。例如，一个平时从不多说话的男生，总是沉闷不已，跟其他同学很少交流。这次评选过程中，同学们发现他吉他弹得非常好，舞跳得也不错。在"武林大会"上展示出来之后，其他同学赞叹不已，他在其中找到了自信，迅速和班里同学打成一片。

初二（2）班是一个令年级组长、班主任和所有任课教师都头疼的班。班里同学懒懒散散，上课纪律不好，爱乱接下嘴，作业交不上来，无论是学习成绩还是各项活动在年级里总是提不上来。为此，曾有同学跑到学校要求换班，觉得这个班实在是没希望了。随着2007年春天的来临，二班也悄然发生了变化。刚过完年，班里的包颖就兴冲冲地向班里同学、老师推荐起自己在假期里看的电视剧《士兵突击》。语文老师和班主任借机在班内开展了《士兵突击》活动。老师们欣喜地发现，好多同学在周记里都提到了《士兵突击》。一心想考实验班未能遂愿十分消沉的徐遥涵这样写道："只要不抛弃、不放弃，在普通班照样也能学好。我要为二班崛起而读书!""为二班崛起而读书"一下子成了班里的名言。期中考试，徐遥涵的考试成绩直线上升。在他的带动下，一大批同学也异军突起，冲入年级前100名。王冬彤、张博雅还为班里创作了班歌。班主任吴夏光和年级组趁热打铁，给二班"推波助澜"。在全年级的拔河比赛、足球赛等一系比赛中，二班频频获得亚军、冠军，令人刮目相看。同学们的自信心突然被鼓舞了起来。于是，二班的变化令人瞠目结舌：以前凌乱的教室突然变得一尘不染、整洁清爽；乱哄哄的课堂也变得安静，随老师收放自如；交来的作业本一下增高了一倍；

几个出名的调皮捣蛋的孩子也因各种进步明显在年级大会上受到了表扬，家长纷纷打来电话说觉得孩子有了很大的变化。

最让同学们热情参与的莫过于新年联欢活动了。新年联欢活动是北京师大附中的传统，学校视为锻炼人、教育人、凸显附中文化、增进师生凝聚力的重要契机。联欢会全程由校学生会承办，从节目准备、审查、主持人选拔到背景布置、联欢会举行、灯光音效等，全由学生们自己组织实施。舞蹈、歌曲、话剧、乐器、琴书、京剧、武术、诗歌朗诵等，节目丰富多彩、异彩纷呈。你看，初三（3）班的同学在激情澎湃地演唱着自己创作的班歌：

这是一个幸福家庭，
每一天都开开心心。
40 张笑脸天天相对，
40 个人心连着心。

虽然作业偶尔交得不齐，
打打闹闹也是常有的，
但是我们团结一心，
努力奋进，永不放弃！

希望我们能创造奇迹，
拥有欢笑而不是泪滴。
中考之路还是要继续，
未来梦想会插上羽翼，
钻进每个人的心里。

还记得那次篮球比赛，
我们确实输得很惨，
但是我们不会放弃，

争做全年级的第一！

曾记得我们辉煌成绩，
现在又觉得有些可惜，
错过一次锻炼的时机，
重新再来，要靠自己！

希望我们能创造奇迹，
拥有欢笑而不是泪滴。
中考之路还是要继续，
未来梦想会插上羽翼，
钻进每个人的心里。

我们团结一心，
努力奋进，永不放弃！
未来几年是我们的世纪！

Class 3，我们爱你！
Ms. Su，我们爱你！
40 个人心连心，
永远在一起！

高三伊始，文一迎来了高中的第三个教师节。2006 年 9 月 10 日一早，由各科科代表向老师送去了郑重而漂亮的请柬，邀请各位老师与当日中午 12：40 来文一教室，出席神秘活动！

12：40 一到，班里已经全部准备停当，关掉电灯，拉上窗帘，点燃了 50 支红色蜡烛。50 个同学人手一支红烛，点点红光摇曳闪烁。老师陆续到场，活动正式开始。

女生带来的诗歌朗诵，表达了同学对老师的敬佩与感激！

天使礼赞

传说天使下界的时候会唱动听的歌，
我们刚巧从那片云彩下经过。

金色的九月，明媚的十日，
一朵梧桐花的幽香，
一片昏黄的烛光。

我叠了只纸鹤，
您握在手上，
笑容悠长。

常问，到底什么才值得留恋，
默默无闻还是惊天动地，
我简直无法用思想勾勒。

忽然，您就回头，
微笑浮在窗口。

只要一个比喻，
只要一种想象。

最动人的希冀原来是不经意的一眸，
激情沉淀，又上心头。

天使下界的时候都会唱动听的歌，
怎样的缘分，
我们刚巧走过……

男生也带来了他们的礼物：

赵敏老师红似火，
带给我们光和热。
陪伴我们两年多，
生活一直很欢乐。

崔准老师如橙色，
活力四射地理课。
激情燃烧五十个，
个个电池充满格。

李静老师似黄色，
感觉明快又温和。
总是和颜又悦色，
沉重历史变活泼。

莉芳老师是绿色，
讲风清新很独特。
剖析 COS TAN，
数学从此不繁琐。

英语老霍似青色，
讲课像把国画作。
教态潇洒如泼墨，
淡雅之中见真格。

德齐老师是蓝色，

如海一般深难测。
有条有理论据多，
讲课清晰又透彻。

美玲老师是紫色，
带来梦幻的效果。
课堂畅想自由谈，
像是坐上月球车。

五十七人聚一堂，
并肩作战备考忙。
来年再到秋风起，
未名湖畔话家常。

接下来，全班同学站起来，共同宣誓：

我以最认真的态度，
最坚定的心意，
郑重宣言：
作为一名附中学子，
我将不畏艰险；
作为高三学生，
我将勇往直前。
我要吹响冲锋的号角，
向高考发起最猛烈的进攻。
我要迈出坚实的步伐，
踏平阻碍成功的一切荆棘。
我要张开有力双臂，
微笑着迎接一切挑战。

我承诺：

我将认真对待每一分钟，绝不虚度光阴。

我将认真对待每科课程，绝不放松懈怠。

我将认真对待每项基础知识，绝不掉以轻心。

我将认真对待每道难题，绝不含混过关。

我允诺：

用06的拼搏，缔造07的成功。

我允诺：

用06的汗水，书写07的辉煌。

请在场诸位老师

为我见证。

这份知心、感恩之情，是在平日里一点一滴中积累的，是在老师兢兢业业的教学中沉淀的，是在不厌其烦的答疑中增长的，是在老师的言传身教中升华的。

在高质量的班级活动中，学生练就了雄鹰的翅膀，展翅高飞！

第六章 校园文化

校园文化，是校园特定条件下的环境氛围、文化特色、精神面貌的客观存在，是教书育人、管理育人、环境育人、服务育人的办学理念的具体体现，是学校文化的重要组成部分。校园文化是学校上层建筑与意识形态的深层反映，是有形与无形的客观反映。校园文化有品位高低之分，其营造的氛围无时无刻不在发挥着育人的功能。校园文化建设是学校精神文化建设的载体、学生综合素质培养的重要阵地，在21世纪里，以校园文化建设为依托，做到以科学的理论武装人，以正确的舆论引导人，以健康的文化感染人，以优美的环境熏陶人，仍然不失为一条学校精神文明建设的有效途径。

北京师大附中在校园文化的物质形态和精神文化形态方面都取得了开创性的成功。优美的校园，整洁的环境，典雅的建筑，恰到好处的宣传栏，精美的雕塑，繁茂清新的花草树木，规范整洁的教室，富有朝气的实验室，百草园，温馨的宿舍园区，无不体现和折射出特有的人文风格。北京师大附中建校一百余年来，在学生社团活动、综合实践活动方面的成绩更可以说是熠熠生辉。我们秉承培养全人格学生的理念，关注学生终生的发展。我校的爱国爱校教育也做得有声有色，培养了群体的价值观念、群体成员对群体的认同感、归属感、义务感、责任感等，形成了校园文化无形的精神风貌，具体表现为士气、风气、氛围、传统，它影响和同化着身边的每一个人。校园文化是一股强大的精神力量。除了学生之外，还有一个重要的群体，那就是教师群体。北京师大附中的教师时时处处以学校为家，秉承百年优良传统，教书育人、爱岗敬业、乐于奉献，为营造美好和谐的校园环境作出了持久的努力和不可磨灭的贡献。

一、连接历史与未来的画廊

——缤纷、厚重的学校建筑

学校建筑也负有教育的使命。苏霍姆林斯基曾说：要让学校的每一面墙壁都会说话。我们说，北京师大附中的每一座建筑都有魂。

北京师大附中的建筑基本为中式，也有中西结合式。从风格上分，分别有古代建筑、近代建筑和现代建筑。但是，建筑形式本身并不能简单地完成连接历史与未来的使命；古今的勾连与融汇，靠的是建筑的内容、内涵和建筑物身上凝聚的文化信息。

北京师大附中是中国第一所公立中学，特殊的历史地位和光荣的发展历程，使她成为我国近现代基础教育的缩影。但是中国的近现代教育，也不是无源之水，无本之木，虽然是西风东渐的产物，但毕竟立根在中华文化的土壤里。中国的教育是一条河流，下游汪洋浩渺，必有中游的波浪翻滚、源头的汩汩涓涓。出于这样的整体思考，我们在学校改造时恢复原有的古代建筑，用它们分别建成了奴隶社会和封建社会的私塾——“杏坛”和“三味书屋”。“杏坛”是参考各类文献资料建成的具有春秋战国时期建筑风貌的孔子讲学处。室内正前方授业台的背景为刻有《论语》（学而第一）的竹简，中央挂着唐代吴道子画的“至圣先师”孔子像。台上立书案，为孔子讲课所用；台下有蒲团，供弟子听课时倨坐。室外植银杏数株，树下围木凳，供小憩宴学之用。“杏坛”不仅是奴隶社会教育场所的典型代表，也是我国很多教育思想和教育原则的产生源头。时至今天，有教无类、因材施教、启发式教育等仍是非常重要的教育思想。还有诸如“学而知之”“温故知新”“文质彬彬”“三省吾身”“见贤思齐”“学而不厌诲人不倦”“学思结合”“循循善诱”“不耻下问”“博文约礼”等教育思想和方法，于今天仍有极强的现实意义。我校“诚、爱、勤、勇”的校训，虽然在不同的时代有不同的意蕴，但它非常鲜明地带有儒家内修外弘、内圣外王的人格理想的特征，是不争的事实。包含古代儒家思想精华，又被赋予时代内涵的校训，成为我校师生共同恪守的核心价值观和学校全人格教育传统的基石。

但是，我们建“杏坛”绝不是为了复古，也不单纯是为了弘扬儒家思想。我们追溯我国教育的源头，是为了以一种开放的心态，为师生建立完整的历史感，塑造文化性格，提供学习思考的触发点和生动环境。因此，我们在“杏坛”内，也悬挂有道家、法家、墨家等代表人物的画像，陈列有反映诸子百家重要思想观点的语录。功能上也不仅仅可供参观浏览——“杏坛”本身就是一间具有实用价值的教室，隐藏有声光电等现代设施，两侧还建有“厢房”，既可供来访者听课之用，又可用做师生研讨小憩的茶室。

“杏坛”前面的三味书屋，是从鲁迅故乡绍兴“克隆”过来而有所扩展。三味书屋可看做封建时代私塾教育的代表，它因为和伟大的思想家、文学家鲁迅先生相联系而闻名遐迩。选自鲁迅先生散文集《朝花夕拾》的《从百草园到三味书屋》，至今是各种版本的初中语文教材的稳定篇目。从鲁迅先生温暖的笔触和众多的文献资料可以看出，三味书屋对鲁迅先生产生了积极的影响。塾师寿镜吾先生虽然不可避免地带有封建教育的局限，但是他的方正、质朴、博学，他的认真、宽容和为人师表，都可以给今天的教师带来启发。1924 年 1 月 17 日，鲁迅先生应北京师大附中校友会邀请，来校作《未有天才之前》的演讲，阐述了他对于人才培养的重要思想：想有乔木，想看好花，一定要有好土；想要天才的产生，一定要有使天才生长的民众。在当今各方急切呼唤杰出人才的背景下，鲁迅先生的见解对于全社会，尤其是教育工作者，具有振聋发聩的警示意义。学校“克隆”三味书屋，一方面使师生在学习鲁迅文章时能够身临其境，另一方面也提醒广大教职工牢记鲁迅告诫，甘做泥土以催生天才。

三味书屋再往南，就是校园内建筑风格唯一中西合璧的建筑——红楼。建筑学家介绍说，这是民国时期典型的学校风格的建筑。原为北京师大附小（后改为北京第一实验小学）的教学楼，邓颖超同志曾在此授课，科学巨匠钱学森也曾在此读书学习。此楼划入我校后，我们即用来筹建钱学森事迹展览馆（建成前夕钱老逝世，遂更名为“钱学森纪念馆”）。纪念馆建成后，温家宝总理亲笔题写了馆名，教育部长袁贵仁亲临我校，为纪念馆馆名石揭幕。纪念馆共有 5 个展厅，分为中华之光、人生基石、海外赤子、科学巨人四大部分。采用丰富的展览形式，通过图片展示、文物复制、事迹绘画、人像雕塑、景观布置、多媒体影音以及数字化互动设施等多种途径，展示了校友钱学森从一名少年到对国家民族作出杰出贡献的科学大师的成长之路，其中，钱学森在北京师大附中六年的求学生涯是展示的重点。展览馆前，树立着一尊高约2米、基座高约0.5米的“青年钱学森”铜像。该铜像由我国著名雕塑家、中央美术学院张得蒂教授设计铸造，反映了在北京师大附中就读时期青年钱学森的精神风采和理想追求。

钱老是北京师大附中的瑰宝，在他的身上，集中体现、反映了北京师大附中的精髓和灵魂。学校建钱学森纪念馆的过程，既是对钱老求学经历、人生道路的追寻和探索过程，又是对北京师大附中学校文化的梳理和提炼过程。钱老本人、钱老家人以及熟悉钱老的各方面人士有一个共识：钱老的成功，有很多因素，其中一个重要因素就是，钱老受到了在当时所能够受到的最好的教育。这最好的教育当然包括了在北京师大附中六年所受的教育。好在哪里呢？概括地说，好在当时实施的全人格教育；细说，通过展览，从学校和老师方面，至少可以看出这么几条。（1）老师水平高，而且敢闯敢干。很多大师，很多大学老师，很多当时的名人；教材大都是自己编的，或自己翻译过来的，课程标准是自己定的。（2）课程很灵活、很现代化，教师授课很注重爱国情操、科学精神、知识体系、思维方式、动手实践。（3）学校特别注重体育和艺术。（4）管理严格而灵活，非常尊重、包容师生的个性。从钱学森本人方面，比较突出的是以下几点：（1）胸怀天下，有强烈的服务国家社会的愿望；（2）学习勤奋，醉心科学；（3）兴趣广泛，酷爱艺术。这些表述都还是比较概括，相对简单的，如果仔细分析，还会有很多具体细微的领悟。但这些就很值得今天北京师大附中的师生去学习、研究、借鉴、弘扬。可以说，钱学森纪念馆的建设，不仅能使今天的学生了解前辈学子在北京师大附中学习成长的经历和经验，进而了解过去的北京师大附中及其当时的社会生活，加强对北京师大附中学校文化的认同，而且能使今天的教师认识众多前辈教师在学校发展史中留下的足迹和精神。

从古老的校门往东，穿过几座古老的建筑，就是现代化的教学与实验大楼。如果说，北京师大附中是我国近现代基础教育的缩影，那么，今天北京师大附中的校园，在一定意义上可以看做我国几千年来基础教育的博物馆——从奴隶社会的“杏坛”，到封建社会的“三味书屋”，再到民国时期的“红楼”，直到今天的现代化教学楼，形成了一条我国教育历史的完整画廊，一路珠宝熠熠，一路风光无限；一头挽起历史，一头通向明天。

二、城南旧圃有画意

——融人文和自然于一体的校园环境

行为科学家罗杰巴克认为：环境对于激发和形成人在环境中的行为方式有很大影响。任何一个组织的活动都是在一定的文化环境中进行的。学校的教育活动和学生思想品德的形成，也是在一定的文化环境中完成的。教育环境是一个具有丰富内涵和外延的教育因素的集合体，它包括优美的校园物质环境、文明的校园精神环境、完善的校园制度环境、和谐的校园人际环境以及学生的心理环境等。古人说：“近朱者赤，近墨者黑”“染于苍则苍，染于黄则黄”。作为实施素质教育和培养全面发展的人的重要场所，学校的外部与内部环境对世界观、人生观、价

钱学森青少年时代铜像

钱学森纪念馆

值观尚未成熟，辨是非、识美丑能力尚弱的青少年学生来说，有着极其重要的作用。

校园环境，就犹如社会环境一样至关重要。社会环境是全人类生活的环境，而校园环境恰恰是人类中最富活力的青年学子的学习生活环境。关于校园环境的教育辅助作用自是不能小觑。好的校园环境，关乎自然教育，关乎美的教育，关乎人文的教育。北京师大附中也致力于建设有助于培养学生对自然、对美、对文化的追求的校园环境。北京师大附中处于城区中心地带，毗邻天安门广场和琉璃厂文化区。由于面积较小，没有山水自然景观。学校抓住改扩建机会，充分利用既有条件，精心规划设计，营造出既彰显教育场所品位特征、吻合百年老校厚重格调，又极富现代气息、深具审美教育价值的美丽校园。

（一）设施完善、设备先进

北京师大附中是国务院支持扩建的教育部直属大学附中之一，校内设施完善，设备先进，是一所现代化高级中学。学校占地面积 43877 平方米，总建筑面积 48078 平方米；白灰相间的教学楼、综合实验楼、学生宿舍楼、研修楼、百年附中会堂，古色古香的三味书屋、文物红楼等，在绿树红花掩映中构成了美丽的建筑群体。

学校教室配备先进的电子实物展台和液晶投影设备。3000多平方米的现代化教学楼，设有多间物理、化学、生物实验室，英语语音学习室，地理、计算机和劳技等专用教室以及心理咨询室，设备全部为最新、最先进的，如多媒体苹果机房、地理研究室的璀璨星空模型、生物实验室的百草园等，为学生提供了一流的学习和实验条件。值得一提的是，我校的心理咨询室在原团体咨询空间的基础上，辟出若干面积进行了箱庭治疗①室的建设，专门购置了沙箱，各种人物、动物、树木、花草、车船、飞行物、建筑物、桥、栏杆、石头怪兽等玩具。

此外，学校还非常重视对学生的美育。为保证艺术教育有良好的活动场所，学校在综合楼五层建造了有200平方米的音乐教学区。整层楼有两间大音乐教室，多间教师办公室、乐器与服装储藏室，4间琴房，以及大面积的学生活动区域。地下一层还建有100平方米的专用舞蹈教室，七层建有200多平方米的美术教室，包括西洋画室和中国画室。另外，学校还建有蕴涵现代气息的南、北、综合楼阶梯教室和演播室，灯光、音响设备精良，可达专业水准。学校还有被命名为“百年附中会堂”的礼堂，石匾上的字是百年校庆时启功先生题写的，它不仅是学校重要的集会场所，更是学生艺术表演的舞台。

（二）空间之美与装饰之美

从校门外正面望进来，首先看到的是古老校门和几排古建风格的房子，分别是鲁迅文学研修室（三味书屋）和中国古代文化研修室（“杏坛”）。往里是高大的现代综合教学楼，它挡住了向东的视线，但南北校门和综合楼北侧留有空间可透视校园深处。这种空间布局，既给人以

---

① 这种箱庭疗法在国内又称沙盘疗法或沙箱疗法，是将分析心理学理论和游戏疗法相结合的心理疗法。这种疗法对儿童和青少年的攻击行为、情绪问题，自闭、注意力不集中，或不喜欢上学、沉默不语、过分内向、自我概念的提升和人际关系的调试很有帮助。对受过创伤（包括性侵害）、抑郁症、焦虑症、心情急躁者也有功效。

参差错落、古朴与现代交相辉映之感，又避免了完全阻断空间或一览无余两种审美极端，造成了视觉上的层次感和心理上的神秘感、期待感，充分体现直露与含蓄的结合之美。

校内空间更是富于想象和变化。走进南校门，往北是两进南北向的中式院落，竹木掩映，古色古香；往南是红楼与综合楼围成的一片开阔草坪，“百草园”与之毗邻。往东穿过综合楼的廊桥，是两片垂直相连的空场和学校中心花园，曲径通幽，别有洞天。继续往东，视线又被花园和体育组办公房遮挡，往北的视线被教学楼遮挡，空间骤然收紧。向东穿过狭窄的通道，向北穿过高高的连廊，眼前又豁然开朗，一片宽阔。中国传统空间美学上的明与暗、隐与现、拦与放、闹与静，在这片不大的地盘上，得到了非常完美的体现，既相对独立又相互连通的各个空间，不仅承载了不同的实用功能，又恰到好处地形成了山重水复、柳暗花明的美学效果。

室内空间利用也是巧用心思，新意迭出。比如，我们在为美术、书法、音乐、舞蹈等建设专用教室时，不光考虑它们的先进性、现代性，还充分考虑它们作为艺术活动场所的独特性，把它们本身就当做艺术品来精心设计建造。美术和书法教室设在综合楼的顶层，按照美术要求，屋顶是非直射自然采光，两个美术教室连通开放。两个音乐教室，一个为长方形，在其中设置了合唱梯；另一个是椭圆形，学生围绕教师与钢琴而坐，实用而又别具一格。玻璃墙外植绿竹数茎，风吹影动，姗姗可爱。

室内的装饰布置，以简约明快、大方实用为主要风格，也有巧而奇的出于大胆想象的手笔。比如，研修楼一楼大厅，三面橱窗专门用来展出国际交往中对方赠送的各种工艺品，而大厅方柱上以敦煌壁画装饰，其色调、其意蕴，与三面工艺品水乳交融，浑然一体。又比如，我们在综合楼电梯两边、各层分别装饰以王羲之、颜真卿等书法大师的经典传世之作，使现代科技与传统文化互相映照。这种奇妙的组合，悦人眼目，启人心智，给人以丰富而独特的审美享受。

（三）文化熏陶

北京师大附中开中国国立中学之先河，以悠久的历史、浓郁的文化氛围和深厚的爱国热情为特色，为国家、社会培养和输送了大批社会主义优秀建设者和接班人，为民族的解放和国家的富强作出了巨大贡献。

为激励新一代附中人继承优良传统，彰显北京师大附中“诚、爱、勤、勇”的百年校训和“忧国忧民，求真求善，克勤克俭，自立自强”的附中人精神，我们充分利用学校的每一个角落，布置好学校的每一个角落，让每一个角落都会说话。例如，精选我校著名校友中共早期领导人赵世炎，科学家钱学森、汪德昭、张维、姜泗长、马大猷、林家翘，哲学家张岱年，经济学家于光远，艺术家李德伦、于是之等人的画像悬挂于教学楼各楼层中央大厅；精选由校友泼墨书写的古诗文名言警句张贴于教学楼走廊；精选各届国家领导人为附中学子题写的殷切希望和与北京师大附中教师学生代表的亲切留影置放于楼道墙壁。此外，在综合实验楼过道封闭宣传栏，我们还精心制作了附中百年历史、名师荟萃、附中英才等数十个宣传版面，图文并茂地向学生描述了北京师大附中的发展变化，使学生更加了解北京师大附中，热爱北京师大附中，对学生起到潜移默化的教育作用。

北京师大附中图书馆亦是学校一笔宝贵的文化资产。自 1920 年 1 月组织图书馆至今，已有 90 年历史。这期间藏书包含民国时期的宝贵资料共计十六万五千余册。图书馆常年向全校师生开放，除了可以借出回家阅读外，还可以利用业余时间在教学楼一层的阅览室慢慢咀嚼。著名校友汪演年在《回忆 50 年前的师大附中》里这样写道：“附中对我影响最大的还有小小的图书馆。我每天借两本书，当夜看完，第二天再借两本。年复一年，到了高中二年级已差不多读遍了馆内有意思的书。我记不得图书馆老师的名字，但永远忘不了他们多年如一日不厌其烦地借书给我，在我面前展开了广阔无垠的知识海洋。”

（四）园林之美

校园的植被，是经过精心考虑而巧妙搭配种植的，既照顾到了植物的多样性，又考虑到了花季的次第衔接和色彩的繁复变化。冬天的背影还没走远，校园的桃李就在一夜间绽放出一树树的明丽。桃李方艳，迎春、连翘即金灿灿登场，惹得樱花吐蕊，玉兰含笑。过不了几天，春天大家庭里的各种花卉就要逐一华美亮相：碧桃、紫藤、海棠、丁香……都会随着四月的春风，在校园的每一个角落撒下它们馥郁的花粉。学子穿行其间，书声笑声，人影花影，织成北京师大附中最动人的风景。

花为校园增秀色，也为英杰添神韵。北京师大附中的北草坪上，矗立着校友赵世炎烈士的雕像；南草坪上，矗立着校友钱学森院士的雕像。这两座雕像近旁，分别植有高大的松柏、白杨，象征了他们的伟大精神和崇高气节，而附近的白玉兰或红玉兰，为以阳刚为主调的背景平添几许妩媚与柔和，也让人们油然想到他们的忠贞品格和美好青春。

夏天到来，到处是浓郁的深绿，石榴花、月季花点缀其间，校园显得明亮而又生机勃勃。秋天则果实累累、色彩斑斓。白杨树叶是灰黄谦逊的，银杏树叶是金黄温暖的，枫树叶和柿树叶则是深红热烈的。晴空下，鸽哨缭绕，柿子宁静地悬于枝头，校园一片丰饶、厚重、祥和。这样的校园，是一个读书求真知的好地方，是一个熔德冶性情的好地方。

三、校园中最美丽的花朵
——异彩纷呈的学生群体文艺

教育规律告诉我们，不能整天把青少年禁锢在书本和屋子里，要让他们参加一些校园活动。当然，校园活动不能单纯地为开展活动而活动，而应着眼长远，着眼学生素质，根据学生认知结构和年龄特点合理安排，努力形成内在的规律性，使校园永远洋溢着青春的活力，同时为校园文化建设添上浓墨重彩的一笔。

中学是学生自主意识发展迅速，自我成熟感增强的阶段，在改革开放年代中成长起来的当代中学生自主性更强。长期以来，我们始终秉承把北京师大附中变成学生增长才干的平台的原则，在指导、指引的基础上，放手让学生自己干，鼓励他们勇于实践，支持他们大胆创新，并时时处处创造条件让他们动嘴、动手、动脑、动情，通过学生教育学生，通过活动教育学生。为此，学校每年都会开展丰富多彩的校园文化活动，这些活动从策划、选审、布景到实际开展的方方面面，都是由学生自主管理，极大地调动了学生的积极性。这些活动打开了他们的视野，张扬了他们的个性，发展了他们的特长，丰富了他们的人生经验。

一年一度的新年联欢会，五月的青杉艺术节、十二月的“一二·九合唱节”，已成为学校艺术活动有影响的品牌。新年联欢会由学生自己筹划，自己组织，自己演出，深受大家的欢迎。除各班举办联欢会外，学生会还举办全校新年联欢会，现已发展为年级专场。2008 年新年联欢会专场演出共计 7 场，包括舞蹈、歌曲、小品、京剧、相声、时装秀、魔术表演、游戏等，场场有新意，营造了浓厚的节日气氛。每年三月至五月是全校学生参加的青杉艺术节，也是由学生自己组织。由五四放歌、智慧之星、文艺之星、风采之星等多个板块组成，集体比赛与个人竞技相融，既增强了学生的集体意识和集体荣誉感，也为聪明智慧、多才多艺的附中人提供了展示个人风采的魅力舞台。例如，初一、初二年级举办合唱比赛及其他才艺展示，高一、高二年级分别举行诗歌朗诵比赛和话剧表演比赛。这样的设计与安排已逐渐演变成为固定格局，水平逐年提高，效果越来越好。为纪念“一二·九”运动，培养学生爱国主义情怀，增强历史责任感，我们还举办高一、高二年级“青春的旋律‘一二·九’合唱节”。合唱中，同学们充满激情的歌声响彻百年礼堂，无论是《游击队之歌》《在太行山上》等抗战歌曲，还是《青春舞曲》《茉莉花》等耳熟能详的民歌经典，都得到了同学们完美的演绎与诠释。值得一提的是，合唱比赛中几乎都是由各班同学自行伴奏，展示了多彩的艺能。

这些群体文艺活动真正做到了个个有机会，人人能上台。比如诗歌朗诵，先在全班比赛，人人参加，优秀者被推举参加全年级的比赛；合唱更是以班为单位，人人登台。三大品牌之外，还有声乐、器乐、舞蹈、书法、绘画、服装表演、篆刻、摄影、礼仪风采等内容丰富的展示与比赛。此外，我们积极开展“民族艺术进校园”“高雅艺术进校园”——昆曲、京剧欣赏等活动，如山泉纯净心灵，如画卷陶冶情操，如史诗启迪人生，如战鼓震人心魄，如号角催人奋进，使每位同学走近艺术，升华情感，追求真善美的境界。我们请来中央歌舞剧院、北京舞蹈学院、北京说唱团等艺术院团为学生进行民族民间舞蹈、曲艺等演出，高水平的表演深受学生的喜欢，场上场下热情互动，同学们表现出的观看热情和良好的文明素养也得到艺术家的赞赏。多姿多彩的活动不仅丰富了学生的学校生活，也培养了他们追求美、欣赏美的能力，激发了学生热爱美好生活的情感。

众多校园活动中最值得一提的当属高二年级的话剧演出，堪称场场精彩。演出前，语文老师结合教材，先行讲解分析，然后全班同学参加编剧、表演、导演、服装、道具、布景、化妆等专门小组，最后班班登台。我们在排练比赛的各个环节都会请来国家话剧院的导演、传媒大学播音主持学院的专家教授和其他艺术家来校进行指导分析点评，避免了活动效果停留在浅层次。

2005 届学生张惜在回忆当年参加话剧节的情景时动情地说道：

话剧节落下帷幕，而人生舞台的帷幕刚缓缓拉开。也许，我们不会成为英雄，人生的剧本里也没有大起大落的悲欢，甚至没有慷慨的念白，生活只是简单而平凡。当我们站在人生的舞台上，开始自己的演出，会记得从当年那场演出中学到的东西——把平凡演绎成精彩，这是表演的艺术，更是生活的艺术。

即将毕业的高三学生郭新月至今仍清晰地记得当年表演话剧《杨门女将》时的点点滴滴：

“2007 年 5 月 22 日，是我与柴郡主约会的日子，早上一起床，天色就好像不一样。好久都是晴天的北京，突然下雨了。也许正是这不同的天气预示着我们的话剧《杨门女将》将有着不同凡响的结果。

“只记得下了第四节课，老师一声‘跳舞的（其实是演戏）同学走吧！’我迷迷糊糊地到了八一电影制片厂，又迷迷糊糊地散下头发，把自己全权交给了化妆师……靠在椅子上，看别人把自己的头发七拧八拧成十几个小辫，又各自盘好，我却仿佛置身事外，以一个旁观者的态度审视着镜中的自己，脑海中一遍遍地放着自己伸手去拉文广（饰梦竹）的镜头，每一个细节，拉远、特写……舞台上的音乐一响起，我才发现前面的担心是那么多余。就在那一刻，心里的那个‘我’仿佛真的消失了，看到灵堂上的‘奠’字，想起了姥爷，真的想哭。在剧中更是找到了感觉，看见文广冲出去，第一直觉就是拉住我唯一的这个亲人，于是想也没想就跟着上去了。大家别笑，其实文广向我走过来的时候，觉得就是自己孙子回来了，不自觉地就伸手把他接了过来。回家后看录像真是自然，其实那些动作都是舞台上的临时发挥。想想真是不可思议，仿佛冥冥之中的定数，定下了在十六岁的这个尾巴，我与郡主的这个约会，在舞台上——我就是郡主。”

2005 届学生马原（化名）也对当时的情景记忆犹新：

“因为在礼堂排练的机会有限，我们就尽可能多练，每次都练到七点多。除了演员，还有负责灯光、PPT、音乐、美术、敲鼓、剧务的同学们和语文老师，好像大家都是到家几乎啥也不干倒头就睡。我现在还对老师的指导记忆犹新，教小 gay 走老太太步：‘不能把重心都放在拐杖上，腰要有劲，人家老太太还挂帅呢！’边说边做，年龄顿时翻了一番，相当绝！教双双时立刻变得慷慨激昂，到了杨文广又俨然一个小孩子……如果有机会真该让老师演个角色，太专业了！

“排练时班主任一直在观战，还给下跪的同学铺报纸，给大家拿来巧克力派充饥，最后又作了长达一刻钟（略有夸张）的总结，温柔细腻的一面尽展无余。

“……后来我们能取得这么好的成绩，全靠台上台下幕前幕后的共同合作。无论表演、服装、化妆、灯光、音乐都精益求精，难怪一上台台下就震了！每个人的一生中都只有一次高二，能在我的这个高二经历这么有意义的活动，真好。”

除了校园活动外，各年级组每学期都会安排学生观看一场优秀电影。此外，校团委还与各教研组合作，开展“优秀影片观摩”活动，陆续推出了《摩登时代》《大独裁者》《辛德勒名单》《美丽人生》《太行山下》《肖申克的救赎》《云水谣》《集结号》等非常有教育意义的影片，深受学生的欢迎。

在北京师大附中的宣传阵地，有两本学生自己办的刊物深受欢迎，一本是学生会主编的《附中人》，一本是团委主编的《青杉》。刊物的文章是北京师大附中学生写给自己看的，每期出版后学生都争着一睹为快，每一届学生都珍藏着几本这样的刊物。这两本刊物乍一看跟正式出版物一样，彩色封面，电脑制版，图文并茂，充满青春气息。如果不是封面有“北京师范大学附属中学校刊”这一行文字，人们会认为这是在市场上很看好的杂志。这两个刊物每年出版 4 期，加上高三毕业专刊一共 5 期，每一期从策划、组稿、采访、审稿、插图、编辑、录入文章、扫描图片、设计版面，一直到联系印刷，包括砍价都是由学生在业余时间独立完成的。

2007 年，《附中人》与《青杉》编辑小组合并，形成《附中人》校刊编辑部，除印制 36 期校刊外还创办了校刊《附中人》电子期刊，将师生学习生活中的一颦一笑融入其中，与书本杂志相辅相成，开创了一片新天地，深受广大师生的喜爱。《北京晨报》的记者曾经以《中学生办大刊物》为题撰文，对此大加赞赏。

四、总有高唱入云端

——植根深厚的学生艺术社团

黑格尔曾经说过："音乐是心情的艺术，他直接针对心情。"音乐可以使人的情感丰富，最终将人的本能冲动，移情动性，优化原有情感，这就是音乐艺术的感染力，它对人的影响覆盖面大，辐射性强。审美是人特有的一种情感模式，是人对事物的一种欣赏态度。俗话说："爱美之心，人皆有之。"美是一种精神力量，它可以使怯懦者勇敢起来，使抑郁者奋发起来，使颓废者坚强起来；美又是一种无价的财富，它可以使贪婪者获得精神上的富有，使立志成才者焕发出无穷的创造力，使人达到至善至美的境界。足以可见美育在学生发展中的重要性，而发展美育的一个重要途径就是学生艺术社团活动。

学生艺术社团活动是学生自主发展的有效途径。结合学生的兴趣和特长，陶冶情操，培养美感是北京师大附中全人格教育办学理念的具体体现。北京师大附中在这方面为学生提供了良好的环境和契机。

20世纪20年代，学校建立了各种学科小组和文艺社团，如数理化学会、英文学会、蔷薇社、励学月刊社、心声杂志社、品学砥砺社、曦社、国剧演习社等。每个学生都要参加一个或多个课外小组。著名儿童文学家颜一烟当时就是蔷薇社的成员；程派艺术传人赵荣琛就是国剧演习社的成员。著名科学家钱学森回忆母校时说："我在附中六年，对我的一生，对我的知识和人生观起了很大作用……我们全班学生学习积极性很高，除了上课外，我们都参加了学校小组，有物理、化学、博物、天文等，利用课外时间和中午休息时间大家互相讨论，发表见解，兴趣很浓。"

1949年后，各学科都成立了课外小组，如航模、无线电、地质、气象等小组。1954年学校专门成立了课外小组活动领导小组。

北京师大附中百年承接下来的注重学生发展的优良传统，至今依然作为办学者的理念，学校的育人目标，教师的使命而传承。而美育恰恰被放在了这个风口浪尖处，学校对美育的"投入"不可小视。

目前，我校的校级艺术社团有“附中人合唱团”（初、高中）“青杉舞蹈团”“我们文学社”“五城书画社”“1901 绘画工作室”，主要由我校艺术组老师组织学生定期活动，担负参加市区中学生艺术节、接待外宾、代表学校出访、校内大型活动演出等任务。社团艺术指导教师阵容齐备，力量强大。美术教师黄全信是中国书法家协会会员、北京市总工会评选的全市 20 位职工艺术家之一、宣武区美术学科带头人、宣武区名师讲师团成员之一，有近百部著作并在国内及日本多次举行个人画展；美术教师段超，毕业于清华大学美术学院，擅长美术与服装设计，授课严谨，参加工作不久所授美术课就被评为北京市中学美术百节精品课之一；舞蹈教师齐峰毕业于北京舞蹈学院古典舞系，专业基本功扎实，出访过十余个国家，有丰富的舞蹈表演经验，她指导的我校青杉舞蹈团已连续两届获得北京市中小学生艺术节群舞一等奖；音乐教师齐宏多年来一直努力学习，师从国内多位音乐专家，潜心研究教育教学并多次在市区作各种内容的研究课与观摩课，1999 年荣获北京市中学音乐教师基本功比赛一等奖，2005 年 11 月作为北京市唯一的代表参加全国第四届中学音乐教师基本功比赛并获得一等奖；音乐教师张秀玲具有较深厚的教学功底，常年参加广播之友合唱团，曾随团出访法国、意大利等国，具有较高的合唱训练水平；音乐教师陈卓曾荣获宣武区中学青年音乐教师基本功比赛一等奖。

在艺术组各位老师的精心指导和同学们的努力付出下，十余年来，艺术社团取得了优异的成绩。比如，合唱团获得宣武区历次合唱节一等奖，1999 年、2001 年北京市合唱节三等奖，2005 年北京市合唱节二等奖，2008 年北京市合唱节一等奖。校舞蹈团在区历次艺术节上也以十分明显的优势获得众多一等奖，如 2005 年第八届北京市学生艺术节群舞一等奖，独舞第一名；2007 年第十届北京市学生艺术节获群舞一等奖，独舞四个一等奖，一个二等奖。值得一提的是，两届艺术节获群舞一等奖的作品《天空》《天路》均为我校教师原创，作品紧扣时代脉搏，分别反映社会关注的环保和青藏铁路通车等重大主题，让观众在获得审美享受的同时，又得到深刻的教育。“五城书画社”“1901 绘画工作室”也成绩斐然，先后多次举办学生个人书法绘画作品展，在师生中产生广泛影响。

此外，学生艺术团（主要是合唱团和舞蹈团）多次应邀出访日本、美国、欧洲，成功进行访问演出，接待外宾数十次，其中就有英国教育大臣，他对我校的室内乐团给予高度评价。2008 年 3 月 17 日，美国特蕾西高级中学合唱团和尤凯帕高级中学合唱团来到我校，与我校“附中人合唱团”“青杉舞蹈团”进行了迎奥运三校联合演出，我校艺术团的表演赢得了美国同行的高度称赞。

我校学生艺术团没有专项经费支持，基本没有特长生，队员绝大多数都是从普通爱好者中选拔。我们立足于自己培养、自己训练，走出了一条从低起点迈向成功的美育之路。

（一）合唱团

“翠绿的草地上跑着白羊，羊群像珍珠撒在绿绒上，无边的草原是我们的故乡，白云和青天是我们的篷帐，朝霞迎接我们自由地歌唱，生活是这样幸福欢畅……”动听的歌声，饱满的感情，还有那一颗颗似乎要溢出来的真心，将这首《牧歌》混着蓝天、白云、青草、羊群演绎得淋漓尽致，征服了评委，打动了观众，一举拿下北京市第十一届中学生合唱节一等奖。这是“附中人合唱团”的荣耀，是对音乐老师和 60 名同学牺牲节假日勤奋练习的嘉奖！

“附中人合唱团”是由校方支持，艺术组音乐教师直接指导的学生社团，活动地点占据综合楼五楼整整一个楼层。这里设施齐全，环境优美，除了准备各大比赛之外，还是平时学生组织音乐沙龙和音乐训练的地方。合唱团除了出外代表学校参加各大艺术比赛之外，其成员在校内也成了各大学生文艺活动的骨干，带领各班级学生参加红五月歌会、青杉艺术节、新年联欢会等校内学生活动，对音乐艺术的普及化、群众化有很大的促进作用。学校还为在音乐上特别有天赋和有成绩的学生提供独奏的机会。这些都表现出学校对学生美育的重视。

2006 年 7 月 26 日至 8 月 6 日，附中人合唱团 36 名初、高中学生来到欧洲参加第十六届欧洲青少年合唱节的演出。合唱团走访了德国、奥地利、卢森堡、荷兰、法国、比利时六个国家，途经法兰克福、维也纳、阿姆斯特丹、巴黎等十三个城市。在德国合唱故乡美茵兹举办的合唱节上，北京师大附中合唱团以充满激情与活力的《青春舞曲》和深情悠扬的无伴奏合唱《半个月亮爬上来》轰动全场。

…Now, please welcome The High School Affiliated To Beijing Normal University from China!

"哗!"伴着台上台下节奏激昂而满含鼓励的掌声，这一刻，在美茵兹的音乐厅，附中人合唱团终于登台亮相。

聚光灯下，望着台下那一双双期待的眼睛，那反射着光彩的金色头发，本该作怪的紧张感，不知怎的，蓦地化做一股自信，一份登上舞台的喜悦，一股兴奋不已的表演的欲望。

西服革履的齐宏老师，最后一个昂首挺胸地踱上舞台，深深向台下鞠了一躬。一个利索地转身，一时间，眼前只有他那坚定而沉着的目光，鼓励着，激励着我们……

随着齐老师的手，潇洒地一落，屏住呼吸的安静，"唰"地打破了。

"半个月亮爬上来，咿啦啦，爬上来……"

从未唱得如此次用心，如此动情。

"再把你那玫瑰择一朵……"

身后超水平发挥的男低音们浑厚低沉，如一股热浪，深情款款，一浪接一浪，托起女高音们唱出最婉转明亮的主旋律。整个合唱团的歌声和谐悦耳，如缥缈的轻纱，感染着我们自己，更拨动台下所有人的心弦……

一曲唱罢，仿佛还没唱够，还没听够，舞台上下，久久地，沉醉在那轻柔缠绵的情谊里，掌声如雷……

快从这柔美中醒来，《青春舞曲》告诉你什么才是真正的活力与激情！像如潮的洪水，急速而奔放。

“太阳落山明朝依旧爬上来，花儿谢了明年还是一样地开……”开口的第一秒，我们的热情已迸发全场。越唱越兴奋，越唱越放松。

“别的那呦呦，别的那呦呦……”一段又一段高潮迭起，一次又一次激情轮唱，一串串音符在伴奏手底跳跃，一股股热潮轮番袭来，热情洋溢的歌儿将激动的感情推向高潮。当火一般奔放的合声霎时间戛然而止，一秒钟的寂静——掌声满场，哨声四起，惊呼连连，经久不息……

红艳艳的灯光照着每个人的脸颊，映得通红，是兴奋，是激动，是满足，是幸福！也许，所有感情，都在这一刻，如火山一般，爆发了！望着台下热烈的气氛，赞许的目光——我们，来自中国北京的我们，真的成功了！

就让这溢于言表的自豪感永久地在我们心底翻滚、激荡；忘不了这份荣耀，抹不去这份记忆。从这一刻起，北京师大附中合唱团真正在世界舞台上大放异彩，而对于我们每个团员而言，这又是何等快乐，何等荣耀！今夜无人入睡！①

2007 年 7 月 23 日至 8 月 6 日，应美国国际南丁格尔基金会的邀请，附中人合唱团和舞蹈团又赴美国进行了一次成功的艺术之旅。本着介绍中国、介绍奥运、了解世界、增长见识、锻炼自我的目的，艺术使者们飞越太平洋来到了壮丽的北美大陆。他们不顾旅途的疲劳横穿美国东、西部，途经十余个城市，行程达数千公里。同学们来到了南加州中文国际学校，为那里的师生献上了舞蹈《剪纸姑娘》《天路》，合唱《瑶山夜歌》与《茉莉花》，高超的艺术水准受到了洛杉矶《中国日报》《世界日报》《国际日报》的报道与好评，洛杉矶第 18 电视台对此新闻作了滚动报道；同学们来到了洛杉矶中学生 YMCA 训练营，与那里的美国中学生交流、联欢；特别是在南丁格尔基金会主席张素久女士家中，学生不仅聆听了张女士的父亲——著名爱国将领张治中将军的事迹，还在一起歌舞、晚餐，如同置身家中。哈佛大学的商学院、耶鲁大学的图

① 选自：第 35 期校刊《音符谱写欧旅情》。

书馆、麻省理工学院的学生活动中心、普林斯顿大学的幽雅校区，都留下了北京师大附中艺术使者们流连忘返的身影；在联合国总部，同学们第一次直面饥饿、贫穷、战争、裁军这样的世界性课题；在圣地亚哥的克蓉娜岛同学们尽情与大海嬉戏；在迪士尼乐园同学们仿佛回到了童年，在好莱坞影城他们又憧憬着明日之星的梦想。虽然行程短暂，但意义是深远的，奥运小使者们把中国人民的友情留在了美国，把美国人民的美好祝愿带回了中国。

（二）舞蹈团

北京师大附中舞蹈团成立于2000年9月，目前有成员20余人，每周训练两次，每次约一个半小时。训练内容包括舞蹈基本功、柔韧性与协调性、身体素质和能力以及节目排练等。训练的目的是发挥学生的艺术潜能，启发学生的创造性思维并提高学生的艺术表现力，使他们能适应多种风格的舞蹈作品，并在学习中努力实践艺术与生活、文化、情感、科学的融合。

2007年4月21日，我校“青杉舞蹈团”代表宣武区参加北京市第十届中学生艺术节舞蹈专场演出。由艺术教研组舞蹈老师原创的作品《天路》反映了青藏铁路开通后藏族同胞欢欣鼓舞的场面。经过老师的悉心指导和全体舞蹈团员的艰苦排练，舞蹈《天路》被学生演绎得优美而充满激情，激起现场观众自发的热情掌声，获得评委好评。最终，我校“青杉舞蹈团”以第三名的优异成绩获得北京市一等奖，取得历史性的突破。比赛结束后，一位舞蹈团成员满怀感情地在日记里这样写道：

“回首望望，我们从夏天跳到冬天，又从冬天舞到春天。一路望去，我们走过的路似乎很顺利，也很光彩。然而，我们在光彩下隐藏的是别人看不到的汗水和艰辛。

在比赛前夕，几乎每天放学后我们都要进行排练。如果有谁跳错了，大家就得重新再跳一遍。有时候，我们跳得筋疲力尽，但仍然难免有人会跳错。在这时，我们便需要团结和包容，以及互相支持。因此，我们在排练时学到了很多，学会了团结，学会了理解，学会了集中精力，更学会了坚持不懈……

在舞蹈《天路》中，我们扮演的是西藏小朋友在盼望火车开通和看到火车开通时的情景。刚开始，我们并不能理解其中的真情实感，所以演绎得很不到位。是老师不断地给我们讲自己去西藏时看到的情景和感受，还给我们放了有关介绍西藏的纪录片。我们便开始慢慢地理解和体会舞蹈中的含义，使其慢慢地融入心中，并使这种情感由内心散发而出。于是，一张张画面在我的脑海中展现……

清晨的高原，天空干净得没有一丝云彩。碧绿的草地一望无垠，茫茫的朝天那边不断地延伸过去。风从四面八方贯穿而来，传送着牧羊人豪放的歌声。我们身着洁白的藏服，踏着红靴在蓝天青草间奔跑，风在我们身边呼啸而过。每个人的血液都在沸腾，在燃烧，冲破了一切阻挡。

天空慢慢变暗，黑暗的帷幕升起。我们燃起篝火，跳起了圆圈舞。在温暖的火光中，我们回忆起了过去的生活。火光映照着我们温暖的笑容，也映照着我们美好的未来。在火光中，在我们的舞蹈中，天边渐渐泛起了一片白色，天就要亮了。这时，远处响起了一种奇异的声音，‘哐当、哐当’，每个人都不约而同地向高架桥上望去，并急切地等待着。啊！是火车！它披着霞光朝我们开过来了，它是多么的神圣！我们久久地凝望着，目送着火车远去，远去……我们用双手托起了朝阳，也托起了希望。这些就是我脑海中所有的图画。

在我们和老师共同的努力下，我们的作品由‘不成熟’变为‘成熟’。其实我们在做任何事时，都要经历一个从‘不成熟’变为‘成熟’的过程。关键是在这个过程中，我们是否是努力的，认真的，付出了汗水的。这过程就像是在种植一棵果树，由于我们的付出，就应了‘一分耕耘，一分收获’这句话，为我们结出了最甜、最大的果实，让我们充分体会到了收获的快乐。希望在下次比赛中，我能够再次体验收获的快乐！”

至今，北京师大附中舞蹈团已连续三年获得北京市中学生艺术节舞蹈比赛一等奖。

（三）书画社

“五城书画社”“1901 绘画工作室”，是由艺术组美术老师直接指导的学生社团。美术组所在的综合楼七层整个楼层，环境宽敞明亮，室内设计也极具美感。“五城书画社”主要是进行国画和书法方面的学习，这里和音乐组相比要“寂静”很多，学生都在静静地绘画和书写，进来之后让你有想要屏住呼吸的冲动。“1901 绘画工作室”主要是进行西画和动漫绘画方面的学习和活动。这个工作室是和时下流行的动漫结合起来，充分调动学生绘画和创作的积极性，通过组织校级各类展览，costume-play 等由学生自主策划的活动来促进学生艺术气质的养成。自 2001 年至今，“五城书画社”已为多位同学举办过个人作品展，以此激励小艺术家们在艺术的天地里再攀新高。2004 年 3 月，高一（11）班陈昱同学《面朝大海，春暖花开》画展在北京师大附中美术教室举行了开幕式，展出各类绘画作品共 130 多幅。其中最有价值的是联合国根据陈昱同学的作品出版的邮票。刘沪校长向陈昱同学颁发了“附中艺术之星”的奖杯，与会的美术界专家对画展给予了高度评价。

（四）文学社

为继承北京师大附中优良文学传统，彰显学子的刚健个性，语文组于 2002 年 9 月指导学生创办了“我们”文学社，受到了广大师生的密切关注和积极响应。文学社的活动主要是不定期地发行文学期刊，和学校活动如朗诵节、戏剧节、读书会等结合起来，发挥学生文学写作特长。外事活动方面，由老师牵头加入北京写作协会，推荐优秀的学生文章发表。文学社的活动并没有像其他社团那么风风火火，文学本是一个孤寂的事业，文学社的存在只是显示一种存在，一种北京师大附中百年传承下来的存在，“热闹”不属于这里，这里需要思考，需要安静，需要深度。学生深知如此，积极地活动着。2004 年 8 月 1 日，“我们”文学社在全国校园文学社团“双十佳”评选活动中获得“全国十佳校园文学社团”称号。经中国语文报刊协会校园文学报刊分会第四届年会决定，北京师大附中文学社当选为“第四届理事”。同年 12 月 27 日，“我们”文学社刊物《我们》专刊隆重推出，同学们争相购买，场面热烈，刊物一时供不应求。直至今日，“我们”文学社依然活跃在北京师大附中文化艺术的前沿。

五、让生命在阳光下奔跑

——激情燃烧的校园体育生活

人所共知，体育是校园文化生活中最易调动学生积极性，使学生身心愉悦、对学生的内外影响最为深远的活动。一方面，适当适量的体育运动给予人体各器官与系统一定刺激，使机体在形态结构、生理机能等方面发生一系列的适应性反应，从而对机体产生积极影响，有效地促进身体健康；另一方面，校园体育运动是运动主体间的身体运动能力方面的竞争，提倡公平、公正、友爱、和谐，成为人类美好愿望的理想化追求。在体育运动的过程中还有助于心理调节，舒缓紧张的神经，给人带来欢愉，满足学生的精神需要；同时也可以培养集体观念，锻炼意志，增进交流与合作，提高社会适应能力，促进人和谐健康发展。

学校领导真正从素质教育的高度认识体育工作。一是学校坚持以全面育人、面向未来、适应社会对人才的需要为出发点，科学、深刻地认识体育在素质教育中具有的特殊作用：它不仅可以提高学生的身体、心理素质，培养学生的优良道德品质和民主意识，振奋精神，凝聚人心，而且有助于完善学生的文化素质，促进智育过程，培养创新意识和实践能力，同时体育的过程也是学生感受美、体验美、创造美的过程。二是坚持学校体育面向全体学生，既重视竞技项目，也不轻视健身项目，使具有不同体育基础的每一个学生都能学有所长。三是学校体育既考虑国家和社会的需要，同时也顾及学生自身发展的需要，以利于培养他们的兴趣、爱好和特长，发展他们的个性。四是坚持学校体育为学生终身体育服务，着重培养学生参加体育活动的习惯，培养他们锻炼身体的意识与能力，让学生掌握终身从事体育活动的方法。五是坚持把提高体育教师素质作为实施素质教育的根本保证。六是坚持把学校体育与学校的客观条件相结合，走具有北京师大附中特色的体育之路。

学校从继承我国优秀教育思想和发扬北京师大附中宝贵教育传统的高度认识体育工作。校训“诚、爱、勤、勇”四字，集中体现了北京师大附中的教育思想，其中“勇”的提法为各校校训所少见，是北京师大附中教育思想中尤为独特的地方。虽然在不同的时代可以有不同的解释，但它的基本含义还是非常清晰的：勇力、勇气、勇敢。它鲜明地包括了身体素质和心理素质两方面的意涵，百年来为历代附中英才所恪守和追求。巧的是，它与几千年前我国伟大教育家孔子所提出的观点不谋而合：孔子在中国教育史上第一个提出要使受教育者在“仁（德）、知（智）、勇（体）、美（乐）、才”等几方面都得到全面修养和发展这一教育目标。这是我国传统教育思想中对素质教育的宝贵阐述，师大附中的校训可以说就是对这一思想的继承。在倡导实施素质教育的今天，我们已有的宝贵传统理应得到进一步发扬。

但是，教育部门的价值取向导致了部分学校将学校体育工作的重心放在体育运动队的训练工作上，为在大型运动会中拿成绩，消耗了大量的人力、物力和财力，只注重培养少数校园体育尖子，没有真正做到以人为本，促进全体学生的健康发展，偏离了中学体育发展的方向。校园体育活动的价值在一次一次地“洗礼”中最终走向了边缘化，与体育原来内涵的价值渐行渐远。

在写于1918年的《北京高等师范附属中学校概括》介绍了我校首创的15分钟课间体操制度，实行的体育课分组教学，并成立各种运动队，规定每年举行一次运动会。目的在于“端正学校体育风气，革除教会学校传染的陋习，展开全校普及的体育，而限定从优良学生中培养体育选手”。北京师大附中经过百年的风雨沧桑，经过几代人的努力奋斗，在长期的实践中逐渐形成了一种对校园体育生活特有独到的理解与风格。我们的努力与奋斗，就是让体育不仅成为一项竞技，更使之成为一种蕴涵深刻内涵和丰富外延的独特的精神文化，能够对全体学生的精神世界和精神面貌产生深刻影响的文化。体育，不是几个人的，也不是几十个人的，而是大家手拉手一起在阳光下奔跑，在阳光下欢笑。

我校积极倡导“每天锻炼一小时，健康工作五十年，幸福生活一辈子”的健康理念，让每个学生都热爱体育运动，并参与到体育运动中来。我校每个年级均保证每天至少一小时的锻炼，初、高三一样参加而且绝不降低标准。我校克服场地小、人数多、活动分散、教师工作量大的问题，在东西校区，分三个时段安排各年级做操。其中东校区：高一、高二年级早操（7：40—8：00），初中年级课间操（10：05—10：30）；西校区：高三年级课间操（9：30—9：50）；学生每天做操时间不少于20分钟，并坚持做3—4套操。

此外，为引导广大青少年学生走向操场、走进大自然、走到阳光下，养成良好的体育锻炼习惯和终身体育意识，我们还组织各种各样的体育活动，让体育成为学生繁忙学业中调节身心、张弛有度的最佳手段。例如，每年3月初进行初中年级乒乓球赛；3月中旬至4月进行“晨鸟杯”足球赛；4月初进行课间操比赛；5月中至6月中，进行立定跳远接力赛、女生仰卧起坐、实心球和排球自垫球的团体赛；9月校运会；10月中年级会操比赛；10月至11月“晨阳杯”篮球赛；12月冬季跳绳比赛、拔河比赛、踢毽比赛、20×200米接力比赛。这些体育活动的开展极大地调动了学生参加体育锻炼的积极性和热情，在提高身体素质的同时，也锻炼了学生顽强拼搏的作风和团结协作的集体主义精神，深受学生欢迎。

每年的秋季田径运动会都是北京师大附中一道亮丽的风景线。运动会前的入场式成为各班展示自己风采的舞台。近几年，由于我校学生人数的增加，运动会规模越来越大，为让学生更好地展示自己的风采，尽展各班精神风貌，我们学校在先农坛体育场成功地举办了五届“迎奥运，奔向2008”北京师大附中秋季田径运动会。2006年和2007年在先农坛体育场成功举行了北京师大附中“模拟奥运会”，每班代表一个国家，并为所代表的国家设计一块120cm×90cm的展板，介绍所代表国家的奥运经历或国家风貌。2007年9月，校模拟奥运秋季运动会上，我们还邀请印度尼西亚驻华大使馆的文化参赞Ms. Rosmalawati及文化部三等秘书 Mr. Arianto Surojo 参加了开幕式。入场式中，同学们身着各个国家或地区的服装，手擎各国国旗、展示牌，用新颖的队形、响亮的口号、良好的精神状态展现出附中人的活力与风采，博得了在场国际友人和区领导的高度赞扬。尤其当高一（3）班同学身穿“奥运同心结”结对国家印尼特色服装，女生头戴工艺绢花，男生手握羽毛球拍朝气蓬勃地入场时，主席台上响起了热烈的掌声。运动会在公平、友好、热烈的竞赛气氛中圆满结束，运动员选手在赛场上发扬更高、更快、更强的奥运精神，奋力拼搏取得了骄人的成绩，其中有 6 个项目打破校纪录。

我校坚持长期系统地搞好运动队训练，以训练育人，争创佳绩。我们将运动队分组训练，田径分为短跨组、中长组、投掷组、全能跳高组，篮球分为男高组、女高组、男初组，各组至少有一名专项教师负责训练。近几年，取得许多可喜的成绩。一个学校应该有自己的体育发展特色，应该形成自己的体育传统，并在传统的积累中形成本校的体育教育思想。学校体育文化的一个重要组成部分就是广泛开展学校体育竞赛活动，在此基础上形成具有本校特色的竞技体育发展水平。一支高水平的运动队、一个在学校内部拥有广泛追逐群体的优秀运动员，都将成为学校体育工作开展的动力源。学校因体育竞赛成绩优异而成名，学生因关注学校竞技体育发展而更加亲和体育，并在长期的亲和中受到良好的体育教育。

现在北京师大附中的校园体育生活就是围绕充分考虑学生的时代性与个性特点，以学生为主体，创造更多更好的学生群体参与的活动与节目。权衡各方面的条件限制和创新突破，使体育以校园为主要空间，以校园精神为主要特征，形成一种人人都想参与、都能参与、都愿分享、都能分享的群体文化。

六、在大自然中学习审美

——返璞归真的郊游、远足活动

台湾作家吴淡如从 19 岁开始第一次远足，至今踏遍五大洲。她的远足梦想诠释了一个平凡人注定不平凡的丰富人生。她说：“走，不是为了所谓的出国透透气，也不为寻找桃花源。我对自己平常的生活环境满意度挺高，也老自满地认为自己家比任何饭店舒适。但我始终相信：说走就走，是人生中最华美的奢侈，也是最光灿的自由。”

这是在寻找远方，还是在寻找自我？

远方究竟在哪里？海子说：“风后面是风，天空上面是天空，道路前面还是道路。”一个人去远足，不是为了寻找远方，因为他抵达的，将比远方更远。法国启蒙思想家卢梭说：“人生来是自由的，但无时不在枷锁之中。在自然中有无穷的知识，也有无穷的人生。”庄子说：“天地有大美而不言。”李白说：“相看两不厌，只有敬亭山。”他们实际上道出了大自然在审美上对于我们所具有的那种无可比拟的重要性，告诉我们，唯有大自然才是人类审美意识的发源地。人，只有在大自然中才能真正发现自己的渺小，也只有在大自然中才能真正地释放自己。

我校亲近大自然、感受大自然的无数生动例子，有力地证明了这一点。把美育仅仅当做艺术特长或技能技术教育来施行，这是认识上的误区，既不利于全面提高学生的素质，又违背了美育自身的规律和宗旨。没有什么方式能像远足那样可以更好地享受大自然的乐趣。

第三次全国教育工作会议进一步明确了美育的地位和作用，这对培养全面发展的人意义重大。为什么美育应该受到如此重视呢？这与美育的根本宗旨有关。美育的目标，不仅是培养和提高学生对美的感受力、鉴赏力和创造力，而且是要美化人自身，即帮助学生树立美的理想、发展美的品格、培育美的情操、形成美的人格。因而，美育的根本宗旨是培育学生的人格和心灵。无疑这是提高受教育者全面素质的重要方面。

梁启超说：“天下最神圣的莫过于情感。用理解来引导人，顶多能叫人知道那件事应该做，那件事怎样做法，却是被引导的人到底去做不去做，没有什么关系，有时所知的越发多，所做的倒越发少。用情感来激发人，好像磁力吸铁一样，有多大分量的磁，便引多大分量的铁，丝毫容不得躲闪。”情感的陶养，一方面是要防止卑鄙丑恶的东西腐蚀人们美好的情感，另一方面则要用美的事物对人们进行情感教育。

快乐的情感活动，往往是盼望目的达到后继之而来的解除紧张的主观体验。

快乐的程度取决于满足愿望的意外程度，且有满意、愉快、欢乐、狂喜之别。

蔡元培说：“植物之花，所以成实也，而吾人赏花，绝非作果实可食之想。善歌之鸟，恒非食品，灿烂之蛇，多含毒汁。而以审美之观念对之，其价值自若。”这时主体由于认识和愿望系统得到满足及发展，便会产生对美的感动，发生愉快感、满意感、赞赏感、幸福感等肯定性的情感体验。这种情感体验有时非常强烈和突出，以致主体全身心为美感的激情所浸润、充盈，感到精神健朗、感悟通灵、思想活跃，想象飞驰，好似顷刻间悟到人生真谛，窥见宇宙胜景，获得精神上的极大满足。所以，在当时和事后，主体都会对这种情感格外珍爱，视之为人间乐事，而不断地加以回味和追求。这样的美感激情，会直接冲击和改变主体原有的情感或情感倾向。如果我们根据学生的年龄特点和知识范围，有计划、有步骤、有系统地对学生实施美育，并把美育融入整个教育活动之中，使他们不断地得到美感的陶养，那他们就会逐渐形成自觉地认识美、热心地追求美的习惯，从而在潜移默化之中逐渐树立起美的理想、养成美的情操、形成美的人格。

学生的校外社会实践（主要指每年的春游和秋游）当然有多种功能。现在似乎存在一种较普遍的看法，认为单纯的游山玩水意义不大，所以春游和秋游中加入一些参观文化景点内容或干脆进行拓展训练等一时变得流行起来。置身于美丽的大自然，铺上塑料布就打开扑克固然不好，进行各种器械运动、竞技比赛，也有焚琴煮鹤大煞风景之嫌。我们认为，游山玩水意义重大，它是引导学生学习如何领略美、欣赏美的好办法，是学校美育中的重要一环，不仅能够补上学子生活中最为缺少的自然美这一课，也是他们将自己在课堂学习到的社会美、艺术美在自然中进行咀嚼消化印证比较的大好机会。因此，我们理直气壮地提出要亲近大自然、感受大自然。

只有真正浸润于大自然中，才能够感受得真切、彻底。在这方面，大自然才是无可匹敌的教科书，它对于我们在审美上的启悟，胜过人类的万语千言。在大自然的无言之美中，学生得到的是与浩瀚自然进行的心灵对话。人在审美的状态，是世间最美妙的状态。此时的物我两忘，不仅仅是一种简单的投入与乐趣，也是一种心灵的完美释放。

长久以来，我们坚持组织学生走出户外，投身大自然。初中各年级选择北京的山水胜地，高中年级则更是走出北京，远至泰山、承德。这项活动我们已坚持近二十年，成为我校有影响的社会实践品牌。师生们来到天地山水间，嗅闻雨后青草散发的气息，松树林间洋溢的芳香，触摸柔软的草地，凝视风中的落叶，体会大自然无比珍贵的魅力，认识它所蕴涵的那份独特意义，从中得到无比的快乐。或登高吟啸，游目骋怀，或临溪濯足，且戏且歌。此时，那些中国古代诗文中呈现的大漠长河景色、田野牧歌风光，都会奔来眼底，涌上心头。“会当凌绝顶，一览众山小”的气概胸襟之美，“千里莺啼绿映红，水村山郭酒旗风”的多彩辽阔之美，“停车坐爱枫林晚，霜叶红于二月花”的豪爽情韵之美，“月落乌啼霜满天，江枫渔火对愁眠”的幽寂清廖之美，“牧童归去横牛背，短笛无腔信口吹”的村野闲趣之美……

在行走的路上，也许很艰苦，很难受，学生会累得筋疲力尽。湿透的背心，涨红的面孔，急促的呼吸，还是无法停止脚步通向山顶崎岖小道。这时，身体也许会埋怨，沉重的脚步无法再轻盈，但大家都在向前走，所以此时，谁也无法选择停止。这种难得的生命体验会让学生开始感受自我的存在，开始了解自己，了解他人，凭借新的参照物更能发现自己。所以学生这时才有可能思念并重新爱上原本抱怨的生活。然而，在数小时的艰难困苦之后，学生站在山顶，一缕轻柔的风就可以让其完全陶醉，伸开双臂，静静地感受着上苍的恩赐，他们可以明显感受到心灵与生活的焕然一新。

2005 届学生在登泰山游曲阜后有感而发，在周记中这样写道：

我所在意的竟是石阶上挤出的一朵白花。泰山美景不也是如此细小的生物堆砌而成？再大的事物，也是由微型的细节构成，哪怕这些细节足以使人忽略，就像那石隙里的白花，轻易可以被人踩在脚下；就像那些挑山工，接受着众人异样睥睨的目光一样。一切都那么平淡，却组合成为一幅传世画卷。有人只看到大局，有人谨小慎微，却很少有人平淡地看山水。古人总寄情山水，可山水毕竟是山水，人们凭什么要把自己的意愿强加于山水呢？你不是山，怎知山无魂？有一首诗说，即使太阳承认自己有黑点，人们看到的依旧是光明。我以为即使泰山自己承认在五岳中甘拜下风，人们看到的也依旧是泰山的气魄。就像有的人话说到一定境界，错误也就成为了真理……山亦无魂人有魂，却道伟岸是神存。人若有志山不立，怎能结怨畏浮云？游泰山，晓天地；游孔府，晓本性。也许有些绝对，有些偏激，不过也该算是些许的问题。望“包容”！

山林中的小鸟在欢快地歌唱，脚下的小溪不停地拍打着身旁的山石。半山腰的景色已经很美了，他们好像都在召唤我，一个犹豫的孩子。我清晰地感到下山的轻松，背着包，哼着曲，没有上山时的粗气。我还在犹豫什么？平时总渴望自由的我还在冒傻气？只要向下一步，我便踏上了自由的小路，我就能插上自由的翅膀。台阶好像在笑我，笑我的表里不一。是的，已经走过了一千米的山路，站在人生的台阶上，难道放弃就如此的简单？向上是责任。

登上南天门的那一刻，我兴奋不已，因为我真的做到了。抬眼望去，那无尽的台阶，无尽的人生路，已被我走过。站在云雾缭绕的山顶，眺望远处无边的群山，心中一片宁静。此时的心中，也多了几分“一览众山小”的豪情，还有那“不畏浮云遮望眼”的傲气。

回首这一段段艰难的旅程，浮华的双眼可为我鉴证。一步一步，一层一层，稳扎稳打的前行。没有鸟儿的呼唤，没有溪水的等待，如此喧闹的环境也不会动摇我的意志，只有远处那伟岸的山顶指引着我前进的方向。

上山的路已到尽头，我征服了泰山。但人生的路还在脚下，我仍要咬牙继续前行。不甘成为弱者，我只能勇往直前，走得越高，才越能体现出人生的精彩。

再吸一口雨后清新的空气，再望一眼绵延不断的山路，继续向上，从此我将永远行进在路上。

山路的一端是自由，一端是责任，一直伸向远方。十六岁的我，毅然选择了后者，做一个快乐的登山者。早早地出发了，永远在路上，因为追求无极限。

七、在社会课堂熔铸情怀
——普及、持久的青年志愿者活动

意大利作家亚米契斯在 1886 年写了一部儿童小说——《爱的教育》。爱是整篇小说的主旨，就在最最平实的字里行间，融入种种人世间最伟大的爱：老师之爱、学生之爱、父母之爱、儿女之爱、同学之爱……每一种爱都不是惊天动地的，但却感人肺腑。随着改革开放的一步一步推进，我们的情感与爱也随之发生变化。我们对孩子倾注了太多的爱，帮助其审视着身边的美与丑、善与恶，学会用爱去感受生活。可孩子们的小脑袋能够一下子接受吗？毋庸置疑，爱的教育是最有效的教育。为此，北京师大附中除了进行传统的爱国、爱校和爱己教育以外，还充分利用学生校园活动，走进社会大课堂，展开爱人教育。通过社会实践使学生接触现实，在现实中受到教育、增长见识，达到在课堂上、书本里和教育工作者的说教所难以实现的入耳、入脑的效果。

长期以来，北京师大附中的校园里都活跃着一批积极为老师、同学服务的学生。他们默默地用自己的微笑和双手温暖着百年校园，他们辛勤地奔走于社区、义工站点，感化着浮躁的社会。为了能更好地宣扬这种乐于奉献、助人为乐的好风气，北京师大附中校团委于 2007 年 9 月正式成立了志愿者服务队，并对之实行规范化的管理。

（一）资源开辟

我们依托学校所处街道（椿树街道、大栅栏街道）的社区服务资源，北京师范大学白鸽青年志愿者协会开辟的学生服务资源，学校“生命伦理学”选修课的课程实践资源以及从电视、网络搜集到的社会弱势群体资源开辟志愿者服务站点。目前长期开展志愿者服务活动的站点有：椿树街道、大栅栏街道社区服务站点，北京市大兴区蒲公英打工子弟中学支教站点，北京市朝阳门医院第二病区临终关怀活动站点，北京市启蕊智障儿童教育中心融合活动站点。

活动中，志愿者服务队遵循着与服务单位相互理解和尊重、精心设计并实施、及时反馈与调整的原则，按照“以点带面，巩固成果”的指导方针，稳步推进工作，实现服务单位满意、学校开辟活动基地、学生切实收获三赢的目的。

（二）规范管理

每学年，我们都会召开志愿者表彰大会和志愿者招募大会，对上学年表现突出的志愿者进行表彰并对新加入的志愿者进行培训。培训后，校团委会为每位培训合格的同学颁发北京师大附中志愿者服务手册，实行实名服务登记认证制度，并将学生参与每次活动的时间记入社会实践累计学时。

志愿者服务队成立初始，每次活动都是由校团委或综合课程处老师作为领队组织志愿者服务队骨干参加，目的是在服务过程中随时对我校学生进行指导，提醒学生应注意的问题，随后逐步吸收高一年级各班志愿者骨干加入队伍并加以培养。

2008 年新学期以来，志愿者服务活动逐渐走上轨道，形成正规化流程。活动不再只有各年级志愿者服务队骨干及临时报名者参加，而是由高一、高二年级各班承包，轮流活动。每次活动前 3—5 天，校团委会为参加活动班级的志愿者发放《北京师大附中青年志愿者行为规范》，要求参加活动人员仔细阅读规范并签署《北京师大附中青年志愿者活动承诺书》，保证在志愿服务活动中认真、负责，展现附中学子风采。活动后，各班志愿者负责人需及时总结本次活动过程及收效，填写《北京师大附中志愿者服务活动记录》并请服务对口单位对本次活动进行评价。最后，校团委会根据评价与对口单位进行联系，并为参与活动的志愿者认证学时。

（三）特色活动

志愿者服务队立足身边实事做起，如，协助体育组圆满完成校运动会会场服务，帮助实验室老师准备实验，帮助后勤工人打扫维护饮水房，帮助教务处老师输入电子数据，帮助电教老师录制联欢会节目，帮助教学教研处老师装订《教科研简报》……此外，志愿者们还走出校园，走进社会，将温暖与关怀洒播四方。

1. 让蒲公英撑开精致的小伞，传递我们对打工子弟的深切关怀

有一首叫做《心里话》的歌，歌词是这样写的“要问我是谁？过去，我总不愿回答。因为我怕，我怕城里的孩子笑话……我们的校园很小，放不下一个鞍马；我们的教室很暗，灯光只有几瓦；我们的桌椅很旧，坐上去吱吱呀呀。但是我们的作业工整，我们成绩不差！我们打工子弟，不怕城里的孩子笑话，都是父母的宝贝，都是祖国的花……”

2007 年 11 月，志愿者服务队与北京师范大学白鸽青年志愿者协会取得了联系，并加入到赴北京大兴区蒲公英打工子弟中学的支教活动中。志愿者们悉心向白鸽青协的大哥哥大姐姐学习，学习他们组织活动的方式方法，学习他们给初中生讲课的经验技巧，学习他们与人交往的能力。通过几次支教锻炼，北京师大附中的志愿者们感触颇多，大部分学生与那里的打工子弟建立了深厚的感情。大家纷纷表示：我们和蒲公英的学生年龄相差不大，且需要讲授的知识刚刚学过，正好可以在学习方法和学习内容上提供辅导，我们应该组建北京师大附中自己的支教队伍！于是，在参与白鸽青协志愿者支教的基础上，我们对此项服务活动进行了适合中学阶段的改进。我们多次与北京师范大学白鸽青年志愿者协会、北京大兴蒲公英打工子弟中学的负责人协商，终于于 2007 年 12 月争取到了单独组队赴蒲公英打工子弟中学支教服务的机会。

学生志愿者到蒲公英打工子弟学校支教

我们利用国旗下演讲向全校师生发出倡议："当我们坐在温暖的教室里，暖洋洋的忘记了窗外的寒意时，你可曾想过，在这窗外寒冷的冬天里，有许多外来打工子弟的孩子们没有衣服御寒，他们在简易的工棚里瑟瑟发抖，他们是否也在希冀着谁会送来一件毛衣，一丝温暖？同在一片蓝天下，请用你的幸运缔造出更多人的幸福，加入我们的'蒲公英打工子弟中学支教'活动吧！"倡议得到了全校师生的热烈响应，高中部同学纷纷报名加入支教队伍。

从2007年12月至今，每周日下午1：30—4：30北京师大附中的志愿者都会准时到岗为那里的孩子们补习功课。面对路途遥远车程不便、蒲公英学校教学设备短缺、学生基础普遍较差的困难，志愿者们没有退缩，反而克服各种困难，坚持不懈。由于支教活动都是在周末，有的志愿者需要参加各种辅导课程或数理化竞赛，所以他们往往赶不及回家吃饭，揣一个面包拿瓶水就到学校集合；有的志愿者从小晕车，他们为了遵守和蒲公英孩子的承诺，足足站2个小时到大兴，下了车脸上没一点血色，可一走进教室却又精神抖擞、斗志昂扬；有的志愿者家住得很远，怀柔、昌平、朝阳、房山……但他们为了准时到校集合参与支教，一大早就要出发，路上颠簸数个小时。

走进蒲公英的课堂，志愿者们很快就进入了角色，积极主动、认真负责，不但文化基础讲得好，英语口语、数学习题、物理化学实验样样在行。大家三五成群，你负责英语、我负责数学，你讲语文、我讲历史，你主攻物理、我主攻化学……从课本到教辅、从公式到习题、从语法到语感……志愿者们根据自己课堂所学和平时做题积累，讲解起来游刃有余。一旦遇到难题琢磨不透，大家会集体讨论得出正确结果再给蒲公英的学生讲解，真正做到了耐心、高效、准确。此外，志愿者们还和那里的孩子建立了深厚的友谊，他们分享彼此的校园生活，讲述名人的励志故事，踢毽子、跳绳、打篮球……从活动开展至今，已累计活动10余次，参与人员300余人次。

由于北京师大附中志愿者的优秀表现，所辅导班级的学生取得了很大进步。为此，蒲公英中学将我校负责辅导的班级从原来仅有的初一（2）班扩充到初一的3个班。2008年3月2日下午，当我们的志愿者辅导完毕，准备出门乘车返校的时候，这3个班的小蒲公英们在教务处老师和班主任的带领下整整齐齐地站在校门口，用灿烂的微笑和雷鸣般的掌声为我们的志愿者送行。大家激动不已，心潮澎湃，这是对我们志愿服务的最高奖赏！一位随行的《中学生时事报》小记者（我校高二年级志愿者）在新闻稿中这样写道：

从学生志愿者服务队成立以来，最牵动人心的莫过于帮助那些和自己同龄而命运截然不同的蒲公英‘种子’了……

所处环境不同的同龄人聚在一起，互相探讨学习，解决学习中遇到的问题，分享彼此的校园生活，讲述名人的励志故事的确是一件乐事。志愿者们纠正‘种子’们普通话的发音，或者英语的发音，‘种子’在和志愿者熟了之后，也会腼腆地教志愿者几句家乡话，时不时地从没有暖气的教室里传了阵阵爽朗的暖暖的笑声……

有的志愿者把他们的所见所闻所感告诉身边的同学、老师和家长，呼吁更多人关注他们；有的志愿者甚至动摇了之前坚定的远大理想，希望投身于帮助像蒲公英孩子一样的人的队伍中去。每周末一次的志愿者活动，受益的不仅仅是那些被志愿者帮助的人，每个志愿者从中悟出的理儿、得到的动力是同任何好朋友聊天、上任何课外辅导班、看再多电视杂志、玩再多网络游戏都学不到的。

2. 让我们帮助年迈老人怀着感恩的心穿越生死的轮回

校团委与生命伦理学选修课合作，开辟了赴朝阳门医院第二病区临终关怀活动项目，为那里的老人送上心灵的慰藉。

临终关怀是一种融护理、治疗、心理医疗、志愿者服务于一体的全科医疗学科，它依靠团队的爱护关心，为晚期病人彰显人格，维护生命尊严，提高生命质量，给予他们最大的人道主义照护，使晚期病人减轻病痛，在清雅、舒适的环境中安详离开人世。临终关怀需要我们的志愿者以博爱、友善为病患者解除心理上的压力，用人间真情去感化每一个病患者。

活动伊始，生命伦理学老师在课堂上就“临终关怀”向参加活动的同学作了大致介绍，随后选修课成员和部分志愿者服务队学生骨干来到朝阳门医院第二病区实地参观并聆听病区郭院长的专业培训。

活动走入正轨后，每半个月，志愿者服务队的同学们都要带着自己精心准备的小礼物来探望那里的年迈老人，削苹果、倒杯水、念段报纸摘要、讲个小故事……为老人带来心理上的轻松和快乐。有的老人泪流满面，紧紧抓住学生的手嘱咐他们好好学习；有的老人高兴地拿出自己的零食和学生们分享；有的老人激动地引吭高歌，获得了学生们阵阵热烈的掌声……有一位93岁的老奶奶，由于身体原因常年卧床不起，每次她都会紧紧地握着志愿者的手，把他们当做自己的孩子遍遍叮咛、声声嘱咐；有一位患有老年痴呆症的婆婆每次见到志愿者都高兴地又唱又跳，出奇的是她能清楚地记得北京师大附中的名字，清楚地说出志愿者的名字；还有位101岁的老寿星，因为语言表达不畅，志愿者只能用写字板与她交流，在安安静静的2个小时中，从吃、穿、住到国家歌剧院、奥运圣火传递，志愿者们讲得头头是道。

高二年级一位同学参加临终关怀活动后，写下了这样一篇日记：《生命的宽度和长度》：

……我怀着好奇和略微敬畏的心情参观了临终关怀医院。使我想到那精彩表演过后，大幕缓缓落下的情景，意犹未尽，久久不肯离去。临终就像夕阳西下，已经精疲力竭的太阳用尽最后一丝力量，让余晖铺满大地，大概是希望人们欣赏到自己的美，记住自己的样子吧！那么即将走到人生尽头的人们会是什么感受呢？

眼前这位老奶奶给了我一种答案，是坦然，是安详。虽然自己已经84岁了，身体也不行了，但她还是用颤颤巍巍的声音表达出自己对死亡的豁达，“我都看开了，过几天我不行，蹬腿就走了”。老奶奶前半生在自己的销售岗位上做得兢兢业业，儿女也都事业有成，退休后便把心都扑到了孙女身上。如今孙女事业、家庭可谓双丰收，老奶奶在这世上可以说是无牵无挂了。在聊天的过程中，她就像我们的亲人一样叮嘱大家好好学习，长大多为祖国作贡献。看来，只要活得充实、有意义，死亡也就无所畏惧了。我的心情也轻松了下来。

从病房走出，我猛然看到了一台监护仪（临终关怀病房一般不配有医疗设施），几个人围绕着监护仪，神情哀伤。是死？松弛的心马上又紧绷了起来。这时才明白死亡，无论你是个多么洒脱、坚强的人，都会惧怕它。这是常人不可能逃脱的，我们的死会给爱我们的人以重创，泪水会浸满一切幸福。

人生总会有尽头，比起漫长的历史，我们的一辈子短得可怜。不管你有多么留恋这个美好的世界，不管你还要为爱你和你爱的人吐露多少心声，死神终将把你带到另一个世界。或者说我们无法从本质上改变自己人生的长度，但我们可以拓宽我们人生的宽度。让更多的人感受到你带来的快乐，让你的关怀温暖更多人。努力学习，能拓宽我们的知识面。认真地对待每一项任务，能使人生虽短暂但却有意义。84岁的老奶奶把青春献给了国家建设，为家庭倾注了全部。所以她的人生道路虽简单、平凡，但却有宽度，丰富多彩。

忽而听见，有朋友说："我怕死，我特别怕死！"没错，只要是生物都本能地有求生欲，我们都恐惧死亡。但唯一不同的是，我们人生的宽度，我们留给别人的东西。在有限的时间内尽可能拓宽人生之路，需要去实实在在做有价值的事，别再去抱怨世上的不公平了，永远记住：人生的长度有限，宽度无限!!

这是生命与生命的对话，这是心与心的碰撞，这是爱与爱的传递，通过临终关怀，志愿者们收获着对生命的敬重，大家纷纷表示，将经常来探望这些老人，用自己的爱心温暖老人们最后的世界；用自己的双手为老人脑海中抹上一缕暖色，驱散他们的恐惧和孤独。

3. 让快乐的花绽放在智障儿童的心上

通过观看电视、浏览网页及某文化公司的介绍，我们发现了北京市的一所智障康复培训中心——启蕊智障康复培训中心。经过实地考察和交涉，志愿者服务队顺利地与他们建立了长期合作服务关系。启蕊智障康复培训中心是一所面向全国招生的智障人士康复培训中心。在那里接受康复培训的除了智力残障人员外，还有部分自闭症患者和抑郁症患者。这些学生大多行为能力差、自控能力差，有的甚至连路也走不好。

每次去开展融合活动前，服务队的同学们都会在启蕊老师的引导下参观智障学生的教室、活动室、宿舍，欣赏他们自己制作的手工艺品，以便更好地了解这些智障孩子。随后，通过拔河比赛、"吹泡泡"等各种游戏与他们拉近距离，用爱给他们带来关怀，用真诚给他们带来尊重。还记得第一次活动的时候，由于一名智障孩子情绪突然亢奋，抓住其中一个志愿者的手就喊"赤峰的吗？赤峰的吗？"把志愿者吓了一跳，身子直往门外蹭。这一举动让智障孩子颇为沮丧，满脸通红，默默地站在人后不再吱声。志愿者意识到了自己的错误，调整了一下情绪，勇敢地主动上前拉住那个智障孩子的手帮助他找内蒙古老乡，赤峰老乡……

每次活动结束后，志愿者们都会感慨万千，他们不仅从这些残障儿童身上看到了不输常人的坚韧力和创造力，更体会到他们对待生活的认真与热情。

2008 年元旦时，校团委还为启蕊的残障学生寄去了彩色铅笔、橡皮，向那里的师生送上北京师大附中学子深深的祝福。

4. 扎根社区，让志愿之光更加耀眼闪亮

高一新课改社会实践纳入学分制以来，校团委与综合课程处紧密联合，长期与大栅栏街道和椿树街道办事处联系，保持良好合作关系，相继开展了推广普通话、使用规范字活动，和谐杯篮球赛、乒乓球赛活动。2008 年寒假，高一年级 1 个班参与组织椿树街道青少年义卖庙会，担任主持人、拍卖师、义卖员，3 个班负责椿树街道范围内社会规范用字的调查和整改，5 个班分别负责椿树街道 5 个社区的宣传橱窗更新。寒假结束时椿树街道对我校学生的工作给予了高度评价，各班已建立起稳定的社区服务岗位，《北京晚报》也对我校学生寒假社区服务作了报道。

国旗下演讲时，有位志愿者这样说道：这是一片成熟的紫色天空，有我们 2008 的梦，有我们助人为乐的真诚。让快乐的花沿着大地的纹路，静谧的绽放在智障儿童的心上；让蒲公英撑开精致的小伞，为传递我们对打工子弟的关怀而匆匆赶路；让我们帮助年迈老人怀着一颗感恩的心穿越生死的轮回，守候一路苦涩与甜美，一路空灵与沧桑。

在传统应试教育理念下，关于爱的教育的提倡很少，或者说大多数停留在学校这个狭小空间里，停留在书面静态的文字上。北京师大附中致力于突破传统，走进社会大课堂，让学生亲身体会到关心与被关心的人与人之间最美丽的情感，这也是北京师大附中在德育实践领域做的一项实实在在的努力。随着经济的快速发展和市场体制改革的深入，功利性的努力取代了超越式的价值追求，表现在社区领域，邻里关系的疏离、冷漠或紧张取代了传统中国社区的亲近、友爱和互助，对社区公共事务漠不关心。由于志愿活动是指利用自己的时间、自己的技能、自己的资源、自己的善心为邻居、社区、社会提供非营利、无偿、非职业化援助的行为，所以，志愿活动可以通过志愿者与服务对象的接触，有效地帮助服务对象拓展社交圈子。通过鼓励他们参加社区活动，不仅能促进社区公共事务的解决和处理，更重要的是它能满足人情感归属的需要，促进社会的和谐与进步。另外，志愿者本身的活动具有极大的示范和放大效应，可以动员和带动更多的社区成员参与志愿活动，培育社区意识和参与精神，也倡导社区文明新风尚，无形中推动这个社会的和谐进步。

八、浸润心灵的细流
——专业、全面的心理健康教育

盛夏六月，一年一度的“阳光少年”的评选拉开序幕，这是一项由学校心理辅导室发起、学生共同创立标准的评选，旨在突出对学生精神风貌、心理品质及其在同辈中的影响力的评价，重在树立朝气蓬勃、积极向上的健康榜样，引导学生自主塑造“乐于分享，与他人及环境和谐相处”的良好人格。已有近200名初一结业生在同学的欢呼声中当选，其中，吴天群同学既是第一届阳光少年，也在五年后高中毕业时当选杰出附中人。

自古以来，凡是评奖都有其局限，近200名阳光少年不过是学校心理健康教育之一组排头兵，他们身后是每学年中：200多名心理必修课的同学、近100名心理选修课的学长，以及上千名可以享受心理讲座、个体心理辅导、团体心理辅导的附中人。

附中学子，从来都沐浴在先进、全面的教育服务中。即使在心理健康教育尚未成型的20世纪，德育工作中就已渗透心理关怀。百年校庆之后不久，北京师大附中率先聘用专职心理教师，成立心理辅导室，为培养“全人格、高素质”的新世纪人才提供内在的助力。

百年校庆后短短数年间，心理教师增加为两名专职，学校心理健康服务也日渐拓展，例如，走出心理辅导室，举办心理文化节，向全校师生宣传心理健康知识、展出学生对心理健康的理解与思考。在过去的两届“心五月——健康风”的心理文化节上，广大师生从心理电影、心理报栏及团体心理辅导中分享了一道道心灵鸡汤，也增强了心理健康保健意识。如果说心理文化节是心理健康教育的年度盛宴的话，心理必修课和选修课就是为不同年级不同需求的学生精心烹饪的日常营养餐。面对身心发展的巨变、学习场所与内容的巨变，初一新生在心理必修课上，交流适应的困惑与成就，分享青春期的身心变化，学习情绪的调节、人际交往的技巧、反思自我的技能，也在心理老师的引导下，尝试认识自己的性格、价值观等，树立认识自己、悦纳自己、相信自己即与自己和谐相处的心理健康观念；高一新生在心理讲座与心理团体辅导中体验换位思考，学会正确地评价和看待自己在新团体中的位置，迅速调整心态以适应高中生活；初二和高二的学生则在心理选修课中分享成长的烦恼与思考，开启成就青春并突破自我的心门，为初高中的毕业生活注入信心与梦想。毕业班学生通过心理讲座与团体心理辅导，及时化解学习压力与考试焦虑，学会放松和应试技巧。高中阶段开设的生涯规划选修课不仅为高中学生规划人生提供了专业而切实的启发和指导，相关的论文《高中职业生涯规划课程探索》获得第三届北京市基础教育教学成果奖评比一等奖、北京市首届中小学心理健康教育学术论文一等奖。而对于有需要特殊帮助与辅导的同学，学校心理辅导室每周会开放10小时以提供遵循保密原则的倾听、专业的个体心理辅导。近年来，数百名附中学子在心理辅导室放下了沉重的心理负担，继而轻松愉快地投入学习生活中。其中不少同学在心理咨询之后或毕业后通过信笺、电子邮件、节日贺卡向心理老师表达了诚挚的感谢，也有一些家长事时多年仍念念不忘其子女曾经得到的心理援助。

鉴于父母是孩子的第一任教师，家庭是子女成长的重要影响环境，学校心理健康教育逐渐开展了与家长的沟通，从早期由心理教室在家长会上作短暂发言或主题讲座，以及家长通过电话、电子邮件、面谈的方式与心理教师探讨子女的学校表现问题和养育子女过程中自己的困惑，到新近举办的师长心理论坛，越来越多的家长对心理健康教育的重要性有了充分的了解，逐步树立了关注子女身心和谐发展的科学养育理念，并有意识地在亲子互动中注意自身心理健康的维护。这些得到学校心理健康教育服务的家长们，也通过电话、电子邮件、当面致谢等方式表达了他们得到心灵启发、行为指导后的欣喜之情，也陆续成为学校心理健康教育的校外热情宣传者、坚强后盾和忠实的同盟。

“叶落无声，雁过无痕。”北京师大附中专职的只有两名心理教师，但北京师大附中何止两名心理健康工作者？学校的各级领导为学校心理健康教育搭设各种平台；学校的每一位教师都在关注学生的心理特质、状态和变化；学生家长也越来越多地注重孩子的心理素质培养和心理健康；附中学子更是在喜爱的心理课堂上了解并关注着自己的心灵成长，在心理文化节中作为志愿者宣传着心理健康的知识和观念。

万事开头难，北京师大附中的心理健康教育已然上路，在这一条新奇的道路上，虽然缺少先行的前辈和经验，但我们庆幸的是有众多的同行者，有越来越多的需求和越来越高的要求，所有这一切都将使我们在这条依托心理专业优势、为莘莘学子提供专业心理健康服务的道路上走得更远、走得更久。

九、学校也是家

——平实、温馨的教职工校园生活

2006 年 4 月 22 日，春光明媚，百花盛开。在金碧辉煌的北京饭店金色大厅，北京师大附中 18 对新人，身穿结婚礼服，在亲友和全校教职工的祝福和欢呼声中，手捧鲜花踏着神圣的婚礼进行曲走上通往幸福的红地毯。这是一次隆重的婚礼，这是一次热闹的集会，这是一次喜庆的盛宴。快乐和希望洋溢在每个人的脸上，像桃李报捷，像樱花吐蕊，朵朵绽放鲜艳。激动是不言而喻的，新娘新郎喝交杯酒，互赠定情信物，宣读爱的宣言……深深打动着在场的每一位亲友同事。婚礼仪式上，刘沪校长作为证婚人代表学校长辈致贺词并向新人们赠送纪念品。新郎齐永茂老师代表 18 对新人发出结婚誓言：“将爱情进行到底，走过人生四季，经历风霜雨雪，用我们勤劳的双手、智慧的头脑，共建二人美满和谐的小世界，早成三口幸福团圆家。将婚姻保鲜到底，并肩人生路迢迢，携手同行不畏难，不学梁鸿孟光，更举案齐眉；与时俱进，做恩爱甜蜜小夫妻，以相敬如宾。说一声爱，道一声情。请为我们的爱情祝福，请为我们的婚姻致礼！请允许我用18对新人佳偶的名字为小诗一首以铭之：北京四月春意欣，霞晖艳亮靖茂林。师大玮杰志奇新，瑞凤霄鹏超浮云。附中玲莹采珍蓓，玉媛莉晶汇于今。教师锐理志华锋，十八佳偶哲（辙）成亲！”

人们常说，家有享不尽的天伦之乐。仔细琢磨，其乐就乐在一代看着一代成长，一代呵护一代成长。学校也不例外，学校本身从事的就是一种培养人的活动，其最终目的就是促进“人”的成长。教师关注学生的成长，学校关注教师的成长。“我们总是要求老师付出，但也要给他们创造条件，让他们感受到家庭的温暖，感受到被家人关心、宠爱的滋味”（刘沪校长语）。因此，“学校也是家”便成为北京师大附中全体教职工幸福工作的动力源泉。

为了这个家，学校专门成立了由校长、书记、工会干部、教工团干部等组成的建家工作领导小组，在各个方面为建家提供方便、给予支持。

家不算大，但东西两区的乒乓球室、台球室、阅览室每天都向教职工开放，各种运动器材随时为教职工提供。

家很温暖，不仅有营养成分搭配合理的早餐、午餐，还有教职工子女托管站。

家很和睦，青年教师结婚、生孩子，都会收到礼品，接到祝福；逢五逢十过生日的教职工有蛋糕陪伴；每年八月十五，外地单身青年教师还能聚在一起联谊和学校领导长辈过团圆中秋节。

家里嘘寒问暖，工会随时与劳模和困难职工保持联系，定期到其家中看望，为伤病职工办理保险理赔，为困难职工向上级工会和本校领导申请补助，对先进人物进行节日慰问。在两节送温暖活动中，我校党政领导和工会干部全体出动，每年至少走访50户教职工家庭。

家里丰富多彩，女教职工舞蹈团，瑜伽学习班，男女教师合唱队……踏青、郊游、趣味运动会、元旦联谊，青春洋溢。

家里子女爱岗敬业、积极进取。北京师大附中年轻教师较多，为不断提高青年教师的综合素质，促进教师之间的沟通，搭建青年教师迅速成长平台，2004 年 3 月学校专门成立了青年教师研究会。青年教师研究会关注青年教师成长成才，成立以来与教工团合作组织了多项活动，如举办沙龙性质的师生音乐会，获得成功并逐步常态化，邀请齐宏老师讲述他《求知之路》成长历程的报告，组织教工团员、青年教师到怀柔区驰野探险俱乐部拓展培训中心进行野外拓展训练，等等。此外，青年教师研究会还组织参与《100 个附中人的故事》的编写，从搜集大量资料到编辑书写，3 辑附中人故事，近 100 篇文章，全部由青年教职工独立完成。大家纷纷表示，参与《100 个附中人的故事》的编写加深了自己对学校历史和传统的了解，为自己能有幸成为附中人、能在这样一所拥有如此悠久历史和深厚底蕴的学校工作而倍感骄傲自豪，同时也深感作为一名青年教师所肩负着继承传统、振兴北京师大附中的历史使命。

第七章 学校规章制度和管理系统

一、北京师大附中规章制度和管理体系的历史沿革

作为中国最早建立的国立中学，北京师大附中自建立之初就十分重视学校规章制度的建立健全，重视建立一套有效的管理机制。

在中国近现代教育史上，原本没有“中学”这一概念，也从未有这样的教育机构。1901年，北京师大附中的前身“五城学堂”建立。1902年，清政府颁布“壬寅学制”，五城学堂成为“五城中学堂”。十年后，五城学堂成为国立北京高等师范学校附中，自此更有条件肩负起中学教育开路先锋的重任。

当时，中学教育的办学目的和要求、教材编制和选用、教育教学手段和考查办法以及日常教育教学管理均无章可循，一切都宛如一张白纸。因此，在学校初创阶段，各项规章制度的建立就成为亟待解决的重要问题。北京师大附中的教职工们敢为天下先，勇于创新、创造，用自己的智慧和勇气，在实践中摸索办学规律，积累办学经验，建立了较为科学的管理系统，逐步制定出一套符合教育规律、利于操作执行的教育、教学和管理制度，并不断使之健全完善。这些制度的建立，不仅极大地促进了学校的发展，也为我国中学教育提供了一个最初的、有着很强的借鉴意义的范本。更为重要的是，在这些制度的创立、完善过程中，附中人敢于创新、勇于探索、求本务实、精益求精、敢于负责的精神得到了充分的体现和发扬，并逐渐积淀为北京师大附中的人文传统，影响着一代代师生。

（一）建校之初，从无到有

学校开创之初，五城学堂从教育方针到招生，从教学到学生管理，都制定了一系列规章制度，以保证教育教学的顺利进行。其中有明确规定的《开学仪注及日期》《招生及招生复试告示》；有关日常管理的《讲堂规约》《学舍规约》《饭厅规约》《升降级办法》《奖惩办法》《学生违约规条》《假期假日规定》《统一制作体操靴帽衣裤规定》《收费规

定》等，基本涵盖了对学生管理的方方面面。这些规定现在看来似乎习以为常或是过于详细，但在中学刚刚诞生，师生尚不知学堂如何运行时，是十分必要的。在一个多世纪以前，这些规定都是原创的，现在看来还是很实用的。

特别需要指出的是，全面发展是北京师大附中办学的一贯方针。早在五城学堂时期，学校就制定了勤学分、学习分、体操分三分并举的办学方针，体操不及格，将影响升级、毕业。1912 年改为高师附中后，进一步明确制定了办学的七条方针：（1）锻炼强健体格；（2）陶融公民道德；（3）培养民族文化；（4）充实生活技能；（5）培植科学基础；（6）养成劳动习惯；（7）启发艺术兴趣。北京师大附中近百年前制定的这些规定，既全面又简明，对今天都有重要的参考价值。

（二）发展壮大，敢为人先

1922 年 2 月，北京师大附中召开会议决定率先试行“三三学制”，这也是我国实行“初中三年、高中三年”制度的开始。学制试行伊始，学无定法，学校召开新学制课程讨论会，组织教师编制各学科课程大纲，制定了《北京师范大学附属中学三三制学则》对学校的办学宗旨、学生学习年限、学科设置、成绩考查、奖惩制度作出了详细的规定。尤其是进一步明确“（1）培养健康身体；（2）发展基本知能；（3）培植高尚品格；（4）养成善良公民”的办学宗旨。

1923 年，学校进一步制定了初级中学和高级中学的各学科课程标准，编制了各学段学分标准，并自编了部分学科教材。这个“学则”和“标准”成为指导学校教育教学的基本制度；一系列由北京师大附中首创的、既有普遍性也有自身特色的制度和与之配套的自编教材，也成为了那个时期各地新办中学重要的参考资料和范本。

与此同时，北京师大附中建立了较为规范的教学管理系统，对学生的招考、学籍、成绩评定、作业管理等作了详细的规定，编制了各级各类管理表格，尤其是制定了《学科成绩考查方法》，建立了学分制评价制度，从而实现了对学生学籍诸事务的科学和系统的管理。

1925 年，北京师大附中制定了学校《组织大纲》，绘出了学校《行政组织系统图》，建立了较为完备的组织管理系统。北京师大附中历来重视对学生的品德和人格教育。我们的前辈们在建立新学制的基础上，结合学校传统、针对学生特点，在 1926 年制定了北京师大附中《训育方针》《学生操行修养标准》《学生操行成绩考查项目及方法》《学生家长联络办法》《学生自治会章程》等。

北京师大附中还高度重视学生的身体锻炼。1917 年在全国率先实行了“课间操”制度。此后又专门制定了《学校体育正课教授大纲》，编写了学校课外运动、学校运动会、学校身体检查等方面的管理规定。

1935 年，北京师大附中修订了学校《组织大纲》，重新制定了学校各种会议和办事规则，进一步保证了学校有序发展。

（三）勇于创新，不断前进

新中国成立以后，北京师大附中重新焕发青春，在党和政府的领导下，各方面工作都有新的发展，在制度建设和管理系统建设上也有了新的变化。

首先是重新设置了组织机构，制定了学校办公室、财务、总务等日常行政管理的工作要求细则。在教学方面，1951 年制订了《教育教学改革实施方案》，开始了新的教改实验。同年 9 月，制订了向苏联学习的计划。在德育方面，1951 年制定了《班务委员会组织简则》《北京师大附中学生守则》，加强了对学生的爱国主义教育、优良传统教育。

1958 年，北京师大附中参与“教育大革命”试验，进行教材改革，自编教学大纲、自编教材。这个时期的学校工作有经验也有教训。“文化大革命”，使学校的管理系统和规章制度都受到严重的破坏。“文革”结束后，北京师大附中开始恢复和重建各项规章制度，为学校在新时期的发展打下基础。1978 年，北京师大附中撤销了“革委会”，恢复了正常的党政领导体制。

1984 年，北京师大附中制订了新的《教学改革方案》，并对课堂教学目标、课堂教学评价标准作了新的规定，开始实施教学工作岗位责任制，同时制定了班主任工作条例。1985 年北京师大附中在北京市率先试行校长负责制，明确党政分工，党组织更好地做好政治思想工作，保证学校正确的前进方向；校长有职有权，有利于办学事务的统一部署，有利于学校工作按照教育规律办事。1986 年，第一届教职工代表大会召开，教代会制度正式建立。1987 年师大附中开始进行“教育教学改革”，并根据学校实际制定了《学生日常行为规范》。

1976—1998 年，北京师大附中从“文革”的废墟上重新站起来，建立起一套比较完整的管理系统和制度体系，为此后的深化改革创造了条件。

1998 年以后，随着国家的改革进一步深化，北京师大附中也进入了一个快速发展阶段，围绕示范校建设，学校进一步完善各方面的规章制度。特别是从 2000 年起开始全面进行人事制度改革，明确了全校各个部门和岗位的职责，公开进行岗位竞聘，全面实行了教职工聘任制和与之配套的结构工资制度。彻底改变了“铁饭碗”“铁交椅”“铁工资”的问题，变“因人设事”为“因事设岗”，不仅提高了工作效率，而且从根本上改变了教职工的精神面貌，调动了每个人的积极性。与随后进行的新课程改革相适应，北京师大附中又建立和完善了一批规章制度。教师队伍建设、青年教师培养、学校安全管理等方面的制度，随工作发展而不断调整完善。

最近十年来，北京师大附中的校园环境、办学条件发生了巨大的变化，学校充满活力，各方面工作取得了长足的进步，这都与学校规章制度较为完备、科学，制度执行高效、有力密不可分，这也为学校稳定发展奠定了坚实的基础。

二、逐步完善的学校规章制度体系

改革开放以来，为了更好地贯彻党的教育方针，办好人民满意的教育，也为了使北京师大附中能够有更好更快的发展，达到“国内一流、世界先进”的办学目标，我校在学生管理、教学管理、人事制度建设、部门管理等诸多方面实践探索，制定出一整套系统、操作性比较强的管理制度和管理办法，并在学校管理实践中认真加以落实，从而使学校的规划、发展、管理更加科学、系统、持续。这些制度的建立使学校内部的各项工作“有法可依”“有章可循”。

（一）学生工作管理制度

北京师大附中被校友们称为“人生基石”。在学生管理中，北京师大附中坚持德育为先，坚持以学生的思想品德的培养为工作重点，从学生生活的点滴细节抓起，养成学生良好的生活习惯和学习习惯。北京师大附中制定了针对性强、内容完备的学生工作管理制度。

1987 年，北京师大附中制定了有本校特色的《学生日常行为规范》，从制度上保证了学生良好行为习惯、积极健康思想的形成。随着时间的推移，北京师大附中逐渐完善学生日常学习、生活的管理，制定了《学生一日常规》（以下简称《常规》），对学生从早晨入校开始即应保持的修养、礼仪、纪律作了详细的要求。同时根据附中学生的特点，我校德育部门通过调研，并吸收学生参与，制定了《北京师大附中校园礼仪公约》（以下简称《公约》），从进校伊始、校园行为、尊敬师长、同学之间、课堂、用餐、集会和仪容仪表等八个方面对学生的文明礼貌提出了比较高的礼仪要求。《常规》和《公约》配合使用，相互补充，对学生形成良好的行为素养起到了积极作用。

《常规》和《公约》的制定与实施过程是北京师大附中学生管理人性化的一种表现。长久以来，北京师大附中的学生工作既重视耐心、细致的教育，也强调严格管理。学校 20 世纪 90 年代制定了《十项评比实施细则》，以班级为单位对学生在校期间的仪容仪表、环境卫生、课间纪律、集会出操情况、车辆摆放、住宿要求、保护公物等十个方面作了详细具体的要求。学校德育部门同时也制定了诸如《班级卫生检查评比》《课间操管理规定》《爱护学校公物十条要求》等专门化的规定和办法。

20 世纪 90 年代中期，北京师大附中开始接收外国留学生到校学习，就学人数不断增加。学校交流中心和教导处经过不断的摸索与实践，制定了《外籍学生一日学习、生活守则》，对留学生在校期间的学习生活等方面都作了具体的规定和要求。

学生管理工作班主任发挥着重要作用，北京师大附中的每一个班主任都有着很强的责任心。由于班主任们的年龄、经验有差异，不同年级的学生年龄特点和工作要求各有不同。因此，在鼓励班主任们对班级进行有特色管理的基础上，北京师大附中重视对班主任的管理，制定了《北京师大附中班主任职责》和《班主任一日常规工作》等规章，并针对每一学期不同时段的工作特点，制定了《开学例行工作》《开学阶段班主任注意事项》等工作要求，从而使班主任，尤其是年轻班主任在工作中能够做到规范管理、科学管理、细致管理。

优秀学生的表彰和违纪学生的处理是学生管理工作中重要的一个环节。这类规定从北京师大附中建校时就已设立。随着时代的发展，北京师大附中的学生奖励与处分制度也几经变迁。但无论如何变化，其宗旨始终未变——一切为了学生的发展。2002 年 6 月，根据北京市教委的统一要求，我校重新修订了《三好学生和优秀学生干部评选制度》；对学校内部“先进班集体”的评选办法也作了一定的修改，使之更加完善和科学。学校对违纪学生的“处分规定”也更加细化和人性化，涵盖了学生校内生活的方方面面。2002 年 2 月，根据学校历史悠久、优良传统多、杰出校友众多的特点，学校创造性地提出设立“杰出附中学子”荣誉称号，并制定了严格的评选办法。从 2002 年至今，已有十余位同学获得了这一学校最高荣誉称号，这一制度也成为了北京师大附中学生工作中的一个特色。随着校友捐赠的增加，学校设立不同名称的奖学金，也正在成为鼓励学生全面发展、争优创新的有效措施。

此外，北京师大附中十分重视学生的安全，有着完善的安全制度和安全规范。学校制定了《学生保障自身安全规定》；同时健全了安全责任制度，与行政负责人、年级组长和班主任签订安全责任书，使安全责任落实到人。

近年来，北京师大附中的学生管理制度日趋完善，校风正、学风浓，学生朝气蓬勃，健康成长。学生工作已经成为学校各项工作中的亮点。

（二）教学管理制度

教学工作是学校建设与发展的基础，北京师大附中历来高度重视教学工作，尤其重视教学管理制度的建设。这些制度规范着教学过程的各个环节，为提高教学质量奠定了坚实的基础。

当前，教学管理存在的主要矛盾有以下几个方面：针对教师存在的满足现状的情绪，学校要积极促进青年教师的达标、中年教师的提高、老教师经验的升华；针对不同教师教学存在的水平差异，统一教学标准并保持高水平；针对存在的教学稳定不变的心理，提出落实新课改要求，实现新课改目标；针对学生课业负担较重的现象，提高课堂教学的效果与效率，以及针对尚存在的教学工作规定不明、管理不善和个别教师不够自觉的问题，进一步规范教学各个环节的行为要求与工作程序；等等。

针对这些矛盾，学校的方方面面都要树立明确的指导思想和行为规范。学校领导要眼观全局，把握方向，提出要求，检查落实；广大教师要更新观念，聚焦课堂，通过自身教学水平的提高，实现新课改目标要求，换取学生负担的减轻。教研组备课组通过加强教师进修、集体备课，实现教学水平的统一提高；教学部门通过简捷管理，细化要求，加强服务，求得规范。

为此学校制定了《加强教学管理的规定》，对教师职责、教学常规、教学计划总结、课堂管理、教学评估、答疑辅导、批改作业、考试管理、学籍管理、教材管理等方方面面作了细致可行的规定；建立了听课制度、命题制度、“教学情况民意测验”制度和学生、家长意见反馈制度。

在这个教学管理总制度下，教学各部门还制定了本部门的管理制度，包括教师业务档案管理、学生成绩管理、课表管理、考试评分、教材征订等内容，各实验室、专业教室、图书馆也都完善了自身的管理制度和安全操作规范。同时为了保证教学过程的安全，教学部门也建立了安全责任制，相关人员签订了安全责任书。

学校制定和落实《教研组工作评价制度》《教研组长职责》《备课组长职责》，同时拟定了《教研组开展教研活动的指导意见》和《制定学科发展规划的指导意见》，细化了教研组、备课组的工作任务、工作目标，以及本学科的学科发展目标和措施。

学校从微观和宏观两个方面促进教研组工作，加强对教师的培养。尤其是在90年代就开始实行的“师带徒”制度，既发挥了老教师丰富的经验优势，也努力挖掘青年教师的无限潜力，经过不懈的努力，一批青年教师迅速成长为各学科、各部门的骨干。这个制度的实施也促进了教研组、备课组内部的团结协作，促进了组内的和谐。学校制定了《先进教研组评选办法》和《先进备课组评选办法》，每年进行评选。

课程管理是教学管理的重要组成部分。北京师大附中历来重视课程设置和课程管理工作。我校是北京市中学中开设选修课比较早、课程门类比较多的学校。为了使选修课的开设更加规范，教学效果更加突出，我校制定了《选修课暂行规定》，对全校选修课进行指导。学校还制定了《校本课程审议制度》《校本课程评价方案》，加强校本课程建设，并推出《校本教研和校本培训一体化制度》，指导教师进行校本课程研究。

此外，教学部门还与学生管理部门密切配合，在学生管理制度要求的基础上，制定了《学生课堂常规》《学生考勤制度》《学生晚自习管理规定》以及各学科实验室《学生守则》，努力做到教育教学的相辅相成。

目前，北京师大附中的教学管理制度基本完备，各项制度也都得到了比较好的落实，学校的教学工作正在快速有序地发展。

（三）人事管理制度

人事管理制度建设是学校管理的基础性工作，是学校各项工作顺利开展的基本保证，也是关乎教职工切身利益、政策性很强的一项工作。

早在20世纪80年代，北京师大附中就秉承自己敢为人先的传统，在北京基础教育系统率先试行校长负责制，开始对学校人事管理系统和管理方式进行改革，同时结合教师的工作量，建立起结构工资制度。学校对教师的考核逐步走向正规化、制度化、科学化，并逐步提高了教师的经济待遇。这一举措为学校发展增添了活力。当时创设的结构工资办法一直沿用至今。然而，那时的人事管理改革，基本没有改变“因人设事”“因人设岗”的局面。

2000年前后，国家启动对事业单位的人事制度改革。在教育系统中，大学率先进行改革。在北京师范大学的领导下，我校结合地方学校改革的经验，开始了新一轮人事制度的改革。由于“文革”的影响，学校教职工队伍总人数严重超编，同时又存在优秀教师结构性缺编问题。改革前，我校48—52岁的17位教职工中，只有1人是教学人员。非教学人员与教学人员之比，高达0. 67∶1。“大锅饭”“铁饭碗”的局面，既不能满足教育教学的需要，又不利于调动教师的积极性。人事制度的改革就是要“因事设岗”“定岗定编”“按岗聘任”，通过精简机构、缩减超编人员，公开聘任，择优上岗，组成精干的管理干部队伍和教职工队伍。

这次改革开始前，我校进行了认真的调查研究，到先行单位学习改革经验，在领会政策的基础上制订了《北京师大附中内部管理体制改革方案》，并以此为指导，制定了一系列改革文件：《北京师大附中教职工岗位聘任合同制试行办法》《北京师大附中中层管理人员聘任办法》《北京师大附中教学岗位聘任工作实施细则》《北京师大附中职员、教辅岗位聘任工作实施细则》《北京师大附中后勤工作人员聘任工作实施细则》和《北京师大附中未聘非教学人员安置办法》。此外，对学校办公室、教务教学与教研管理、学生管理、后勤、财会、实验室、图书馆等每一个具体岗位规定了详细而明确的岗位职责任务。所有人事制度改革的文件汇编成册，是一本北京师大附中人事制度改革的百科全书，教职工人手一册，保证了聘任工作的公开、公平、公正。

这些制度一经教代会通过，就在全校得到坚决的实行。在实际操作过程中，聘任实现了“双向选择”，严格按照“教职工提出应聘意向→述职答辩→聘任委员会讨论决定→签订聘任合同”的程序进行。这种选择的变化，带来的不仅仅是教职工工作积极性的变化，更带来了全校教职工服务意识、危机意识和责任心的变化，实现了从过去“要我做、派我做”到现在“我要做、我能做”的转变。聘任委员会的成员在另外的场合自身也是应聘者，从而基本实现了全员竞聘。2001 年，在教职工聘任制改革的基础上，对分配制度进行了相应的改革，极大地调动了教职工的积极性。

从 2000 年起，我校通过连续三年的人事制度改革，岗位设置精打细算，同时安置好未聘人员。在岗人员得到精简和结构优化，使非教学与教学人员比变为 0. 34∶1。非教学人员的精简也极大地震动了教学人员，全校教职工的精神面貌有了极大的改观，人员减少，工作质量反而提高。教职工队伍精干，消除了人浮于事的现象，大大增强了学校的活力和竞争力。

与此同时，我校建立了有自身特点的年终考核总结制度，教职工考核的内容、方式简洁有效。学校还制定了《先进教师、先进教育工作者、先进班主任、先进青年教师评选办法》，每年年终进行评选。

目前，北京师大附中的人事制度建设已日趋完善。无论是干部聘任还是教学人员和非教学人员的聘任，都做到了按制度、程序办事，年年进行；干部岗位职责、教职工岗位职责进一步完备和细化，易操作、易检查，有章可循，使学校工作井然有序、充满活力。

十年来，北京师大附中制定和完善了很多有利于学校发展的规章制度，包括档案管理制度、安全责任制度、干部学习制度、教职工学习制度、教职工考勤制度、外事管理制度、各类会议制度、财务管理制度、后勤保障制度以及党组织的各项制度等。这些制度从不同角度、不同方面规范了学校的办学行为，促进了学校的发展。

总结我校人事制度改革有以下几点经验：一是政策的制定符合时代特点；二是政策的制定合理合法；三是政策制定具有系统性；四是政策具有可操作性；五是政策的执行具有坚定性。

三、精干的学校管理团队

（一）精干的学校管理团队

北京师大附中有一个科学、高效的管理系统，一支精干、团结的管理团队。学校广大干部来自教学第一线，作风正，能力强，与教职工保持密切联系。

现任学校领导班子成员：刘沪校长兼书记（中）、王莉萍副校长（左三）、李敏副校长（右三）、梁原草副校长（右一）、许建勇副书记（左一）、全力工会主席（右二）、顾咏梅校长助理（左二）

北京师大附中实行校长负责制，设有一位校长、三位副校长，分管德育、教学、行政工作；校长（兼党总支书记）、副校长、党总支副书记、校长助理和工会主席等 7 人组成学校领导小组，下设学校办公室、教导处、教务处、教学教研处、综合课程处、电教中心、交流中心、总务处、财务室等九个管理部门。各部门分工明确，团结合作，形成了一个科学高效的管理系统。学校领导小组成员和各管理处室主任（共 16 人）组成校行政管理集体，出席每周召开的校行政办公会议。

我校校长、副校长由北京师范大学校长任命，校党总支正副书记、工会主席分别由党员大会和教代会选举产生，校长助理由我校校长任命。

学校现任党政领导 7 人，组成合理，优势互补，有以下特点。

（1）学历高：2 位博士，4 位硕士或研究生毕业，1 位本科。

（2）职称高：3 人为大学研究员（正高职），4 人为高级教师。

（3）老中青相结合：平均年龄 40 多岁，3 男 4 女。

（4）专业互补：数学 2 人，语文 2 人，物理 1 人，生物 1 人，经济管理 1 人。

（5）能力互补：分管领导在教育教学管理方面各具专长。5 人兼课，2 人为北京市学科带头人，2 人具有经营管理经验。

（6）性格互补：内向外向结合，大胆与细心结合，勇敢与沉稳结合。

（7）国外留学工作经历：2 人在国外留学 1 年，1 人在国外工作 4 年。其他成员均曾赴国外短期参观学习。

（8）党内外结合：4 位中共党员，1 位民盟成员，2 人无党派。

校行政管理部门主任通过竞聘上岗，9 位现职主任平均年龄 30 多岁，专业分布广泛，学有专长，具有较强的本部门组织管理能力。

学校基层管理主要依托年级组和教研组，年级组长、教研组长在年级管理、学科管理中发挥着重要作用。我校是一所完全中学，从初一到高三共六个年级；按学科设有数学、语文、外语、政治、历史、地理、物理、化学、生物、体育、艺术、信息、科技、研究性学习、留学生教学等 15 个教研组。年级组长和教研组长的产生均采取个人竞聘、聘任委员会（校领导与教职工代表组成）决定、校长任命的方式。他们德才兼备都是具有管理能力的业务骨干。现任 6 位年级组长，有 4 位曾在美国、英国、日本学习或工作一年。教研组长一般是本学科的特级教师或带头人。

校领导小组、行政部门主任、年级组长和教研组长构成全校的管理团队。校长每年暑假前，向全体教职工述职，并由区教委派人主持民意测验；校长同时要向北京师范大学领导汇报工作，接受监督和指导。除党总支书记、工会主席外，其他干部基本实现三年一聘任，每年一签约。干部队伍根据实际情况不断有所调整。坚持竞聘上岗使广大干部具有很强的责任心，能够保持很高的工作热情，保持团结协作，这也正是我校管理系统能够高效运行的根本原因。

（二）学校管理机构设置的创新

1. 成立研究性学习教研组

6 年多以前根据新课改要求，研究性学习成为学校的一门新课程。为了开好这门新课程，我校在原有 13 个教研组之后，成立了第 14 个教研组——研究性学习教研组，聘任了教研组长。研究性学习教研组与其他教研组具有同样功能和地位，但是它从组长到成员都是由其他学科教师兼任的。研究性学习教研组的建立，一方面体现了学校对这门学科的高度重视，另一方面确实起到了组织作用。在研究性学习教研组中，还分设了年级备课组。研究性学习教研组、备课组面对这样一门新学科，在制订教学计划、开展教学研究、实施教学过程、总结教学成果中发挥了重要作用。

2. 成立综合课程处

在教学方面，我校原有教学处、教务处、教研处三个处室。2007 年在北京高中新课改开始以后，针对课程体系的变化，我校及时调整了教学管理机构。教务处不变，教学处与教研处合并为教学教研处，在处内设研究室，新设立综合课程处。教学教研处负责教学全面工作，综合课程处具有鲜明的新课改特征，主要是开拓、建设并实施那些与传统必修课不同，而与学生实践、成长密切相关的新课程，成为新课程的管理机构。

综合课程处主要负责研究性学习、综合社会实践，校本课程的开发等；负责新课改实施过程中与社区、与社会的沟通和联系；负责学生成长手册的建立与记录；负责新课程开发实施的总结和档案管理。由于分工明确，我校的教学管理马上进入了新课改状态，社会实践等课程得到认真落实。

3. **成立留学生教学教研组**

继研究性学习教研组成立之后，我校又成立了第15个教研组——留学生教学教研组。由于我校常年保持100位上下的外国留学生，除一部分语言过关的留学生插入中国学生班级学习外，大部分留学生需单独授课。留学生教学教研组以对外汉语教学为主，同时负责开设留学生教育的所有课程，特别负责留学生高考的复习准备工作。留学生教学教研组由专、兼职教师组成，他们不仅很好地完成了留学生教学任务，还研究总结出本校留学生课程体系和有效的教学方法。良好的教学为学校赢得信誉，近年来，留学生大部分考入北大、清华、复旦、北师大等名校和理想的大学。

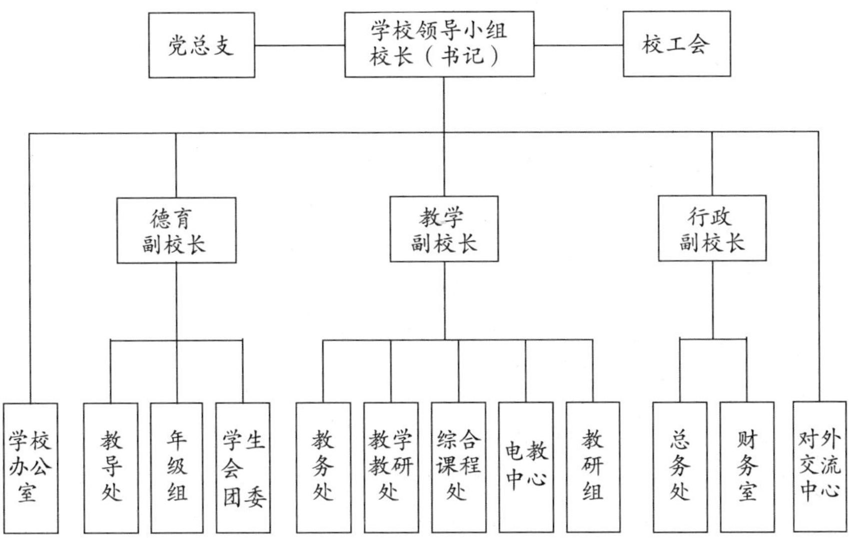

图7-1　北京师大附中组织机构图

四、民主科学的决策与坚定的执行

（一）民主科学的决策

制度的制定与决策的作出是学校管理非常重要的两项工作，特别是重要制度和重大事项的决策，对学校影响深远，必须科学和符合民主程序。一是制度或决策的制定者必须充分调查研究和广泛征求意见，提出的制度或决策的草案要科学、必要；二是决定的通过要根据规定，提交相应的决策部门，如教代会、校行政办公会、校领导小组等。程序符合，不仅有利于保证决定的有效，而且也有利于保证决定的科学合理。

我校2000年开始进行的人事制度改革、分配制度改革、新的课程体制改革、承接国务院扩招扩建任务、和平门中学与我校合并、校舍扩大拆迁等重大工作事项都要通过全校民主决策。学校每学期都召开教代会，教代会代表的提案也受到各部门的重视。学校每月召开全体教职工大会，校长通报学校工作；定期召开教研组长年级组长会、民主党派座谈会、青年教师座谈会，布置工作，听取意见建议。多数教职工不同意的事情，绝对不能实行。事实上，近年来，我校的制度制定和重大事项的决策都得到了广大教职工的支持和拥护。

在2000年人事制度改革过程中，由于非教学人员严重超编，聘任工作出现人多岗少的问题，必然有十几位职工要离岗待退。我们首先为富余人员制定了较为宽厚的离岗政策，并配合做好思想工作；同时进一步明确聘任程序，人事制度改革的政策和程序都提交教代会反复讨论通过，保证了最终的聘任决定合理合法。全体离岗待退人员欣然接受未聘的现实，表示理解和支持学校的改革。

（二）决策与坚定的执行

决策产生以后，最关键的就是执行，从某种意义上讲，制度的执行比制定更为重要。

坚定的执行力首先必须以科学民主决策为基础。决定一经做出，就要坚决执行。这表现在以下几个方面。

（1）向全校公布制度或决定的具体内容。

（2）对决定或制度规定的内容严格执行，不走样。

（3）执行制度或决定的态度坚决、坚定。不能根据个人意见或特殊情况擅自不执行制度决定，或擅自改变制度与决定。

（4）如遇个人意见或特殊情况存在较大的合理性，需提交原作出决定的层次机构讨论，或改变原制度、决定，或慎重地作出“破格”处理。若改变了决定，必须公布于众，按新决定执行。若确需“破格”处理，必须严格控制，必须是情况具有充分的合理性，结果不能影响全校的整体利益，不会造成攀比。若制度或决定是上级作出的，遇特殊问题必须请示上级。

在人事聘任、工作安排、职称评定、购房补贴、公费医疗等问题上，总会有少量教职工反映他们的特殊情况，希望照顾。一方面，我们要耐心听取他们的愿望和困难；另一方面，细致地做好思想工作，让他们理解学校的决定和对制度的执行。如果教职工反映的情况确实合理，我们一定会认真对待，请相关部门研究，也不能一概简单回绝。

有法不依，有令不行，朝令夕改，都是管理中的大忌。在执行一个新的决策和规章制度的过程中总会遇到困难和阻力，执行者必须克服畏难情绪，坚持原则，否则，学校将无执行力可言。

北京师大附中百年不衰，自建校以来不断地取得了丰硕的成果，从根本上得益于始终有一支高效精干的领导与管理团队，得益于有一支实力强大的教职工队伍，也得益于正确的决策和坚定的执行。今后更需进一步完善决策机制，进一步做好决策与制度的执行工作，确保办学目标的实现，办学任务的圆满完成。

第八章 立足于校本培养的『教师队伍建设』

名校的核心资本是名师。北京师大附中作为一所历史名校，一百多年来在海内外影响很大，关键是始终有一大批出类拔萃的名师，甚至曾有国学大师任教。然而事物都会有兴衰，名校如果吃老本，没有新的建树，也会变得徒有其名。因此，振兴北京师大附中，必须走人才强校之路。

随着教师队伍的新老更替和学校办学规模的扩大，大批富有教学经验的名优教师陆续离开教学岗位，青年教师已经成为我校教师队伍的主力军。2007 年的调查表明，在一线教师中，青年教师已占到教师总数的 40% 以上，拥有各级荣誉称号的骨干教师占教师总数的 25.5%，略少于同类兄弟学校，尤其是特级教师、国家级骨干、市级学科带头人等名优教师的数量亟待增加。如何提高青年教师的专业素质，如何培养新一代的名优教师成为学校的当务之急。

时代的发展，尤其是新课程的实施，对广大教师的专业素质提出了新的要求。教师不仅需要更新教育教学观念、学习现代教育教学理论、提高教育教学技能（如教材处理与课程资源开发能力、教学行为设计能力、关注学生的差异发展、把握学科教学的基本规律等）、学会应用现代化的教育技术手段，还应确立发展意识、反思意识，研究意识、效率意识和特色意识，并且在现代社会环境中自觉树立远大志向，自觉保持脚踏实地、严谨求实的专业精神。

基于教师队伍现状和新课程对于教师的要求，我校于 2007 年 10 月召开学校人才工作会议，提出了加强教师队伍建设的总体思路："注重整体规划，促进教师队伍建设；立足于校本教研和校本培训，提升教师的专业化水平；多途径搭建发展平台，分阶段、按批次推出名优教师"。在具体措施方面，我校注重通过自主创新，促进教师队伍的专业化发展。其中，专业发展规划的出台，为教师的发展引领导航；教研组的建设，为教师的发展提供专业支撑；"校本研究"成为促进教师专业化发展的催化剂；"名师工程"成为培养名优教师的摇篮；"对外交流"开阔教师视野、帮助教师实现自我超越；"公开课"制度为教师的发展开辟了一条有效的路径。通过近年来的努力，目前我校教师队伍已积蓄了雄厚的力量。

一、专业发展规划促进教师的自主发展

为进一步加强教师队伍建设，提升教师专业发展水平，2007 年我校开展了教师专业发展状况的调查研究。调研结果表明：（1）我校教师专业发展阶段基本符合一般规律；多数教师在课堂教学中关注学生的情绪变化和学习情况，已逐渐进入专业发展的成熟阶段；教师工作压力适度，工作状态良好。成熟期教师需要确立新的发展目标，稳定期和创造期教师具有继续发展的潜能。（2）制约我校教师专业发展的最主要因素是教育教学理念；在专业知识方面急需补充的是心理学和教育教学理论方面的知识；在专业技能方面急需提高的是辅导教育学生能力、多媒体技术运用能力、独立命题能力。（3）在各种促进教师专业发展的方式中，有效的教研方式依次为个人自主研修、课题研究、备课组研讨、做课活动、教研组。有效的进修方式为出国研修、学历进修、专家讲座。需要加强的是教研组活动的有效性、市区继续教育的有效性及为教师提供更多的参与或主持课题研究的机会。

以上述调研结果和教师队伍分析结果为依据，我校制定了《北京师大附中教师专业发展规划》，并广泛征求教师意见，得到广大教师的一致认同。在该规划中，我校针对不同发展期的教师，提出不同的发展目标和要求，并针对这些发展目标提出了一些促进教师专业化发展和优化教师队伍的实际措施（具体参见下文）。

北京师大附中教师专业发展规划

本规划建立在教师专业发展状况及需求的调查结果分析的基础上，对各阶段教师的专业发展提出了明确目标和实现措施，旨在通过本规划的落实，建设一支拥有高水平的专业素质和教育创新能力的学者型教师队伍。

一、各阶段教师发展目标

（一）适应期教师（1—3 年）

1. 发展目标：逐步适应教育教学工作，成为一名合格教师。

2. 具体要求：

（1）爱岗敬业，具有先进的教育理念与高尚的职业道德，秉承师大附中优良传统，虚心向老教师、同行学习，吃苦耐劳。

（2）熟悉并遵循本校的教学常规与各种规章制度，能认真履行各种职责。

（3）逐步熟悉本学科各年级课标或大纲及任课年级的教材，能独立完成备课、讲课、命题、课外辅导等任务，具有较好的教学基本功，包括规范的实验操作。

（4）在教学能力上，初步具有独立处理教材的能力、组织课堂教学的能力、独立组题命题的能力、辅导困难生的能力以及独立完成教学工作总结的能力。

（5）能写出一定质量的工作总结或教育教学案例。

（6）能得到学生、同事的认可。

（二）发展期教师（4—6 年）

1. 发展目标：弥补专业弱项，全面胜任教育、教学工作。

2. 具体要求：

（1）教师个人要有意识在市区展示自己。

（2）弥补教育、教学专业知识、技能、能力的弱项。

（3）能够组织课外活动、开设课外讲座、开设选修课、指导研究性学习。

（4）具有教科研意识，能参加教育科研课题的研究活动。

（5）能写出具有一定质量的教育教学经验总结（或教学反思）。

（6）能承担区级以上的公开课和观摩班会活动。

（三）成熟期教师（7—10 年）

1. 发展目标：努力发展自身的教师专业特长，逐步成为学校的骨干力量。

2. 具体要求：

（1）进一步提高教育教学专业水平，确保教育教学效果良好。

（2）在学科教学和班主任工作中起骨干作用，在学校和区里有一定的影响。

（3）在学科教学和班主任工作中，逐步形成个人风格。

（4）主动承担选修课或其他课外小组活动，形成自己的专业特长。

（5）能组织或参加科研课题的研究、撰写论文，并获得区级以上的奖励。

（6）能承担除教育教学工作以外的其他社会工作，如管理工作等。

（四）稳定期教师（11—20年）

1. 发展目标： 突破平台期，教有所长；努力成为区级骨干教师、带头人。

2. 具体要求：

（1）教育教学能够得到学生与同行的充分肯定，教学效果好。

（2）具有一定的教科研能力，每学年都能发表一定分量的学术文章或论文。

（3）能够承担青年教师的培养任务。

（4）能够承担各级别的研究课、观摩课。

（5）积极参与课题研究，成为课题组骨干。

（五）创造期教师（20年以上）

1. 发展目标： 形成鲜明的教学风格；努力成为市级骨干、带头人、特级教师。

2. 具体要求：

（1）教育教学能够得到学生与同行的充分肯定，教学效果显著。

（2）承担青年教师的培养任务，努力培养出优秀青年教师。

（3）承担各级别的示范课，并做到课堂开放。

（4）独立主持课题，每学年都能发表一定分量的论文或出版个人专著。

（5）成名成家或成为特色教师，教学上有独到之处，带班有特色。

二、实现目标的措施

（一）修改、重建制度促进教师专业化发展

学校将出台《教师业务档案的管理制度》《校本教研和校本培训一

体化制度》，并进一步修订《北京师大附中优秀教师标准》，还要建立教书育人的师德评价制度，通过制订教师个人发展规划和学校培训计划，师带徒等，促进教师队伍整体水平的提高。

（二）规范各类教研活动，通过加强校本教研的实效性促进教师专业发展

教研组活动与备课组活动是学科校本教研的主阵地。针对一段时期以来，某些教研活动缺少“教研”含量，备课组活动也仅仅完成通报授课进度的现象，学校将出台《教研组开展教研活动指导意见》和《备课组开展备课活动的指导意见》。《教研组开展教研活动指导意见》要求教研活动规范化、内容系列化。每次教研活动有主题，有设计、有记录，建议以课题或专题研究带动教研活动；《备课组开展备课活动的指导意见》要求每次备课活动要明确教材各章节的课程标准、教学要求和教学内容，保证学科日常教学质量。备课组还要在教师交流中创造一种和谐的学术研讨氛围，调动组内教师的积极性，充分发挥每个人的特长，谋求全组教学水平的整体提高。

（三）根据教师需求，组织系列培训活动

针对教师在专业发展不同阶段的不同需求，学校还将开展各种校本培训活动。

1. 面向处于适应期（工作1—3年）的青年教师的培训

以讲座、观摩等形式开展系列主题培训，内容包括《师德培训》《校史教育》《教学常规》（包括课标研读、教材分析、教学设计、教案撰写、课堂管理、多媒体使用、教学语言、板书设计与书写、命题技能等专题）《学生心理》，以及《名师风采》。

2. 面向处于其他专业发展阶段教师的专项培训

教师专业发展到一定阶段就会出现分化，教师可以根据自身需求参与不同内容的培训。学校在提升教育教学理念、更新专业知识、提高信息技术、教科研能力等方面提供多种形式培训，可以是专家讲座，也可以是同行交流，还可以通过直接参与课题研究，获得提高。

另外，学校还会提供学历进修或脱产培训以及外出考察、参会交流的形式的培训活动。

（四）通过引进人才优化教师队伍

一些教研组教师的专业分布不均衡、年龄分布不均衡，有的缺乏骨干教师，可以通过引进专门人才在短期内改善队伍结构。

（五）加大力度培养骨干教师

1. 区、校级骨干教师要通过参与科研课题、争取各级别研究课、观摩课的做课机会，承担青年教师的培养任务、撰写教科研论文、脱产培训等途径，努力创造工作业绩，探索和建立自己独特的、行之有效的教学风格、教学思路和方法。

2. 市级以上骨干教师要通过牵头科研课题、开放课堂、做示范课、培养优秀青年教师、撰写具有一定分量的学术文章或论文，体现出专家型与学者型教师的品质、展现创新精神和创新思维能力，形成自己独特的教学风格，以突出的教学、科研成绩得到同行的普遍认同和学生的好评。

3. 特级教师培养

学校在未来的三年中要分阶段、按步骤培养一批特级教师的后备力量。根据教师个人发展计划和学校发展规划，每2年确定3人左右的特级教师培养目标。三年中，形成一支6—8人的后备队伍，在每次的特级教师评审中争取有2—3名教师通过评审。通过安排师带徒、做市区示范课、发表文章、举行有关教学研讨活动等方式扩大在市区学科领域的影响，为这些教师的发展提供平台。还要请教育教学专家顾问组的专家们为附中新一代特级教师的培养出谋划策、提供针对性的指导。

为确保该规划的落实，我校要求每一位教师根据学校的发展目标和学校对教师的要求，结合自身发展特点，确立自身的发展目标并制订切实可行的实施计划。与之相配套，学校还建立了《教师个人业务档案》的电子管理系统，要求每位教师在每学年末盘点一学年来的教育教学情况，总结成果和经验，查找缺陷和不足，明确今后的努力方向。业务档案也就是成长档案，教师从中能够感受到自己成长的轨迹，从而激励自己向着更高的目标努力。

二、教研组

——教师专业发展的重要支撑

教研组是集教学、教研与管理于一体的学科基层组织，是学校教学管理、教科研管理网络中承上启下的中心环节。教研组的核心工作是以教研促进教师专业水平的提升，进而促进教学质量的提高。实践经验告诉我们，一个团结协作、积极向上、以提升专业水平和能力为核心的学科教研组，是学科发展和教师成长的沃土。加强教研组的管理、推动教研组的建设是人才培养工作的重要支撑点。

（一）学科排名激发主动性

教研组的管理是学校教学管理中的重点和难点，也是我校长期以来一直存在的薄弱环节。人事制度的改革使得教研组长成为聘任制下唯一的一个终身制职位。怎样激发教研组长的主观能动性？这一问题迫在眉睫。对此，学校也尝试过很多的办法，但实际效果甚微。这时，刘沪校长提出仿照大学一级学科排行榜的办法，对各教研组的各项工作指标进行评价，各教研组也来一个排名，看看能否推动教研组工作。大家一致认为这个想法有创意，可以尝试。于是我们遵照这一思想，由教学处和教研处实际操作，围绕日常教学、教科研以及队伍建设等三个方面，统计出各学科在一学年中的公开课数量、承担市区级教研活动次数、组长听课数、学生评教分数、上交论文数量、获奖论文篇数、选修课门数、组织的科技活动数量、中高考成绩、学生获奖情况等十余个项目的数据，并进行了排名。在寒假（2004 年初）召开的教研组长工作会上，首次向教研组长们公布了各学科教研组在学校的排名。真是“一石激起千层浪”，此举震动了各位教研组长，排名靠前的固然很自豪，但也担心下次是否能够保住位置；排名靠后的很不甘心，虽然嘴上一直不断地解释客观原因，但心里早已憋足了一股劲儿。总之，教研组长们的自尊心都很强，不甘于落后，公开化的排名激发了他们的进取之心，促使他们能够认真地审视本组工作，思考解决问题的对策。

从此以后，学科排名制逐步成为我校教学管理的常规制度，学校在每学年末召开的教研组长工作会上公布排名，各位组长在下个学年度开学之初的教研组会上，要向本组全体教师介绍本学科的排名情况，肯定优势，指出不足，确定本组努力方向。语文组组长邓虹老师说：“排名制度给我们教研组长提供了管理的好抓手。”连续多年的学科排名促进了各学科的均衡发展，也凸显出了各自的学科特色，同时使得每位教师在专业发展的道路上迈开了坚实的步伐。

（二）教研组工作研讨会解决现实问题

刘沪校长还积极倡导领导班子成员在日常工作中，注意发现问题、研究问题、解决问题，从而不断提高管理水平。校领导针对教研组工作中出现的实际问题先后组织了多次研讨会。如针对体育组人浮于事、纪律松散等现象，特别是“体育课教师上课时擅离职守”事件，召开体育组工作研讨会，一方面整顿体育组的工作作风，另一方面研讨今后我校体育工作的目标、内容和方法途径，此后体育工作蒸蒸日上，教师在工作中也充满了热情和激情，不仅日常体育课保质保量，而且课外体育活动也丰富多彩，运动会、竞赛成绩日益突出。再有，针对艺术组人才济济但成绩平平的状况，我校召开了美育工作研讨会，重点探讨如何提高舞蹈队、合唱团的艺术水平。经过努力，我校舞蹈队和合唱团均已在市级比赛中荣获一等奖。研讨会的这种形式带动了领导班子与教研组一起研究问题，为促进教师专业素养的发展营造了良好的研究氛围。教研组工作研讨会成为我校解决现实问题的有效手段。

（三）学科规划引领教研组建设

2007 年 9 月北京市全面启动高中新课程改革，我校申报自主排课和自主会考实验校获得成功。基于此，我校从加强学科建设入手，开展了研制本校学科发展规划的活动，制定了《北京师大附中学科发展规划的指导意见》（以下简称《指导意见》），以此更好地促进学科建设和教师专业发展。

我校在《指导意见》中明确了制定学科发展规划的目的、意义和内容，要求各教研组发动广大教师积极参与，从课程改革的视野，对本学科的课程建设、教学改革、资源开发、学习评价及队伍建设等方面进行整体规划，在学习、研究、实践的基础上达成共识和共同的行动计划。

物理教研组长马桂君老师深深意识到这项工作的重要性，在她的带领下，物理组第一个高质量地完成了这项工作。他们先分析了物理组在课堂教学、课外活动、教科研、青年教师培养、新课程的推进等方面取得了哪些成绩，存在哪些不足；总结了组内老教师们的教学经验；听取了备课组长和骨干教师的意见；确定了物理组发展的总目标；接着召开全组教师会，要求每位教师根据物理组发展的总目标，确定个人发展的三年目标；组织全体教师共同学习和研究新课标。最后马老师整合了全组教师的意见建议，执笔完成了物理组未来三年的学科发展规划。该规划突出了以教研促进课改以及教师专业发展的工作思路，针对教师教学

物理教研组教师进行教学研究

中的实际问题确立目标和任务，实施规划的途径和步骤清晰而翔实。物理组的老师们经过此番过程的“洗礼”一致认为，通过制定规划，大家对新课程的内容和教学理念有了深刻的理解，未来工作的目标和方向更明确，工作思路更清楚了，对工作的热情更高了，信心也更足了。

其他教研组和物理组一样，在研制学科发展规划的过程中，学习理论、总结反思、研究设计、形成文本、规划论证。学校在加强组织领导、宣传发动和专业引领的基础上，注重引领教师对本学科的课程改革进行宏观思考，整体谋划。这不仅引领和推进了学科建设、形成了学科特色，而且还引领了教师加强校本研修工作，提高了他们的专业发展水平。

目前三年新课改已经完成，当年的学科发展规划已逐渐转化成学科建设的成果。我们将加强反思和总结，以坚定不移的信念、务实求真的态度、勇于创新的精神，制定新一轮的发展规划，不断以“规划”为抓手推动教研组的全面建设。

三、校本研究引领教师的专业成长

学校开展研究工作的意义绝不仅仅在于解决实际问题，促进教育教学质量的提高，也不完全在于引领课改方向，促进教育教学的创新；更为重要的意义是开展研究，可以培养一支研究型的教师队伍，促进教师的专业化发展和可持续发展。对教师自身来说，参加研究是由合格型教师向专家型教师发展的必由之路，也是提高自身教学生活质量的必由之路，充满创造性的研究过程能够使教师体验到发现的快乐。

如何帮助教师正确看待研究工作，实现由被动到主动、由自发到自觉的转变呢？如何帮助教师从具有研究的意识，到具备研究的能力，到养成研究的习惯？这是一个漫长而艰难的过程，我校在实践中不断地探索着。

（一）领导以身示范，带动全校走上研究之路

刘沪校长是北师大教育管理学院的研究员，对教科研工作的重要性

具有深刻认识。他在我校教科研杂志《反思与探究》创刊号的卷首语中这样写道："学校的教育、教学、管理都需要有科学的理论指导，都需要对自己所做的工作进行反思总结，都需要不断地探索研究……要想高水平地做好教育、教学、管理工作，就要不断深入研究……"刘沪校长结合工作实际不断研究，撰写多篇文章在核心期刊上发表。他的身体力行影响着广大的教师，"研究型教师"逐步成为全校教师的共同追求。

从"十五"到"十一五"，刘沪校长坚持带领全校教师加入到裴娣娜老师主持的课题研究中。"十五"期间，裴娣娜老师主持了全国教育科学国家重点课题"主体教育与我国基础教育现代化发展的理论与实践研究"。我校在总课题组的指导下，确立了子课题"北京师大附中推进教育现代化的实践与探索"。刘校长亲自挂帅，担任课题组组长，主管德育、教学的副校长和主任为课题组的副组长，课题组成员包括所有学科的教研组长和各年级的年级组长。该课题主要从教育、教学和管理三个实践层面上展开研究，在研究过程中不仅注重理论的学习和应用，而且更加注重将研究与学校实际工作紧密结合，及时将研究成果转化为学校建设的实践，以此推动学校教育、教学和管理等方面的现代化发展。

"十一五"开始后，校长又带领全校教师参加了裴娣娜老师主持的教育部哲学社会科学研究重大攻关项目"我国学校教育创新研究"，这不仅带动了学校德育、教学和管理等工作的全方位发展，而且对教师的教学改革也起到了推波助澜的作用。我校结合教学实际，将教学研究的专题确定为"北京师大附中发展性教学策略的实践研究"。九个学科的教研组都以子课题的形式参与了该项研究，其中包括英语组的"利用有效教学策略发展中学生英语学习策略的研究"，地理组的"发展性教学策略下校本课程资源开发与中学生终身地理素养形成的研究"，化学组的"中学化学统筹教学策略的研究""北京师大附中化学课堂梯度教学策略研究"等。然后，各教研组又将课题分解到各个备课组，各备课组又将课题进一步细化，分配到教师个人。这样在学校总课题的引领下，通过学校—教研组—备课组—教师的研究网络，带动全校教师参与到课题研究中来。

（二）创新教研模式，激发教师的研究热情

在教研组工作中，普遍存在教研活动低效化倾向。教研时间得不到保证，有限的几次活动也被事务性工作占据，研究内容随意化，东一榔头，西一棒槌。这样的教研只能耽误教师的时间，无法取得实效，天长日久磨灭教师参与教研活动的热情。针对此种状况，学校教研处及时总结先进教研组工作经验，在全校各教研组进行推广。

我校历史组在特级教师白幼蒂的带领下，探索出一条“以课题研究带动教研活动”的有效教研模式。白幼蒂老师是历史特级教师，擅长教科研，多年来参加课题研究，笔耕不辍，成果丰硕，撰写了专著《历史学科能力的培养》。她带领历史组先后参与了北京市“十五”课题“信息技术与学科教学的整合”“文科探究教学研究”等多项专题研究。在参与研究的过程中，历史组逐步形成了规范化的教研活动模式。她将课题研究计划分解为各学期的教研组工作计划，使得教研活动次数得到保障，每次教研活动都有充实的内容，而且研究的内容能够系列化，教研活动的方式以讨论—做课—讨论为主，教研成果的形式表现为一节课、一个教学案例、一篇论文。这种教研模式提高了教研活动的有效性，锻炼了教师的科研能力，提高了教学水平、培养了合作精神，增进了感情，增强了凝聚力。在这一过程中，青年教师得以迅速成长，中年教师得以吐故纳新。教师的成长在换来学生成长的同时，也体现出了自己工作和生命的价值。历史组教师的努力与他们所取得的成绩，得到了学生的良好反馈，多位老师被评为教科研先进个人、市区骨干教师、学科带头人、希望之星等奖项。历史组多次被评为市区先进教研组。

为了推广历史组的教研经验，我校提出了“四个一”的教研制度：每学期各教研组要确定本学期的研究专题，最好成系列；围绕研究专题制订研究计划；研究课是开展专题研究的最主要形式；为确保有实效，围绕研究课，形成“四个一”，即一个教学设计（指做课教师要写出一个书面的、规范的、完善的教学设计方案，可入选学校的《优秀教学设计汇编》）、一节课（指按照教学设计方案而实施的课堂教学过程，通

常将课堂教学全过程录制下来，作为教研组和学校公共教学资源来发挥作用，也可在校园网公开交流）、一个教学案例（指在课堂教学完成后，在原有教学设计方案的基础上，对教学设计和教学过程进行反思总结，形成教学案例，其中的得失可作为日常教学的参考）和一篇教学论文（每次做课都是有目的的、围绕一定的研究专题开展的。以一节课作为案例，在总结经验的基础上，针对研究的问题将经验加以提升，形成一定的观点和带有规律性的做法，从而形成论文）等四项成果，这样便于交流推广，实现资源共享。

在推广“以课题研究带动教学研究”的历史组教研模式的同时，我校也积极倡导各教研组探索多种多样的学科教研模式。如物理教研组和数学教研组常年与四中、实验中学、人大附中和80中一起，联合进行教研活动；地理组、生物组结合新教材的使用，开展实验研究，促进教研活动的开展……一枝独秀不是春，我们期待着“百花齐放春满园”的那一天。

（三）拓宽合作渠道，开展多方面的研究活动

我校在开展课题研究的过程中还广开渠道，加强了与国际、国家、市区各级教育科学研究单位、公司等的沟通、联系与合作，充分地挖掘和利用各种优势资源，开展多种多样的研究活动，这些举措极大地提升了我们的研究水平，而且为教师的专业发展提供了更多的机会。

2004年，我校通过校友引进国际研究合作项目“中学生命伦理学”课程，该课程首次在大陆中学开设。经过六年实践探索，我校结合本土本校实际，开发出具有中国特色的“中学生命伦理学”课程，目前该课程已日渐成熟。课程内容涉及基因隐私权、动物福利、克隆人等前沿热点问题的伦理价值思辨。该项目已于2009年被评为“第三届北京市基础教育教学成果奖”一等奖，校本教材《生命的凝视——生命伦理学青少年读本》已由教育科学出版社出版。教师们经过课程开发过程，不仅拓宽了专业视野、增长了专业知识，而且在课程开发的理论方面有所提升。

2007 年 4 月 4 日，我校与清华同方教育技术研究院合作，成功举办了“中小学新课程多媒体教学应用成果全国巡展（北京站）”活动。在活动中我校提供了七个学科，共 11 节研究课，展示了近年来我校在多媒体教学研究方面取得的成果。来自北京市各区县的约 500 名教师参加了活动，他们普遍反映这些课有质量、有水平，能够代表当前多媒体教学的发展方向。物理学科的阮红老师说：“平时只顾着埋头苦干，迷失了方向，变得只会做题。而这次做课迫使我对课程标准重新进行研读，专家的指导又使我大开眼界。”教师们的收获正是学校组织这次活动的主要出发点和落脚点。更为可喜的是，借助这次活动我们正式加入清华同方总课题中，参与了“十一五”课题的子课题研究。

2007 年 9 月，北京高中新课程全面启动。我们申报了市级研究项目《北京师大附中自主排课和自主会考实验方案》和区级项目《北京师大附中课程体系的构建》，以此带动高中新课程改革。各教研组加强与市区教研部门的联系，开展与市区合作的联合教研活动。学校免费提供场地，推出了我们自己的研究课、观摩课。三年来，我校成功举办市级教研活动 20 多次，区级课改研讨活动更是经常举行。教师进行的各级课改展示课、研究课近 200 节，获奖或发表课改论文近百篇。目前，各学科已初步形成“学科教学资源包”，内容包括《北京师大附中学科课程纲要》、教案学案、课件和视频素材、自编例题集和习题集等。

总之，想方设法引进、组织各种各样的学术活动和学科教科研活动，已成为我们的常规工作。从国际级、国家级、市级到区级，从主体教育、信息技术与课程改革的整合、校本课程开发到新课程改革等，一系列丰富多彩的活动推动了各级各类的研究活动，也为广大教师搭建了成长的舞台。一节节优质课、一篇篇见解独到的论文、一个个研究成果涌现出来。当然作为北京师范大学的附属中学，得天独厚的高校资源是我们开展研究、培养教师的有力臂膀和坚强后盾，但我们与大学的合作才刚刚开始，我们期待着不远的将来，通过与大学携手，能够在教师培养、教学改革、德育创新、课程开发等方面有更多建树。

四、名师工程
——培养教师的摇篮

百年附中之所以能够培养出一代又一代的杰出人才，关键在于有一支师德高尚、业务精深的名师队伍。他们对教育事业的热爱和追求、深邃的教育教学思想、精湛的教育教学艺术、强大的人格魅力，对于广大教师具有强大的昭示和引领作用。他们身上渗透着北京师大附中百年来的优秀文化和精神，需要我们发扬光大；他们的教学特色和风格，需要我们继承发展。尽管他们中的绝大多数早已退休离岗，但很多人至今仍然活跃在课改一线，引领着新课程的改革，为学校发展作出了卓越的贡献。

为了更好地发挥名师作用，为中青年教师的脱颖而出搭建平台，我校于2004年8月召开五届五次教代会暨教育教学工作会议。学校提出为了教师的发展，推出名师工程，即研究和学习名师，培养并推出新一代的名师。具体工作如下。

（1）确立名师研究课题。为充分挖掘北京师大附中宝贵的名师资源，2004年由学校教研处牵头，成立了“师大附中名师专业成长阶段及影响因素”课题组，申报为宣武区“十一 五”课题。该课题组核心成员由各位名师的嫡传弟子组成，主要依托各教研组，研究北京师大附中过去、现在的名师成长经历和教学特色。通过该课题的研究，我们了解了名师成长的影响因素，总结了名师的教育教学特色，这为学校管理及教师个人成长提供了值得借鉴的宝贵经验。

（2）总结名师教育教学经验。为进一步使名师经验总结系统化、规范化，我们将这项工作作为统一要求纳入学科发展规划中，要求各教研组在总结名师教学经验的过程中，总结出本学科传统的教学特色。在此基础上，结合新课改的要求，勇于创新，推动课堂教学的改革，从而为形成新时期北京师大附中学科教学特色奠定基础。

（3）召开名师教育教学研讨会。2004年、2005年，我校先后举办了朱正威先生和王树声先生的教育教学研讨会。两位先生是北京师大附中名师队伍中的杰出代表，研讨会的召开，既是对两位名师的经验总结，也为后人提供了更多的学习机会。

（4）成立名师顾问团。为进一步加强青年教师的培养，为北京师大附中学科发展提供指导，为学科教学改革把准方向，2007 年 9 月初教师节前夕，我校聘请了朱正威、王树声、乔荣凝、白幼蒂、王天开、胡朗等特级教师作为专家顾问团成员，举行了名师顾问团成立大会，希望他们为北京师大附中建设作出新的贡献。

（5）将名师培养纳入人才规划。学校在未来的三年中要分阶段、按步骤培养一批特级教师的后备力量。根据教师个人发展计划和学校发展规划，每两年确定 3 人左右的特级教师培养目标。三年内，形成一支 6—8 人的后备队伍，在每次的特级教师评审中争取有 2—3 名教师通过评审。

名师工程实施以来，各位名师满腔热血，发挥余热为学校服务。他们不仅亲自为学生授课、举办讲座，使学生能够享受到名师课堂，而且经常听课、参加教研组活动，并指导青年教师做课参赛，不少青年教师在他们直接的传帮带下迅速成长。卫刚老师毕业于北京大学历史学专业，专业功底扎实，但在来北京师大附中前没有任何的教学经历，也没有实习经历。学校安排特级教师白幼蒂为他的指导教师。卫刚老师回忆道：“她是一位严师，手把手地教我怎么分析教材，包括从宏观、微观的角度，长期、短期的眼光等，真可谓是‘掰开了，揉碎了’。她要求我教案必须用铅笔，为了便于修改。她还听我的课，然后提出意见。从课程结构到教态、板书，我们都共同讨论。我所有的论文、做课的教案等，她都要改七八遍，有时具体到标点符号。她自己还先买书、看书，消化理解，以节省我的时间，体现了对徒弟的责任心。期末出卷子时，白老师告诉我怎么出，要体现三个维度：知识点、题型、培养目标，也就是说要从结构和内容两个方面来考虑。在我工作忙碌之时，白教师帮我出主意，还关心我的个人问题。有一段时间我身体不好，白老师送我‘金施尔康’，我一直都没有舍得吃，这不仅仅是物质的给予，而且是一种精神的力量和价值。”正是在白老师的言传身教下，今天的卫刚老师已经成为宣武区历史学科的骨干教师，他那充满激情和富有感染力的课堂教学深受学生的欢迎。

刘欣老师是生物组的一位青年教师，从教六年，已成长为宣武区“希望之星”，也是北京市青年教师中的佼佼者，即将作为北京市高中教师代表参加全国比赛。她来校时恰逢学校启动名师工程，准备召开朱正威教育教学研讨会。朱正威老师是全国知名的生物特级教师，在我校从事生物教学工作整整50年。2004年9月10日，正逢第20个教师节，中共中央总书记、国家主席胡锦涛看望了他（已退休）。虽然刘欣没有机会系统聆听朱老师的授课，但组内总结朱老师教育教学经验的活动、朱老师的来校指导以及他的论文和教学录像等都为她提供了走近名师的机会。在谈到学习体会时，她说道：“工作以来，我研读了十几篇朱老师的论文，几乎读完每一篇都觉得大有收获。比如，朱老师在《要像海绵那样善于吸收——关于自学的一点体会》说道，中学生物教师既要‘渊’又要‘博’，而且指出了在哪儿‘渊’，往哪儿‘博’。我刚工作的时候，觉得自己方方面面急需提高，但是茫无头绪，不知该如何着手进行，读了这篇文章后，顿时茅塞顿开。试着去做，几年下来，觉得自己有了明显的提高，而且生活充实有趣，对教学工作也更有热心和信心了。”此外，生物组的青年教师况莉、董晖也在朱正威老师的指导下，参加北京市初中教师基本功大赛，并获得一等奖。

名师工程不仅造就了一批优秀的青年教师，而且也促进了新一代名师的诞生。其中最有代表性的是语文组的邓虹老师和物理组的马桂君老师，她们在刚刚结束的2009年特级教师评选中获得成功。一路走来，两位教师无不感受到学校对她们个人专业发展的重要性。邓虹老师说：“我的成长离不开学校领导的支持帮助。1998年刘沪校长刚到校即深入语文教学一线听课，至今还对我当年的公开课《人生一角》留有深刻印象……2001年学校勇于打破按资排辈陋习，任命我为语文教研组长。在八年的教研组长工作中，校领导始终是我坚强的后盾，为我排忧解难，给我信心，为我鼓劲儿。学校还创设各种机会，促进我在教科研方面的个性化发展，扩大我组在市区乃至全国的影响。比如，我多次参加并组织国家级、市级课题研究会，无论做课还是做讲座，学校一律开绿灯；如果活动地点设在本校，学校领导或参会致辞，或参加研讨，或亲自组织安全巡视等工作以示支持。学校领导充分肯定我的工作成绩，两次推荐我参加特级教师评选，并亲自指导、检查、督促、完善极其繁复的申报工作。这次参评特级教师获得成功，离不开校领导的远见卓识，他们不仅注重使骨干教师在更加广阔的教育教学视野中历练成长，同时深刻意识到培养本土特级教师与学校发展的密切联系。他们的高瞻远瞩，深谋远虑，为师大附中的发展谋得了新的机会。”马桂君老师说：“我是从外校调来的，到师大附中工作有九年了，心里越来越喜欢这里。这里有非常自由的教学氛围，有浓厚的学术风气，有非常友善的同事，有宽容的领导，我不断地感受到自由、开放和温情。我刚来时，家还在通州，带着女儿上学。为了照顾我，学校借给我两间平房住，解决了我最大的困难。第一年学校就安排我与附中资深的特级教师乔荣凝、王天开老师同教一个理科实验班；一个多月后，校长在开全校大会总结教学工作时，特别点名提到我的教学受到学生很高的评价；不满一年就被任命为物理教研组组长，这一次次的信任使我感受到了极大的鼓舞，增强了自信心。之后我更加努力地工作，带竞赛、开展各种教研活动、指导青年教师等。学校领导还非常支持我参加各种外出学习交流活动和高水平的教研活动。在附中这几年的工作中，我感觉到自己的专业知识得到了不断更新。”

一所学校就是一个文化场域，其文化蕴涵在学校发展的各种观念中。学校是教师工作、生活和学习的主要场所，也是其专业成长的关键所在。正如美国教育家约翰·古德兰所说：“没有更好的教师就不会有更好的学校，但没有教师可以在其中学习、实践和发展的更好的学校，也就不会有更好的教师。”① 我校为教师发展提供了许多锻炼和发展的

① 罗伯特·G. 欧文斯. 教育组织行为学［M］. 第7版. 窦卫霖，等，译. 上海：华东师大出版社，2001：6.

机会与舞台，其提供的平台可谓是相当高的，邓虹和马桂君两位老师正是充分利用了这个平台去发展自己，这对她们来说至关重要。

五、学习交流实现教师的自我超越

我校“国内一流，国际先进”的办学目标，要求教师走出校门、走出国门，树立并养成终身学习的意识和习惯。学校抓住一切机会派教师到国外学习工作。学校一方面倡导教师加强个人学习，另一方面也想方设法创造机会和条件，让老师见识“山外有山，天外有天”，帮助教师突破发展过程中的平台期，实现自身专业的可持续发展。

音乐组的齐宏老师，2005 年 11 月经过两轮选拔，作为北京市中学音乐教师的代表获得了参加全国基本功比赛的资格，经过三天势均力敌的角逐，最终荣获全国比赛的一等奖。回顾自己十几年的音乐教学生涯，他深深体会到，只有坚持不懈地学习，不断提高自己的专业水平才能成为一名优秀的音乐教师。他由最初的勇于学习、勤于学习，发展到善于学习，直至今天已经进入了乐于学习的境界。他八方求学，乐于拜师，与音乐大师们零距离的接触拓宽了他的专业发展道路，使他成为中学音乐教师中的佼佼者。而促使他能够不懈学习的动力则来自于一次对外交流活动中的尴尬。

那是发生在学校派他到日本岩手女子高校访问期间的一件事。按照访问日程安排，他在欢迎仪式上演唱了一首歌曲。在合伴奏的时候，日本的音乐老师在他翻译的伴奏谱上发现了两处错误，并用铅笔逐一标明。她的这一小小的举动，使他感到无地自容！而且他发现这位日本女教师的视奏能力极强。不仅如此，她指导的合唱团多次在盛岗和北海道等地获奖，定期开学生的合唱音乐会，赠送的礼品中就有他们学生的合唱 CD。在她指导的音乐课上，学生们可以用竖笛演奏复杂的三声部作品。当时齐宏老师就开始暗下决心，一定要下大力气提高自己钢琴、声乐的水平！回国后，他就开始在中央音乐学院找老师继续学习钢琴和声乐。因为他是从高中才接触钢琴，虽然大学毕业时弹到 299，但他还是请老师从849教起，以便更扎实地打好基础。通过几年的努力，他的钢琴水平有了较为明显的进步，达到了辅导学生的水平，在他指导的学生中有的已经通过了九级。在声乐老师那里，他第一次听说了什么是“孔空”，什么是“华盖”。如今这些专业的声乐练习曲早已被他用到合唱团训练当中去了！三年后，当日本的音乐老师带学生回访我校时，他们共同演唱了一首三声部的日本歌曲，并在齐宏老师的钢琴伴奏下共同演唱了一首两声部歌曲——《让我们荡起双桨》。日本老师非常兴奋地说：“中国的歌曲太好听了，你的伴奏弹得很好，我一定把这首歌带回日本让更多的日本学生学唱。”

2008年他指导的学生合唱队在没有特长生加盟的情况下，获得了北京市中学生合唱比赛一等奖，他指导合唱队的能力与水平不断提高。这的确离不开他个人的努力，但学校的大力支持更是使其成功的重要砝码。学校不惜资金聘请专家来校指导合唱队的训练，为齐宏老师提供了绝佳的学习机会；学校还支持齐宏教师去香港参加国际儿童合唱节，带校合唱队完成欧洲之旅等。在与国际接轨的过程中，齐宏老师又有了新的奋斗目标：开个人演唱会、考研究生……

尽管教师的个人努力是促使其自身专业成长的主要动力，但学校为教师的发展所创造的机会和条件是不可缺失的。如选派教师出国留学，参加国内外学科教学研讨会等。迄今为止，我校出国留学的教师中涉及英语、语文、数学、物理、生物、化学、体育、管理等多个学科，40多位教师在国外学习工作一年以上。国外的求学经历开阔了他们的视野，全面促进了专业素养和教育素养的提高。

物理组的雷广粮老师，在北京师大附中任教近十年。在他的专业发展过程中，经历了短暂的适应期和相对漫长的成熟期，现已成长为一名擅长物理实验教学的特色教师。近两年来，他的教科研能力有了大幅度的提高。他潜心研究与中学物理教学有关的诸多问题，共撰写各种题材的论文30余篇，十四五万字，其中已经发表或获奖的共有12篇。他在学校论文交流会上的经验介绍使全校教师深受启发。他在专业发展上的飞跃除了与其平时的深厚积淀有关外，与学校让其参与的一次培训活动——宣武区第一届骨干教师（物理）培训班的学习——密不可分。2006年12月，培训班前往南京某著名中学进行有关新课改的考察活动，该校安排了最有名的物理老师（江苏省学科带头人）和学员座谈。在座谈会上，这位老师详细讲述了新课改在江苏的落实情况，介绍了经验、体会以及遇到的困境和挫折。他说话字正腔圆、抑扬顿挫、条理清楚、风趣幽默、言之有物，表现出了极高的口头表达能力和专业素养，当遇到某个问题需要展开时，他总会说“关于这个问题的详细论述，请参阅我在××杂志第×期上的文章”。这位老师令雷广粮十分敬佩，他的言行给雷老师留下了深刻的印象。回京以后，雷老师立即研读了这位老师发表的一系列文章，还在网上搜索了他与学生、媒体交流的种种信息，发现他在江苏省的确很有影响。之后，雷老师萌生了一个想法：我能否写出真正高水平的论文和他交流呢？正是那位授课教师的榜样作用激发了雷老师的自主发展欲望，使雷老师更加明确了自己的努力方向和目标，这次培训活动成为了雷老师专业发展的催化剂。

近年来，教育行政部门为加强师资队伍建设，促进教师专业发展，组织了各级各类的教师培训班，其中不乏脱产培训。校领导认为，这些培训班对于我校教师来说，是非常好的学习机会和发展机会。尽管安排教师外出学习会给学校工作带来诸多困难，但是为了提升教师队伍的整体水平，学校努力克服眼前人手不够等困难，紧紧抓住机会，精心选派、积极动员骨干教师参加学习。除物理学科的教师外，目前我校已派出学习的还有语文、英语等学科的教师，他们都认为外出学习给他们的专业发展提供了宽广的平台。

六、公开课

——培养教师的必经之路

课堂教学是教育教学的主渠道，也是教师成长的主渠道，优秀的教师是通过一节课一节课的教学历练出来的。而做课[①]作为日常教学的一种特殊形式，是教师专业成长的必经之路。对于新教师来说，做课是成长的捷径；对于骨干教师来说，做课是展示的舞台；对于教研组来说，做课是行动研究的方式；对于学校来说，做课是培养教师的有效抓手。

我校非常重视公开课制度的建设，比如新教师的亮相课、骨干教师的展示课和观摩课、备课组或教研组的研究课、校级评优课等，还有选派教师参加市区级、全国的评优课、录像课比赛等，推出了不少新人。同时，为了确保做课的质量，建立课前集体备课、集中听课、课后说课评课等制度。

语文组的郑媛老师是我校近年来在做课过程中迅速成长起来的一位青年教师。2007 年 10 月，她参加了国家级课题研究成果的研究展示课。在设计展示课“小鹌鹑”的最初，郑老师将教学重点放在了主人公心理变化的分析上，这使得课堂的整体品位和探究深度降低，也没有将屠格涅夫的精神寄托进行深度挖掘。如此一来，作品的震撼效果和强大的教育力量就没能够实现。后来经过数次调整，教学的重点最终锁定为对作品主题进行深入探究，因为是对屠格涅夫这位有“俄罗斯之心”称号的伟大作家作品的解读，自然应当把探究主题作为首选。但就是这个看来似乎显而易见的道理却经过百转千回才被认识到，因为一个作品的很多细节常常会干扰设计和搅乱思考，所以只有坚持不懈地实践和不断地推翻重新尝试，才是最终确定科学的教学思路的必经之路。显而易见，教师的成长就在这不断探索科学设计的路上。同样的，教学艺术的摸索还体现在教学背景音乐的选择，幻灯片的设计，板书的简练与美化等细节上。面对众多问题，郑老师经历了约六次的推敲、打磨，最终呈现出的完美设计已经是几易其稿的方案。即便如此，真正的教学任务完成后仍旧有修改的可能，比如课堂容量的压缩和板书的设计等。公开课的魅力就在于使得参与的教师不断地去摸索、探究、发现和完善。它考

① 对于“做课”，理论界的学者和实践中的教师们有着不同的观点，有专家称之为“应对的课堂”，而非真实的课堂，有老师称之为“作秀”，由于看问题的角度不同，因而观点不同，在此我们不作评价。

验着青年教师的耐力、意志力、学习力和创造力。

“小鹌鹑”一课之所以能够在最后时刻精彩亮相，其中所蕴涵的是我校备课组的集体智慧。俗话说“一个好汉三个帮”，意思就是任何人都不可能独自把事情做到完美，那么合作就成为一种必要。像教学语言选择、教学步骤安排、板书设计等很多问题的处理上，先辈的经验，同行的建议都给了郑老师以很大的启迪。对青年教师而言，一节课的成功与否并不是最重要的，而最重要的是在探索的过程中，与同道者共同交流、切磋、商讨，在合作中“取百家之长”为自己所用，做到融会贯通，并形成自己的特色，最终到达在一群智慧者中生成有较之从前的自己更加有高度和深度的新自我。如果不是教授“小鹌鹑”，郑老师可能还会缺失一些思考和体验，但庆幸的是公开课给了她学习的动力和激情。虽然一开始漏洞百出，但是备课组集体的力量是最终成功的有力保证。

历史组李凤先老师对于我校的公开课活动感触颇深，她说：“日常教学的积累是涓涓细流，对每一位教师产生的是润物细无声的影响，公开课则是教师在积累之后促进其自我突破的平台，是更上一层楼的提升。集体备课中大家知无不言、言无不尽，在碰撞中产生智慧的火花，打开教学的思路；自己得以学会如何吸收别人的观点提高自己的教学智慧；完成一节漂亮的公开课，同时也形成一个完整的案例，这样也丰富了组里资源并达到共享的目的。写文章不仅锻炼了语言的准确性，也能在教学总结和反思中使自己的教学经验得到进一步的升华。”2007 年她所做的初二年级公开课“美苏‘冷战’对峙局面的形成”由清华同方出版，这节课的教学案例获国家级课题一等奖、北京市一等奖，并在北京市教委新教材培训会、清华同方（北京八中）上展示说课。以此课为基础撰写的论文《追问历史、即时探究、生成认识——课堂教学中构建历史认识的实践与思考》发表于《历史教学参考》2008 年第 5 期。

在教师准备集体备课的过程中，骨干教师的指导作用、教研组或备课组的有效组织、集体智慧的调动和发挥等，对于每位教师的成功都起到了至关重要的作用。当然，在目前我校开展的各种公开课活动中，仍然存在一些问题，比如有些教师对做课的认识有偏颇；或者有些教师怕吃苦，而不愿承担公开课活动，做课任务只集中在少数几位教师身上；公开课的质量也良莠不齐。对此，如何调动广大教师，尤其是青年教师做课的积极性，如何提高公开课的质量，以促进教师的专业化发展等，需要我们进一步地探索。

第九章 校长的教育实践与管理方略

就我个人的职业生涯来说，始终没有离开学校，工作的经历非常简单，主要有三个阶段：北京四中、北京师范大学和北京师大附中。1965年我考入北京四中高中，不久就遇到了“文化大革命”。1971年我被留在四中做数学教师；1978年从四中考入北京师范大学数学系，带着工资上大学，直到1982年大学毕业。大学毕业后，我又留在北师大做教师和管理工作，先后在北师大校本部工作了16年，1998年组织上派我到附中当校长，至今中学校长又做了13年。

我是一个从校门到校门的人，非常缺乏社会经历和社会经验，因此，工作中遇到过不少困难与挫折，自己也经常怀疑自己是不是适合做教师、当干部。但是，不管怎样我从事教育工作已经快40年了。由于对事业的执著，不断学习和反思，特别是有周边同事一道努力工作，集体的智慧弥补了个人的不足，这些年在北京师大附中的工作还是有进展、有收获。北京师大附中作为我国成立最早的国立中学，有着优良的教育传统和宝贵的教育经验，得天独厚，我受益无穷。这十几年的中学校长生涯，使我有机会运用在师范大学本科和研究生期间学过的教育理论，使我有机会吸取过去在中学、大学工作中取得的教训，使我有机会实现一些在国外进修时看到、学到的先进理念。校长的工作主要是实践，但它不能没有思想、没有方略。经过近十几年的奋斗，北京师大附中发生了积极的变化。但是比起其辉煌的历史和再度辉煌的目标，差距还很大，问题还不少，还需要不断努力。

一、抓住主要矛盾，积极有策略地开展工作

（一）抓住学校生存发展的两个硬支撑

我是从大学来附中工作的。回想大学的办学，包括它的生存与发展，都离不开两个硬支撑，一是学校的学术专业水平，二是学校的经济基础。我想，中学也是如此。中学的学术专业水平主要表现为师资力量和教育教学质量，经济基础主要体现在学校的物质资源和教育经费。学

校的专业水平与经济基础对于办学来说都至关重要，两者之间的关系是相辅相成的。经济实力强，有助于专业水平提高；专业水平高，也有利于经济实力的增强。哈佛大学一位校长曾经讲过，他的主要工作就是一手抓钱，一手抓人，意思是一是要筹集足够的办学经费，一是要引进人才、用好人才。看来国内国外的情况大同小异。

从经济学的角度看，学校是一个经济实体，需要有懂得经济的人管理，学校运营（或经营）要符合经济规律，要执行相关的法律法规。事实上，学校从生存到发展，一刻也离不开资金的支持。如果办学资金充足，校长自然不必在这方面多操心。但是，如果办学经费缺口大，校长就不得不把找钱或叫“创收”作为当务之急。金钱不是万能的，但没有是万万不能的。没有经济的支撑，哪个学校能生存，更不要说专业水平的提高了。但是，金钱并不等于专业水平，财大气粗并不等于有文化。因此，学校在有经费保障的基础上，必须建设好自己的教师队伍，建设好自己的管理队伍，搞好教育教学研究，保持良好的校风，保持教育教学的高质量，进而形成优秀的学校文化和特色，这样才能成为一所好学校。学校有良好的信誉，必然会给学校带来经济上更多的支持，即使在教育均衡发展的情况下，也是如此。

因而，我始终坚持专业水平和经济基础两手一起抓，争取两手都要硬。刚来北京师大附中时，学校设备老化，办学资金很少，学校规模也小，经济基础差，严重影响了学校的发展。于是我抓住一切机会，向领导反映办学经费不足的问题。由于我校是教育部直属北师大的附中，与北京市和宣武区都没有经费关系，而中央经费的拨款情况不如地方好。1998 年，我来北京师大附中第一年，宣武区唐大生区长来学校视察，区长在听完我的汇报后，打破常规，决定连续三年每年给我校 100 万元。不久林文漪副市长召集我们部属六所附中开会，在了解我校经费困难之后，林副市长又从市长基金拿出 100 万元，支援我校发展。市区领导的特殊支持，解决了我刚来北京师大附中时经费短缺的燃眉之急。此后，我们积极“造血”，经过积极争取，获得了举办培训学校和招收外国留学生的许可，通过这些业余办学，扩大了学校收入，弥补了教育经费的不足。

学校有了一定的经济基础以后，教师收入稳定了，设备不断更新，这就保证了我们能够全力以赴地搞好教育教学。

（二）工作推进策略——十六字方针

北京师大附中有60多亩地，3000名左右的师生，是个不大不小的单位。学校除了和任何单位都一样的“吃喝拉撒睡、生老病死退”等事务外，最重要的工作是日常的教育、教学和需要不断促进的事业发展。北京师大附中地处首都北京的中心，安全问题更是工作的重中之重。在繁杂的管理事务面前，校长如果事无巨细，条理不清，恐怕干不了多长时间，学校也要乱套。十多年前，我接手校长工作时，由于种种原因学校已经积累了一系列亟待解决的问题，北京师大附中面临着停滞不前和下滑的危险。

刚到北京师大附中时，我和教职工几乎都不认识，可以说“两眼一抹黑”。我对北京师大附中的认识几乎是从零起步，虽然“无知”，但是无畏，认真大胆开展工作。在对现实情况有了一番了解之后，我提出了工作的推进策略——“由表及里，自下而上，先易后难，急事先办”十六字方针。十分清楚，我作为新来的领导，工作必须循序渐进，广大教职工还不了解你，自然没有多大的凝聚力。“由表及里”就是先把表面看得见的事做好，比如像环境卫生、出勤与会议纪律等，要做到立竿见影，既然做就要做好，留深层次的问题慢慢解决。“自下而上”主要是指先抓经济基础，没有经济基础，上层建筑就建不起来。“先易后难”，既是摸索经验的过程，也是一种建立自信心的策略。难题不是不解决，如果一时解决不了就先放一放，避其锋芒，先把容易的事、周边的事都“扫光”，这样也积蓄了解决难题的力量，排除了小事的干扰，为解决更大的难题创造条件。“急事先办”是说重要的急事不能等，必须当机立断地处理。并非难题都要等时机成熟再解决，如果它急到必须及时解决时，就要集中精力优先把它解决好。

正是按照这样的十六字方针，使得学校工作不是“眉毛胡子一把抓”，而是条理清晰、稳步推进，也使得十多年北京师大附中的发展有条不紊，先后解决了大量的教育教学和管理问题。我校先后完成了首批示范校的认定，解决了初中办学问题，实现了学校土地与办学规模的扩大，合并了和平门中学，争取到国家优质中学扩招扩建经费，校园设施得以全面更新。在大规模的校园建设之后，学校的战略重点及时转向教育教学质量的提高，我校成为北京市自主排课实验校和自主会考实验校，保证了北京师大附中新的课程改革在全市保持领先的势头。回顾过去十几年师大附中的工作，学校中比较容易解决的问题都解决了，即使像难度很大的人事改革、教学质量提高与校园土地扩充等难题也得到了一定的解决与改善。

二、抓住机遇，不断推进学校发展

学校的发展与人的发展有相似之处，就是要受内因和外因的影响。而影响学校与个人发展的外部条件，不是固定不变的，有时有利，有时不利，常常起伏变化。当特别适合自己发展的机会出现时，如果抓住了，就有可能促进自身的大发展，这样的进步与收获往往是平时难以得到的，其价值无法估量。抓住机遇与失去机遇两者之间的得失差距十分巨大，往往是机不可失，失不再来。因此，作为学校的领导要清醒地观察可以给学校带来发展的机遇，一旦出现就要抓住。十几年来，北京师大附中遇到了很多发展的机会。由于我校以前有很多没有抓住发展机遇的教训，所以我们一遇到发展机会就倍加珍惜。近年来，通过我们的努力，北京师大附中几乎抓住了所有有利于发展的大小机遇，推动着学校不断前进。

1998 年，北京师大附中的发展遇到了前所未有的困难。当时学校占地面积只有 33 亩。在北京市第一批示范校建设方案申报时，全市确定了 10 所首批建设学校，北京师大附中由于占地面积不达标，被排斥在外，这件事在我来师大附中当校长之前就已成事实。在这 10 所首批示范校建设单位中，有北师大的实验中学和二附中，还有我校所在宣武区的十五中，而北京师大附中这所百年名校却不在其中。当时，师大附中的领导和老师们都心急如焚。大家想，即使我们以后争办下来，北京师大附中也不是北京市首批示范校，写这样的历史将使我们遗憾终生，可见那时我们的压力有多大。面对这个严峻的挑战，我毫不气馁，我对北京师大附中的实力充满信心，决心变压力为动力，不能坐吃等死，而是主动出击，千方百计地扭转被动局面。

因而，争办示范校成了我上任后的头件大事。实际上，教育部、北京市、宣武区和北京师范大学等领导对北京师大附中的发展都十分关心，通过我们顽强的努力和积极的争取，北京师大附中示范校建设加快了步伐。宣武区人民政府克服重重困难，把一墙之隔的宣武实验小学搬迁，将其校园土地划归师大附中使用，使我校占地面积基本达到了示范校建设用地45亩的标准。我校被市教委确定为第二批示范校建设单位。有了土地，我们就抓紧规划和设计新的设施，继续争取资金，着手校园建设。与此同时，我们也针对示范校软件（指教育教学管理等）建设标准，认真总结经验，改进工作，使学校各方面工作在原有基础上都迈上了一个新台阶。

2001年北京市首批示范校评审专家组在师大附中进行评估考查

2001 年 11 月，市教委开始首批示范校的验收工作。通过学校领导班子的认真讨论，我们提出了一个大胆的想法，我校申请与第一批示范校建设单位一起参加验收。我校这个申请，得到了市区教委的大力支持。12 月 19 日，我校迎来了以中央教科所原所长滕纯先生为组长的示范校专家组，专家组集中了北师大、首师大和北京市教科院、教育学院的很多知名教授，通过一整天考查验收，专家组给予我校很高的评价。滕纯先生还特意要走了我汇报的 PPT 光盘，对我代表学校作的示范校建设报告倍加肯定。2002 年 9 月北京市教委正式发文，我校和其他 13 所中学一起被认定为首批北京市示范高中校。我们的努力没有白费，北京师大附中在示范校建设中又恢复了应有的地位，终于给学校的历史有了一个交代。

机会总是给予那些有准备的人。2000 年国家面临着高中学生入学的高峰，国务院下达了优质资源学校扩建扩招的任务，特别针对教育部直属北京高校的附中，依据扩招规模给予建设资金的支持。当时的北京师大附中设备陈旧，校园狭窄，自然条件与设施都是在京六所部属大学附中里最落后的，上级根据当时北京师大附中的校园面积，几次动员我校减少扩招计划。如不扩招，我校就要失去扩建的机会，那将使北京师大附中与兄弟学校在硬件方面拉开双倍的距离。想到这些，我实在睡不着觉。

在这个重大决策面前，我们的决心怎么下，教代会发挥了重要作用。我一方面在领导班子内认真研究，另一方面让全体教职工都了解面临的形势，通过教代会集思广益，统一思想。经过我们反复研究和论证，认为扩招的困难是暂时的，学校建设是长远的，最后作出了别的学校扩招多少个班我们也扩招多少个班的决定。

学校要扩招扩建就必须有土地。我校除得到相邻小学做建设用地外，早在 1998 年我刚到北京师大附中时，就向宣武区领导提出将马路对面的和平门中学并入北京师大附中的请求，但是那时上初中的孩子特别多，和平门中学又是一所不错的学校，教委不同意。几年过去了，在扩大优质教育资源精神的支持下，2003 年，我和学校领导班子成员一起又积极开展工作，终于促成宣武区人民政府与北京师范大学签订共建北京师大附中协议。区政府将和平门中学与北京师大附中合并，把和平门中学的22亩校园并入我校。这个决定一作出，我们就紧锣密鼓一鼓作气地办好和平门中学并入的所有手续，终于在3月21日实现了合并。那年春天，我国遇到了“非典”的巨大灾害，就在和平门中学并入北京师大附中没几天，北京市就爆发了“非典”，学校全面停课，一停就停了将近半年。如果不是当时我们抓得紧，和平门中学并入的事很可能因“非典”变得遥遥无期，甚至成为泡影。回想这段经历，还真是有些惊险。

经过我们积极的争取和精密的策划，按照国务院要求，我校在2003年、2004年实现了高中扩招，每年招生达到16个班720人，全校学生超过了3000人。同时我校也得到了5600万元国家重大资金的支持。通过精心设计，精心施工，建成了教育功能先进又独具特色的综合教学楼，该建筑被评为2004年度北京市优质工程，获长城杯金奖。北京师大附中现在有美丽的校园和现代的教育教学设施，大部分是那次扩招扩建打下的基础。

2007年，北京市高中启动新的课程改革。我想一定要抓住机遇，争当新课改实验校。建校100多年来，北京师大附中在历次教育改革中都是走在前列的，这次也不能例外。在我校领导集体的共同努力下，在全校教师的支持下，一整套课改实验方案提交市教委。我们知难而进，勇于创新，不墨守成规，将新的教育理念不断融入我们的教学改革方案。在一系列考查评审之后，北京师大附中与其他7所普通中学一起，被北京市教委确定为新课改自主排课和自主会考实验校。这为我校进一步搞好教育教学又争取到更多的自主权。

三、抓住人才，搞好教师队伍建设

办好学校的根本保证是把教师（包括干部、职工）队伍建设好。学校教育是育人的工作，而且是以人育人。学校的各种设施固然不能少，但根本的还要靠人，要靠高水平的人才队伍。一百多年来，师大附中以名师荟萃著称。我 1998 年来到北京师大附中时，老一代的名师在逐渐退休，教师队伍迅速年轻化。北京师大附中教师有很好的传统，师德好，对学生高度负责；学术造诣深，对教学精益求精。再加上老教师传帮带，新教师在这里耳濡目染，总的来说，教师队伍的整体还是不错的。但是，随着学校规模的扩大，新教师迅速增加，学校要想保持一支高水平的教师队伍，必须坚持精心打造。

把好教师引进关是非常重要的。我作为校长，一方面依靠教学口领导，依靠各学科教研组长选人，让他们把责任负起来；另一方面大家都要坚持原则，坚持高标准，不徇私情，全心全意地寻找人才、留住人才。每次选留大学毕业生，在教研组初选之后，我都要亲自与候选人谈话，发现问题的，坚决不留。不合适的、不理想的人选也不会放进来。

选聘教师首要的一条是选有事业心的人。这种事业心主要表现在爱学生、爱专业、爱学校，热爱教师这个职业，具有在学校里干出一番事业的激情。因此，我们特别重视考察教师是“我要干”还是“要我干”。再高水平的教师，如果他不想干，或是求他干他才干，这样的人就是聘用了，恐怕也干不好，干不长。

在实际工作中，我把师德好、教育教学效果好作为衡量好教师的主要标准。学校通过对先进教师榜样的树立、教师的校本培训、对青年教师的重点培养，以及通过每个学年对教师的考核聘任，实现优胜劣汰，保证了北京师大附中的教师队伍风气越来越好，业务越来越强。

北京师大附中教师队伍建设有一个好传统，不是到处抢别的学校的人才，大部分教师是靠本校自己培养的，从他们大学留下以后，一步一步地精心带出来，只有少量教师是中途引进。我们本着对每位教师的关心和信任，都诚心实意地进行培养。

我时常回想在北师大工作的时候，校领导鼓励和支持我们读研究生，还选派我去美国进修学习。由于领导有重视年轻人培养的远见卓识，使我有了研究生学历和留学的经历，这对我当好一名教师很有帮助。因此，在我当校长之后，也大力支持本校教师报考研究生，积极选留研究生来校工作；同时创造条件，抓住机会，送教师出国进修或工作。我刚来北京师大附中时，全校教师中只有2名硕士。到2010年，全校教师中已有90位博士、硕士，而且新教师都来自国内名牌大学，他们学有专长，具有较深的理论基础；全校有40多位教师赴国外进修（或工作）一年以上。外语教研组已有2/3的教师去过英语国家实地学习、工作一年。此外，语文、数学、物理、化学、生物、地理、体育、信息等学科都有教师出国学习。特别是语文教研组，已先后派出10位教师到美国、德国、新加坡和菲律宾学习工作。我认为，语文教师更应当读万卷书，行万里路，给他们出国工作一年的机会，一定可以增长他们的才干。

在这些出国学习的教师中，经我努力派出的就有30位，很多机会是稍纵即逝的。有一年，上级通知学校可推荐英语教师去澳大利亚读硕士，时间两年。虽然“脱产”的时间长了些，我还是积极鼓励教师报名，结果全市普通中学只选中了我校一人。又有一次，日本有一个教育管理培训计划，接受学校管理人员去北海道学习一年半，我也没有放过这样的机会，选派学校的青年干部去学习。为了能连续给中国驻美国使馆阳光学校派我校教师，我一年之内与在美国的老师来往E-mail几十次。2009—2010学年里，北京师大附中同时就有4位教师在国外，1个老师在美国、1个老师在德国、2个老师在英国学习与工作。老师们在国外学习期间，我与他们保持着密切的联系，鼓励他们多了解国外的教育情况，多学习国外的先进经验。每逢春节我都亲笔写好贺年卡，寄给在国外的老师们。十多年来，北京师大附中派往国外学习工作的老师们都按期归国，返校后发挥出了更大的作用。

四、明确办学目标、育人目标，千方百计实现

中学实行校长负责制，把自己的学校办成一所什么样的学校，也就是有一个什么样的办学目标，校长当然要心中有数。办学目标不是校长想怎么定就怎么定。首先学校教育的目标要依法依规，规划学校发展也

要适合本校的客观情况。

我从北师大来到师大附中，自然想把学校办好，好到什么程度，好在哪里，刚开始心里没数。北京师大附中作为中国的历史名校，建校多年以来，办学在国内保持一流是无可争议的。但是，新中国成立以来，随着教育的大发展，优质学校越来越多，师大附中不再是一花独秀，而是万紫千红中的一朵。“文革”以后，特别是改革开放以来，学校受地方经济文化的影响越来越大，北京师大附中地处北京相对落后的地区，学校的发展确实受到了一定的影响。但是，学校的主观问题也不容忽视。我刚到附中时，学校确实存在着“思想乱、管理乱、环境乱”的现象。教育教学人员说管理后勤服务不好，管理后勤人员埋怨教育教学今不如昔。总之，大家看到学校有走下坡路的危险都很着急，但是自我批评少，埋怨别人多。如何把大家尽快地团结起来，首先要统一思想，明确办学目标。

结合百年校庆我提出“全面推进素质教育，建设面向新世纪的北京师大附中”的口号。一方面强调素质教育，另一方面意在提醒全校，过去的100年北京师大附中成果辉煌，下一个世纪我们要继承发扬。在2002年我校被评定为北京市首批示范校之后，我进一步提出“保持国内一流、争创世界先进、建设高水平示范校”的奋斗目标，解决了评为示范校之后船到码头车到站的问题。在学校完成扩招扩建任务之后，我提出“安安静静办学，踏踏实实提高教育教学质量”，提出2006年为北京师大附中教育教学质量年。在抓教育教学质量的工作中，我提出“教师要人人成为名师，非教学人员要人人成为本职工作的专家”，并以“人才、质量、和谐”，“继承、创新、实干”等关键词为学校工作的主题；提出“‘全人格、高素质’为师大附中的育人目标”，“把北京师大附中建设成最适宜学生发展和最适宜教师工作的学校”。我认为，做校长必须不断把握学校前进的方向，必须不断鼓舞全校的士气。

通过十几年来不断地实践总结，全校逐步统一了思想。我们把“保持国内一流、争创世界先进”确定为我校的办学目标，把“全人格、高素质”确定为北京师大附中的育人目标。

“保持国内一流、争创世界先进”的办学目标或办学定位，对于北京师大附中来说是适当的。老前辈早已把师大附中办成了国内一流，如果我们今天的办学目标，还是争创国内一流，那就是历史的倒退。因此，我校不允许自己放低要求，不也允许学校沦为二流。打江山难，保江山更难。我们只有虚心向国内外优秀学校学习，不断跟上时代前进的步伐；只有加倍努力工作，力争上游。“争创世界先进”为学校树立了更高的奋斗目标。为了实现这样的目标，我们就要面向世界，走向世界，了解当今世界中学教育办学的最高水平，千方百计地赶超。“国内一流”“世界先进”都不能是自封的，既要有实实在在的办学成果，也要有国内外方方面面的承认。为此，我们不断完善学校的发展规划，制订落实方案，百折不挠地实现办学目标。

育人目标实际是办学目标最重要的组成部分。虽然国家已提出明确的育人目标，但是我们还要确定自己的育人目标。这是因为，一要结合本校的实际，二要简单明确、特色鲜明。我校的育人目标与国家的完全一致，而且是要更好地实现国家的育人目标。

自第三次全国教育大会提出素质教育以来，素质教育成为全面育人的代名词。十多年过去了，我国的教育得到突飞猛进的发展。素质教育落实得如何，其说不一。成绩不少，问题也不少。育人上的很多问题，不是学校一家可以解决的。在我看来，当前教育最大的缺失是人格培养的问题，其次才是知识能力问题。由于物质生活的日益富足，市场经济规则的影响，独生子女的天然缺陷，安全责任给学校实践活动带来的限制等，使得少年儿童，以至青年学生心理问题比过去多得多，人格的成长很不理想。

著名教育理论家、我校校友、北京市教科院原院长文喆先生认为，学校的任务主要有两条：“一是要把孩子变成学生，二是把学生变成公民”。文先生的话从来就是这样简单明了，一语中的。我理解，文先生话的意思是，学校教育就是要通过教育教学，让天真的孩子学会学习，成长为合格公民，让他们从一个自然人成长为一个合格的社会人。这样的任务说来简单，实际上我们完成得并不好。虽然，现在大部分学生表现是好的，但是我们存在着两方面的问题：一是有一定数量的学生人格很不健全，心理障碍严重，这样的学生即使少到一人，也是教育的失败；二是即使是认为表现较好的广大学生，是否有优秀的人格，在人生困难面前是否能经得住考验，也存在很多问题。

当今世界，大学生自杀和杀人的事件时有发生，歹徒狂杀滥砍、杀人灭门的事件也屡见不鲜。我想，这些杀人犯也是受过教育的，有的还是受过高等教育的，但是他们的人格、人性破灭到了极点，教育在他们身上没有留下好的印记。在我校，还出现过学习非常优秀的学生，最后因为心理问题不敢报考大学的情况。学生依赖家长、依赖老师的现象，更是普遍存在。

80 多年前，北京师大附中老校长林砺儒先生推行“全人格教育”，把人格的培养放在中心地位。健全人格带动了学生的全面发展。北京师大附中校训“诚、爱、勤、勇”从四个方面提出了健全人格的要求。有一次，我在杂志上看到北师大石中英教授的文章，他说，创新也是一种人格。我很赞成这个观点，没有创新，人类就不可能离开“周口店”，哪有今天这样五彩缤纷的世界。因此，我想“诚、爱、勤、勇” + “创”，可以成为全人格的基本构成，应当成为我们育人最重要的内容。

为此，我明确提出把“全人格、高素质”作为我校的育人目标，得到了全校的赞成。我们正在进一步细化育人方案，争取通过我们的努力，培养一代代人格健全的高素质人才，也为杰出人才的成长奠定坚实的基础。

五、管理“自动化”，建设民主和谐校园

（一）推动学校管理走向“自动化”

一次我拜访文喆院长，一起回顾北京师大附中的办学传统。他根据自己在北京师大附中的学习经历，总结出“教师自尊、学生自治”是

北京师大附中的传统特色。一句话又使我茅塞顿开。结合我校办学自主的历史，按照文先生的指点，我提出“学校自主、教师自尊、学生自治”是学校创新的基础与源泉。三个“自”体现了三个层次的主体性。

实现学校工作的“自动化”从来是我的一个理想。我认为，“管理”工作努力的方向是“少管”，追求的最高境界是“不管”。如果学校的各个部门和师生员工都各得其所、各司其职、尽心尽力、团结协作，那么就可以实现学校工作的“自动化”，校长就可以把工作的重心放到更重要的学校发展问题上，放到学校文化的建设上。对于上级来说，我们学校一级的工作要自动做好。

然而，实际情况并非那么简单，学校的氛围和工作的状态在我接任校长时并不是那么好，这需要一个不断“调试”的过程。要实现学校工作“自动化”，就要树立全校共同的愿景。制度管理、人文管理都不可少。制度管理解决的是学校工作的规范和机制，相当于“自动化”的程序，把岗位职责和工作流程写成“白纸黑字”是很重要的。人文管理解决人的主体性和创造性问题，促进人的自觉、主动。在学校良好的文化氛围中，广大教职工有自己的理想和幸福感，工作就会有动力，有干劲。制度管理与人文管理相辅相成、缺一不可。

“自动化”管理更重要的体现在领导班子和管理机构内部。学校干部必须配备得力，分工明确，特别是团结协作。通过工作计划和工作标准的制订，全校的教育、教学、服务工作的不断磨合，使日常的工作不再靠人盯人，而是能自动地按“程序”完成，校长只是通过抽查和信息反馈，了解和检查工作的落实。充分地让副校长和主任们承担起他们应当担负的责任，如日常教学、德育、后勤保障等，都能自觉地实现高标准、严要求。校长主要是做好管理者的管理者，这样的“自动化”让管理上了档次，使管理重点放到“工作产品”的质量验收和“新产品”的研发上，把精力放在学校创新与战略发展上。

当然，学校的工作也不总是随其自然，自由自在。比如，学校教育方向的掌控，工作更高目标的建立，教师培训，新课改新要求的贯彻，学生课业负担的控制，学校财务制度的落实，特别是校园的秩序与安全，教职工队伍的激励与团结，校风与校纪，都需要认真管理，该管的地方就要严格管起来。校长实际上是根本闲不住的。

从人的管理，到制度管理，再到文化管理，十几年我校经历了这样一个过程。学校像一个交响乐团，校长像是指挥，各部门的工作像不同的声部，每种乐器都有高手演奏。平时要抓紧训练，乐手在演奏时可以尽展才华，指挥要掌握演出节奏，提示各类乐器适时发出美妙而又和谐的声音，掀起演奏的高潮。学校的生活就应当像一曲美妙动听的交响乐。

（二）努力建设民主和谐的校园生活

“家和万事兴”，学校也是如此。建设民主和谐的校园生活既符合师生追求民主自由的愿望，也是办好学校的稳定基础。为了实现民主和谐的校园生活，我提出全校要在五个方面作出努力：一是增强全校干部、师生的主人翁精神；二是学校领导和管理干部都要努力为全校师生服务，密切联系群众，做到心往一处想，劲往一处使；三是坚持教代会等校内民主程序，多渠道听取基层意见，努力搞好校务公开，及时解决师生反映的困难和问题；四是努力改善师生的工作学习条件和教师待遇；五是有民主也要有集中，反对自由主义。

北京师大附中作为一所公立学校，既是国家的教育机构，同时也是广大教职工个人、家庭赖以生存的家园。广大教职工既是“国家的雇员”，也是学校的主人。我认为，校长也是教职工的一员，只不过岗位不同，责任更大。校长作为学校的法人代表，就是时时被追究法律责任的那个人。无论从哪个角度说，办好学校都必须依靠广大教职工。

学校的民主管理主要通过全体教职工大会、教职工代表大会和学科专业委员会等组织形式。学校每个月召开全体教职工大会，由我和副校长及时通报学校工作。学校每学期召开教代会，汇报学校各方面工作和财务收支情况。教职工代表的提案得到学校各部门的高度重视，及时给予落实或解释。比如，教师代表的提案《明确教研组长的职责和权利》《开展师大附中校园文化建设》以及《为青年教师进修提供时间和财力上的支持》等，都得到了实现。

我校广大教职工积极参与学校管理。在建设综合教学楼期间，我邀请多批教师外出参观考察，参与设计。参考老师们的合理建议，学校的专用教室布局更加合理。依据各教研组的意见建设的实验室非常适合教学需要，不少实验装备是按老师们的设计制造的。物理实验员设计的材料柜，像中药铺里放药材的抽屉柜，他们把各种不同规格的电阻、电容分格放在抽屉柜里，管理得井井有条。生物组教师设计的圆形实验桌，8 个学生能在一起实验、讨论。这样的实验桌一制成，很快成了厂家对外推销的新产品。

学科专业委员会由各科教研组长和学科带头人组成，在学校发挥着重要作用。每月定期召开会议，研究讨论学校有关教学改革和教学管理的很多事项，包括职称评定。此外，学校还聘请资深特级教师组成专家顾问组，对我校的教育教学给予指导，为学校的发展出谋划策。

我与资深老教师们始终保持着密切的联系，每年节假日经常去老领导、老教师家中看望。区教委几次提出北京师大附中召开校长教育思想研讨会，我很感激，但还是婉言谢绝了。我想北京师大附中还有很多宝贵的东西没有总结。于是，我积极组织力量筹备召开了著名特级教师朱正威、王树声先生的教育教学研讨会，我邀请全国人大常委会许嘉璐副委员长出席大会讲话并为朱正威先生授牌；请全国政协张怀西副主席、中国教育国际交流协会柳斌会长、中国教育学会顾明远会长为王树声先生题词。经过精心准备的朱正威先生从教五十周年教育教学研讨会和王树声先生从教五十五周年教育教学研讨会都取得了巨大成功，两位老先生的教育思想和教学经验得到了很好的总结和宣扬。

充分发挥退休名师的作用，对我校提高教学质量和培养年轻人发挥了重要作用。不少经验丰富的老教师被我的诚意所感动，返回学校任教或承担顾问。数学组刘增佑、陈纪芳、张岩老师教学水平特别高，他们退休之后，我登门拜访，诚恳地请他们回校任教。结果他们重返课堂，一教就是好多年，还带出了一批青年教师。山西物理特级教师、国家特殊津贴获得者胡朗先生是北京大学数力系毕业，上中学时曾夺得华罗庚先生颁发的数学竞赛奖。他为山西中学的教育事业奉献了几十年，临近退休时组织上照顾他的家庭困难，同意回北京工作。我听说此事立即邀请胡先生来北京师大附中工作，一晃已经七八年了。胡朗先生一直在高三把关，以他高尚师德和高超教学技艺，在高考中发挥着无法替代的重大作用，还带出一批批青年教师。

2007 年 10 月，外地来我校任教三年的退休数学特级教师孔繁潜先生不幸因病去世，闻听此讯我十分悲痛，决定连夜赶往武汉，慰问亲属，参加孔先生的追悼会。当我和毛玉忠老师深夜 11 点多赶到武昌孔先生家时，他的老伴非常感动。第二天，我参加了孔先生的遗体告别仪式，孔先生退休所在的武昌 14 中校长和我先后致了悼词。武汉的校长和老师对我们如此尊重老先生深感钦佩。2008 年春节，在我收到的众多贺新春手机短信中，发现有孔夫人特地发来的一条，她说："谢谢你们如此器重他，在附中四年他很快乐，他说他无怨无悔"。看了这条短信，我不由得热泪盈眶。

作为校长，我特别知道人才的宝贵，培养一个优秀人才难，留住一个优秀人才也难。有一年，学校一位各方面表现都很好的青年教师，因为遇到暂时的困难，想辞职出国工作。凡是想出国学习工作的，我都表示理解，这次也不例外。我还诚恳地希望她能随时回来，学校的笔记本电脑也暂借她使用。一年后，这位优秀的青年教师度过了一时的困难，又回到北京师大附中工作。

总之，我真心实意地鼓励每位教师进步，希望每位教师工作生活愉快幸福，更渴望自己学校的教师们出类拔萃。我本来就是一位中学老师，自己也是从毫无经验中走来，那些年组织的关心、老教师的帮助我都铭刻在心，今天我也要把这种关心与帮助奉献给新的一代。

六、不断提出新点子，办学时时有新意

校长的工作，或说以校长为首的校领导班子的工作，不仅要清楚今天怎么干，而且要想着明天怎么干。如果明天的工作总是照今天的办，

那就谈不上什么创新，更谈不上什么发展与进步。

我想，管理学校就像下棋，下这步时总想着后面几步会怎么发展，只顾眼前很可能输掉全盘。但是我又不赞成为规划而规划，把规划写成官样文章。很常见的情况是，规划写得很漂亮，能否落实他不管，几年过后，规划变成了无头案。一个学期、一个学年，也包括几年，学校应当有一个切实可行的规划或计划。我想强调的是，近期的规划要明确干几件有发展、有创新的大事。长远的规划，往往只能说个大致方向，不能搞得过细，计划赶不上变化是常有的事。

刘沪校长在校园“三味书屋”与学生交谈

另外，管理好学校也像下棋那样，要有招儿，就是要不断提出办学的新点子。我当校长以后脑子里总是装着学校里的事，有时睡觉时想起一个好主意，怕起床后忘了，不管几点也要马上拿笔记下来，好脑子赶不上烂笔头。在解决学校遇到难题的时候，我总是对同事们说要千方百计，一计不成再生一计，那才是对学校负责的精神。我要求学校领导班子和管理人员，哪一级都不能简单地把矛盾上交。

十多年以来，我给学校出了数不清的主意和新点子，其中很多现在已经变为现实，有的还成了学校的亮点。例如：

——宣武区与北京师范大学共建北京师大附中，将原和平门中学并入北京师大附中，扩大优质教育资源。

——开展名师建设工程，举办特级教师朱正威、王树声等名师教育教学研讨会，认真总结他们的经验。

——从 2000 年开始，引进新教师以硕士研究生为主，适当引进博士研究生。

——综合教学楼建成学科实验中心、科技中心和艺术中心，建设地理教室等；规划建设图书馆楼，建设自学中心等。

——建设教师大办公室，设立教师工作区、教师研讨区和师生讨论区（我专门设计了答疑桌凳）。

——发展各学科小组讨论式专用教室，理化生、劳技、地理、语音、计算机等均设计了小组讨论式实验桌；在教师按年级组办公的情况下，为各教研组设立专用学习室。

——开展教研组工作评比，建立校内学科建设评比指标体系，每年召开教育教学研讨会。

——坚持校内考试（期中、期末等）正规化管理，考场人数限制在 35 人以下，全年级学生考试实行电脑排位。

——成立研究性学习教研组，聘任教研组长，研究性学习教师由各科教师兼任。

——申请成为北京市新课改自主排课与自组织会考实验校。

——申请成北京市青少年科技创新学院基地校。

——建议召开北京师大附中美育工作会议、体育工作会议、信息工作会议和人才工作会议。

——编辑《100 个附中人的故事》，出版总结师大附中文化的书籍。

——树立钱学森青少年时期的铜像，建设钱学森纪念馆，邀请温家宝总理题写馆名；筹建赵世炎等杰出校友展室；克隆“二味书屋”，修建“杏坛”，复原民国小学教室，建设“未来教室”，加上现代化校园，逐步形成一个小型的“中国教育博物馆”。

——建立钱学森班，通过增设伦理学、艺术与科学等课程和强化外语和计算机教育等手段，促进杰出人才的培养。

——邀请“京城最帅的交通警”孟昆玉担任师大附中校外辅导员。

——选留优秀舞蹈教师，建设舞蹈教室，开展舞蹈教学与社团活动。

——扩大心理教师编制，建设温馨的心理咨询活动室。

——大力发展校园文化建设，将国家领导人题词、知名校友照片、校史展和学生书画等陈列在主要建筑内，用中国书法、敦煌壁画装饰校园。

——把“中学生命伦理学”开成精品校本课程，鼓励相关教师出席国际研讨会，积极开发教材出版。

——稳步扩大外国留学生招生，建立完善的留学生教育体系。

——发展稳定的国外教师进修合作点，每年派教师赴美国、英国、德国等国家学习和任教。

——建设北京师大附中档案室，选留专业档案管理人员。

——每年编辑北京师大附中年鉴，每月编辑师大附中校内信息，定期出版师大附中校友报。

……

我想校长不仅自己要不断提出工作的新点子，还要善于听取和采纳广大师生的意见建议，这样才能使得学校不断有新事物涌现出来。每年大家都会发现学校又有新的变化。

七、厚积薄发，安安静静，建设“宜学”“宜教”学校

（一）厚积薄发，安安静静办学

名校之所以有名靠的是办学业绩，靠有名教师、有名校友。名校绝不是靠炒作产生的，名副其实才是根本。作为校长，我坚持“长线”

发展的思想，不计较一时一事的得失。哪年中高考成绩好一些，哪年中高考成绩弱一些，我都实事求是地、发展地看问题。2004 年，教育部陈小娅副部长接见在京的大学附中校长时，提出了安安静静办学的希望。我非常理解和拥护陈副部长这个观点。我结合本校工作，提出了“安安静静办学，踏踏实实地提高教育教学质量”的口号，努力把教师引向潜心治学、刻苦钻研的方向上来，反对浮夸、浮躁，反对浮浅、浮华，倡导扎扎实实地为教育做事。

我在北师大读本科和研究生期间，教育类的重要课程我几乎都选学过。像“教育学”、“高等教育学”、“教育心理学”、“教育管理学”、“教育经济学”、“教育社会学”、“教育统计学”以及“伦理学”、“美学”等。但是现在看来，书还是读的太少了。本来是数学专业，数学知识学了一些，对其他学科只有一般的了解。学科之间隔行如隔山，所以我主张各学科的权威是本学科的带头人，讨论教学问题时，学校领导一定要尊重学科带头人的意见。

我校校友钱学森先生生前非常关心杰出人才的培养，不断在问为什么我们培养不出大师级人才。实际上，教育界也存在着“钱学森之问”，为什么我们今天的学校里，很少再见到霍懋征、朱正威、王树声、孙维刚那样的杰出名师？中小学如此，大学里也是如此。这个问题值得我们教育工作者深思。人生要干一番事业，需要毕生的投入，需要执著的精神，需要读万卷书、行万里路。快餐式的读书，立竿见影似的做事，恐怕难成大业。

我们提倡“厚积薄发”就是不能为功利而急于求成。

“厚积薄发”体现在教师队伍建设上，就是要合理搞好每个教研组的人才组合，精雕细刻每位教师。

“厚积薄发”体现在学生培养上，就是要多为学生创设更多有益的教育活动，创设更好的成长环境。

“厚积薄发”体现在教研活动上，就是注重教师个人、备课组与教研组各层次教研活动的效果。学校通过承接全国、全市各种教研活动，提升教师的教学水平。

“厚积薄发”体现在中高考成绩上，就是要反对单纯应试，而是合理安排好学生初中三年、高中三年的学习生活，注重良好学习习惯的养成，注重学生各种能力的提高。

“厚积薄发”体现在学校建设上，就是不求一次性完成，而是成熟一项发展一项、建设一项，注重设施的实效，提高建筑的品位与和谐一致。

北京师大附中的工作不追时髦，不求虚名。全校师生信心十足，埋头工作与学习，相信自己的努力一定会结出丰硕的成果。

（二）建设“宜学”“宜教”学校

百年校庆以来，北京师大附中发生了翻天覆地的变化，到学校参观交流的中外来宾很多，大家对我校的“软硬件”都给予高度评价。一位英国校长说：“没来北京师大附中以前，一直认为世界上最好的学校在英国，现在转变了，我对你们师生的高素质非常佩服。”

我是不太在乎别人夸奖的，但我对国内一位校长的评价还是很有感触，记忆犹新。那位校长的专业水平很突出，历来看问题眼光很高，不会奉承别人。他到我校参观交流后，对我只说了一句话：“这儿就是我心目中理想的学校。”闻听此言，我很感动，但是并没有陶醉在赞扬之中，而是在想，究竟建成什么样才真正是一所理想的学校呢？今天我们还没有做到。建设人们心目中理想的学校应当成为我探索的新课题。

借助创建“宜居城市”的思路，我提出“要把学校建成最适宜学生学习、成长的学校，建成最适宜教师教学、工作的学校，简称建设‘宜学’‘宜教’学校”的想法。“适宜”就是最好的。学生满意的学校，是使每个学生都有提高、都能愉快生活的教育环境，学校要成为学生成长的乐园，成为走向未来最好的排练场。教师满意的学校，是使每位教师各得其所，感受职业幸福，给他们提供展示自己才华的舞台。这个理想目标的建立，既体现出师生的主体性，也明确了学校硬、软件发展建设的方向。学校工作的方方面面，都要从有利于学生的成长出发，从有利于教师做好教育工作出发，设计和构建良好的育人环境和教育教学活动方案，努力改变依然存在的种种不利因素和问题。学校的发展始终围绕建设“宜学”学校、“宜教”学校这样一个大目标，采取具体措施，一点一滴落实到工作中，永无止境，我们就一定可以不断接近理想的境界。

十多年以来，我一直与北京师大附中干部教师一起参加北京师范大学裴娣娜教授主持的国家和教育部重大科研课题：主体教育和学校教育创新，主持编写解读北京师大附中的丛书。面对师大附中这所百年名校和她的优良传统，我感觉自己真的像一个守望者。我经常给老师们讲“守望者”一词的来历。美国作家塞林格的小说《麦田里的守望者》描写一个男孩子，表面上看是垮掉一代的代表，但他还是有理想有追求的，他想寻找一片巨大的麦田，让孩子们在麦田里尽情游戏，自由狂奔，他守在麦田边的悬崖旁，看孩子们有危险时就把他捉回来。我想，那个男孩是渴望自由自在的成长，是对旧教育束缚的一种反抗，也是对理想教育的强烈向往。我们今天的守望，正是要继承传统教育的精华，打碎那些束缚学生成长的桎梏，让孩子们充分地发展，同时也要保证学生的安全。

我想，我们不仅要做教育事业的守望者，还要不断创新不断实践，追求理想学校目标的实现，我们要一步步地把北京师大附中带向那个理想的境地。

第十章 再创北京师大附中辉煌的100年

在人类进入21世纪后，2001年北京师大附中迎来建校100周年。在过去的一个世纪里，北京师大附中创造了中国基础教育辉煌的成果，以钱学森校友为代表的众多北京师大附中毕业生，用自己的光辉业绩证明了他们中学时代所受教育的成功。当今的北京师大附中人怎么做？刘沪校长在百年校庆大会上的讲话中，提出了响亮的口号：面向新世纪，再创北京师大附中辉煌的100年！

过去100多年的风风雨雨，北京师大附中经历了黑暗的旧社会，也经历了社会主义建设的新时期。今天的时代，国家繁荣发展，世界文明进步，学校发展的背景与以前大不相同了，应当说，学校教育的条件好多了。然而，机遇与挑战从来都是并存的。在学校发展的优越条件下，也遇到种种新的问题。从传统名校的办学优势看，基础教育均衡发展，重点学校或名校不再享有特殊的支持；随着优质教育资源的扩大，好学校不断增加，优秀学生不再集中于少数名校。从教育对象看，中国的学生多数是独生子女，市场经济的竞争推动着应试教育愈演愈烈。从教师队伍看，教师工作还不是令人羡慕的职业，教师的素质与理想状态还有

北京师大附中校园规划鸟瞰图

很大差距。从课程建设与教育教学方法的改革看，由于高考等诸多因素的制约，我们的课程还不能满足社会发展的需要，还不能满足学生发展的需求，教学的方式方法还不能有更多的改革与创新，必须首先服从于完成越来越沉重的高考任务。随着班额的缩小和新课改的推进，学生选课的自主与学校的因材施教逐渐成为可能，但还远未实现针对每个学生自身情况来安排适合他的学习计划的程度，特别是对少数具有特殊才能或兴趣的学生，开展针对性的教学还很不够。

时代在前进，学校的历史再辉煌我们不能试图回到过去。事物的发展不可能真正回到原点，理想是螺旋上升的。从1901年到2001年是北京师大附中的第一个100年。从2001年到2101年将是北京师大附中又一个新的100年，在这样一个新的世纪里，为了再创辉煌，我们需要重点做好以下几个方面的工作：

（1）学校的教育理念要与时俱进；

（2）师资队伍要由优秀人才组成，名师荟萃，流派纷呈；

（3）德育实现全人格培养；

（4）教学适应高水平要求、适应个性发展，培养创新精神；

（5）加强国际交流，推进解决世界教育面临的共同问题；

（6）发挥学校在本地域和社区的社会功能；

（7）发展优秀的学校文化；

（8）为培养杰出人才奠定基础，更多的毕业生成为国家的栋梁之材。

时代在发展，世界教育在前进，大家共同面临着许多新的教育问题。在对这些新的问题探索和解决的过程中，人们对教育又会产生很多新的认识。

早在20世纪70年代，联合国教科文组织国际教育发展委员会所写题为《学会生存——教育世界的今天和明天》的报告，论述了当今世界教育面临的挑战与主要倾向，指出关于实现教育革新最终走向学习化社会的道路，提出唯有全面的终身教育才能够培养完善的人，人们获取知识不再一劳永逸，而需要终身学习，需要建立一个不断演进的知识学习体系——学会生存。传统的教育方式、教育手段、教育内容、教育目的不能适应未来社会的要求、科技发展的挑战、社会公害的威胁，要求教育以学会生存教育为重点，把教育当做一个长期的发展的工作来看待。终身教育的概念因而产生。

20世纪90年代，著名教育家吕型伟先生在《面向21世纪中小学教育模式的实验》一文中指出，要寻找一种能使每个儿童的潜能得到充分发展的教育新模式，改变传统教育中的平均主义、划一主义的弊端，强调学生的主体作用；提出“人人有才，人无全才，扬长避短，人人成才”；提出“教育社会化，社会教育化”的观点。

20世纪末，著名教育家顾明远先生在《关于教育现代化的几个问题》一文中提出，现代教育的基本特征包括：(1)受教育者的广泛性和平等性，(2)教育的终身性和全时空性，(3)教育的生产性和社会性，(4)教育的个性性，(5)教育的多样性，(6)教育的变革性，(7)教育的国际性和开放性，(8)教育的科学性。并且他还概括了现代教育思想的几个特征：(1)教育价值的全面性，(2)教育观念的开放性，(3)教育观念的民主性，(4)教育观念的未来性。

1985年，美国科学促进联合会发起制定有关科学、数学与技术教育改革的长期规划。在全国科学技术委员会的资助下，聘请了400位国内外著名的科学家、教授、教师以及科学、教育机构的负责人，用了近4年的时间，于1989年完成并公布了一份文件，题为《2061计划：面向全体美国人的科学》。世界各国以多种形式面对当今的挑战，他们精确地界定了每个学生在学校期间应掌握的知识和技能。该计划起始于1985年，碰巧哈雷彗星接近地球。这种偶然的巧合产生了该计划的名称。因此人们意识到，能活到2061年再看到这颗彗星邻近地球的孩子正将踏入他们的学习生涯。不同学科的顶尖的学者和专家。科学家参与中小学教育已经成为美国教育发展的一个潮流。“2061计划”的出台向传统教育观念提出了重大挑战，引起全世界教育界和各国政府的极大关注。

英国的课程改革在强调精神、道德、社会和文化方面的发展目标，强调自我、人际关系、社会和环境等价值观的同时，特别重视现代社会所需要的基本技能的培养，如交流的技能、数的处理的技能、信息技术的技能、共同操作的技能、改进学习的技能和解决问题的技能等。

教育、特别是基础教育在全世界都受到了格外的重视，都提出了适应时代发展的新理念、新举措。

21 世纪的北京师大附中，继承学校的优良传统，紧跟时代前进的步伐，将教育的功能全面深入地运用于青少年的成长之中，创造最好的教育环境和人才发展氛围，让在这里受教育的青少年得到充分的发展，得到高水平的培养。我们认真总结杰出人才成长的成功经验，积极探索新时期杰出人才的培养模式，努力为我国培养杰出人才作出自己的贡献。北京师大附中将永远是一所高水平、有特色、充满活力的学校。让我们站在世界发展的新高度，奏响时代发展的最强音，大胆改革，勇于实践，以优异的办学成果再创北京师大附中辉煌的 100 年！

责任编辑　何　艺

版式设计　宗沅雅轩　杨玲玲

责任校对　曲凤玲

责任印制　曲凤玲

图书在版编目（CIP）数据

守望与凝思之间：北京师大附中教育创新研究／刘沪等著．—北京：教育科学出版社，2010.11（2013.3 重印）

（“守望者的凝思：读懂学校、读懂校长”系列论丛／裴娣娜主编）

ISBN 978－7－5041－5392－0

Ⅰ.①守… Ⅱ.①刘… Ⅲ.①中学教育－概况－北京市 Ⅳ.①G630

中国版本图书馆 CIP 数据核字（2010）第 223368 号

出版发行	教育科学出版社		
社　　址	北京·朝阳区安慧北里安园甲 9 号	市场部电话	010－64989009
邮　　编	100101	编辑部电话	010－64981167
传　　真	010－64891796	网　　址	http://www.esph.com.cn
经　　销	各地新华书店		
制　　作	北京金奥都图文制作中心		
印　　刷	保定市中画美凯印刷有限公司	版　　次	2010 年 11 月第 1 版
开　　本	169 毫米×239 毫米　16 开	印　　次	2013 年 3 月第 2 次印刷
印　　张	24	印　　数	5 001—6 000 册
字　　数	328 千	定　　价	58.00 元